SCÉNARIOS DU FUTUR/2

François de Closets

Scénarios du futur/2

Le monde de l'an 2000

DENOËL

Toute ressemblance entre, d'une part, des personnes physiques ou morales et des situations décrites dans ce livre, d'autre part, des personnes réelles et des faits qui se seraient effectivement produits, ne serait que le fruit d'une pure coïncidence, alors même qu'elle confirmerait l'analyse de l'auteur.

PRÉFACE AU TOME 2

Ce deuxième tome poursuit et termine la série des *Scénarios du futur*. C'est dire qu'il est construit sur le même principe. Chaque chapitre aborde un aspect particulier de la vie en l'an 2000 ou, disons plus généralement, à la fin du siècle. Pour décrire le futur j'ai pris le parti de la fiction. Non pas l'imagination ouverte de la science-fiction, mais celle, combien plus restreinte, de la prospective. Il ne s'agit pas de décrire un monde différent, mais un monde à venir.

Pour construire ces histoires, je suis donc parti du présent, des faits porteurs d'avenir qui annoncent le changement, des tendances lourdes dont l'inertie impose la continuité. Deux scénarios sont proposés sur chaque thème, qui sont parfois complémentaires, souvent contradictoires. Cette ambiguïté ne fait que traduire l'incertitude de toute prospective. Nous pouvons manquer de pétrole ou éviter la crise pétrolière, arrêter la prolifération atomique ou la laisser sans contrôle, construire des cités hospitalières géantes ou nous soigner à domicile, etc. C'est en posant de telles alternatives que nous avons le plus de chances de cerner correctement l'avenir.

Ces histoires ne sont pas gratuites. Les situations, les personnages, les anecdotes et jusqu'aux détails, tout y est délibéré. Ces éléments ont été dégagés au cours de réflexions communes avec mes invités. Je n'ai fait ensuite que les intégrer dans une narration. Le scénario se prête donc à un commentaire visant à expliquer la réalité qui justifie cette fiction. C'est en quelque sorte le mode d'emploi qui donne les clés de l'histoire et lui retire son caractère arbitraire.

Puis une réflexion d'ensemble à laquelle participent un ou plusieurs intervenants permet de tirer les enseignements de ces deux visions du futur.

Par ce mélange de fiction et de réflexion, de réel et d'imaginaire, j'ai, certes, voulu rendre plus agréable à suivre cet exercice de prospective, mais j'ai tenté également d'éviter une fuite dans l'abstraction. La prospective s'élabore avec les courbes et les séries statistiques, c'est vrai. Mais elle doit également prendre en compte les individus, les comportements, les mentalités. Il peut se produire à ce niveau de grands changements qui n'apparaissent pas dans les extrapolations statistiques. Aucun ordinateur avalant des montagnes de données ne pouvait annoncer que les Américains — et, maintenant, les Français — se prendraient de passion pour la course à pied. Qui peut dire si, d'ici la fin du siècle, les peuples occidentaux ne retrouveront pas le goût de la famille, si les courbes de natalité ne s'inverseront pas, si nous ne renoncerons pas au style de vie à l'américaine qui nous sert de modèle depuis trente ans ? Le recours à la fiction permet plus aisément d'envisager ces facteurs humains sans lesquels la prospective n'est qu'un jeu gratuit.

Voilà donc ces nouvelles histoires de l'an 2000 qui visent d'abord à vous distraire et, pourquoi pas, à vous interroger sur le troisième millénaire de notre civilisation.

1. LA PROLIFÉRATION NUCLÉAIRE

Invité : PAUL-YVAN DE SAINT-GERMAIN, directeur du Centre de prospective et d'évaluation au ministère de la Défense nationale.

En 1945, les Américains pensaient qu'ils disposeraient pendant de nombreuses années du monopole de l'arme atomique. Dès 1949, l'Union soviétique avait fait sa propre bombe. Depuis lors le club des puissances nucléaires s'est élargi : Grande-Bretagne, France, Chine, Inde... Pourquoi en resterait-on là ? Et si d'autres Etats doivent se doter d'armes nucléaires dans l'avenir, combien seront-ils, quels seront-ils ? En l'an 2000, y aura-t-il dans le monde 6, 10 ou 20 puissances nucléaires ? Autant de questions auxquelles nul ne peut répondre aujourd'hui avec certitude. Et cette incertitude est certainement l'une des plus lourdes hypothèques qui pèse sur le devenir de l'humanité.

En effet, l'expérience montre que le jeu nucléaire, jeu qui ne saurait être que celui de la dissuasion, de la non-guerre, est très difficile. Toute fausse manœuvre, toute erreur d'évaluation peut déclencher l'apocalypse. Plus il y aura de partenaires et plus il sera délicat de contrôler ce fantastique arsenal. La prolifération des armes nucléaires devient un des cauchemars de l'humanité, un drame qui met en jeu son existence même.

A l'horizon de l'an 2000, on peut imaginer deux types de situations. Une perte de tout contrôle sur la prolifération nucléaire. Chaque pays se lance dans la course

*à la bombe et nul ne peut plus rien empêcher, c'est
notre premier scénario : « A QUI LE TOUR ? »*

*Un contrôle absolu sur le développement des armes
nucléaires exercé par une autorité mondiale à dominante soviéto-américaine, c'est notre deuxième scénario : « LES FLICS DE L'ATOME. »*

Intervenants : général GEORGES BUIS.

P. GOLDBLAT du S.I.P.R.I. à Stockholm [1].

Nota. Pour écrire ces scénarios, nous avons refusé
de nous situer dans un monde d'opérette avec la Pol-
dévie, le Kafiristan et le Schulumbala. Les histoires ne
pouvaient se dérouler qu'avec des pays réels bien que
les situations soient totalement imaginaires. Il convient
de préciser que le choix des nations a été totalement
arbitraire et ne s'est pas fait en fonction des risques
actuels de prolifération. Il est évident, par exemple,
que les pays maghrébins ne sont pas aujourd'hui lancés
dans une aventure nucléaire, que le Venezuela n'est
certainement pas le pays d'Amérique latine dont l'intérêt pour l'atome puisse faire naître des inquiétudes.
Si nous les avons pourtant choisis, c'est précisément
pour éliminer tout sous-entendu et tout malentendu,
afin qu'il ne puisse y avoir de confusion entre le réel
et l'imaginaire. A travers ces histoires, nous avons
voulu illustrer les mécanismes et les situations qui
pourraient favoriser la prolifération nucléaire et non
dénoncer tel ou tel pays. Nul ne peut prévoir aujour-
d'hui les nations qui, dans vingt ans, seraient tentées
par l'aventure des armes atomiques, c'est pourquoi
notre interrogation porte sur le « comment » et non
sur le « qui ». Nous aurions pu choisir n'importe quel
Etat, mais non n'importe quelle situation.

---

1. Le S.I.P.R.I., centre d'études et de recherches sur le désarmement, est
un organisme international financé par le parlement suédois pour étudier
l'état des armements dans le monde et les progrès du désarmement.

A QUI LE TOUR?

La seconde guerre algéro-marocaine commence le 16 octobre 1998. L'histoire retiendra cette date, l'actualité, elle, ne l'a guère remarquée. Il ne s'agit alors que d'escarmouches dans la région contestée de la Hamada du Draa. Un événement banal sur ce point chaud du globe, une colonne à la troisième page des journaux.

La première guerre a éclaté en 88, quatre ans après la découverte d'importants gisements de pétrole dans cette région. Elle a tourné à l'avantage de l'Algérie lourdement armée par les pays de l'Est. La frontière du cessez-le-feu lui a laissé pratiquement tout l'or noir de la région. Elle en tire aujourd'hui 50 millions de tonnes de pétrole par an et le Maroc, lui, remâche sa défaite et prépare sa revanche. La tension est particulièrement vive depuis le coup d'Etat de 90 qui a renversé la royauté et porté au pouvoir le colonel Marakir. Les accrochages à la frontière sont monnaie courante. Dans ce contexte, il est difficile d'évaluer l'importance exacte des nouvelles en provenance des confins sahariens.

Le 17 et le 18, les deux pays s'accusent mutuellement d'agression tandis que les combats s'intensifient et s'étendent à toute la frontière. Dès le 20, les deux armées sont totalement engagées. L'Algérie, qui a massé ses meilleures troupes au sud pour protéger ses champs de pétrole, cède du terrain au nord. L'armée marocaine

perce les lignes de défense frontalières à Marnia et
s'empare de Tlemcen le 24. Dans les jours suivants,
sa progression est stoppée devant Sidi-bel-Abbès. Aux
Nations unies, les belligérants s'accusent mutuellement
et le Conseil de sécurité ne peut que lancer de vains
appels au cessez-le-feu.

Début novembre, la contre-offensive algérienne se
développe. Face à une puissance de feu très supérieure,
les troupes marocaines commencent à reculer. Oujda
est pris dès le 5. Dix jours plus tard, l'armée algérienne, attaquant par le nord et le sud, enfonce les
lignes marocaines. Le 14 novembre, le colonel Marakir
lance un appel solennel demandant aux grandes puissances de faire cesser l'agression algérienne faute de
quoi ce conflit, dit-il, « prendra des dimensions nouvelles qui ébranleront le monde ». Bonn comme Paris
et Moscou s'interrogent : s'agit-il d'un simple bluff,
d'une menace d'intervention américaine ou bien d'une
allusion à l'arme atomique ? La presse fait ses gros
titres de la dernière hypothèse. Il est vrai que le Maroc
possède quatre centrales nucléaires, deux centres de
recherches atomiques. Pourtant les experts ne croient
pas qu'il ait pu se doter clandestinement d'un arsenal
nucléaire. Le 15, le colonel Marakir lance un ultimatum
aux Nations unies : « Obtenez des troupes algériennes
qu'elles évacuent notre territoire sinon le Maroc uti-
lisera la totalité des armes en sa possession pour sauver
la patrie. »

Au Conseil de sécurité réuni dans la nuit c'est l'atmosphère des grandes crises. Le représentant marocain
refuse de fournir la moindre précision. Soviétiques et
Américains se mettent d'accord pour appliquer l'embargo total aux deux belligérants ; en revanche, la
proposition américaine imposant un retour des deux
armées sur leurs frontières respectives se heurte au
véto soviétique. Le 16, les troupes algériennes encer-
clent Fès. Au sud, elles ne sont plus qu'à vingt kilomètres de Marrakech. Toutefois les Algériens, intimidés
par les menaces marocaines, se déclarent prêts à
conclure un cessez-le-feu sur les positions du front.

Le 18 novembre, à 8 heures du matin, le colonel

Marakir adresse un ultimatum à Alger : cessez le feu
avant midi et retirez vos troupes, faute de quoi nous
utiliserons l'arme atomique. Partout dans le monde,
radios et télévisions interrompent leurs programmes
pour annoncer la nouvelle. Russes et Américains se
consultent et décident d'intervenir ; les premiers en
imposant le cessez-le-feu aux Algériens, les seconds en
faisant pression sur les Marocains pour qu'ils renoncent
à leur ultimatum. A 10 heures, les troupes algériennes
cessent le combat. Mais l'armée marocaine continue la
bataille, exigeant que les Algériens battent en retraite.
A 11 heures, le président algérien fait savoir qu'il ne
cédera pas au bluff marocain, et déclare dans une
conférence de presse qu'il a de bonnes raisons de
penser 'que le Maroc ne possède pas l'arme nucléaire
et qu'il s'agit d'une manœuvre désespérée pour éviter
la défaite totale.

Chefs d'Etat et journalistes proches de Rabat ne
savent eux-mêmes que penser : la bombe atomique
marocaine est-elle un bluff ou une réalité ? A 11 h 10
l'état-major marocain précise qu'il possède effectivement l'arme nucléaire capable de frapper l'Algérie.
Dans le monde entier, des centaines de millions d'hommes suivent horrifiés cette infernale partie de pocker.
A 11 h 30, le gouvernement algérien décide de jouer
son va-tout et lance un raid aérien très meurtrier sur
Rabat.

« Une bombe atomique aurait été lâchée sur Oran. »
Le flash tombe sur les téléscripteurs à 12 h 08. A 12 h 10
un second flash d'Alger dément l'information. C'est à
12 h 30 seulement qu'un communiqué de l'état-major
algérien annonce qu'un engin atomique a bien été lâché
sur la banlieue d'Oran, mais que l'explosion a été
faible. En revanche, la population doit être évacuée
pour échapper au risque radioactif. Les premières
informations en provenance directe d'Oran arrivent
dans l'après-midi, elles font état de dégâts matériels
limités, mais contiennent de nombreux témoignages
d'une panique générale de la population.

Dès 12 h 30, le gouvernement algérien a donné l'ordre à ses troupes de se retirer. A 13 heures le gouver-

nement soviétique menace le Maroc de représailles directes. Fortes de ces assurances, les troupes algériennes cessent leur mouvement de repli. A 15 heures, le président algérien lance l'ordre d'offensive générale. Le monde entier attend les prochaines attaques nucléaires marocaines. Au soir de ce sinistre 18 novembre, il n'y a toujours pas eu de seconde bombe. Dans les jours qui suivent, l'Algérie, désormais ouvertement soutenue par ses alliés, accentue son avantage. Meknès est investi le 20. Révolution de caserne et coup d'Etat à Rabat : le colonel Marakir est renversé dans la soirée et le nouveau gouvernement demande aussitôt la paix. Les casques bleus américains et soviétiques sont envoyés sur place. Le 25 novembre les combats ont cessé.

Mais l'inquiétude demeure : que s'est-il réellement passé ? La commission d'enquête américano-soviétique fera apparaître que le gouvernement du colonel Marakir poursuivait clandestinement, depuis cinq ans, la construction d'une bombe atomique rudimentaire au plutonium. Il voulait se constituer un stock de dix bombes avant de lancer l'offensive contre l'Algérie, mais il avait craint d'être démasqué trop tôt et de se voir contraint par les Américains de renoncer à son projet. Il avait décidé de tenter le chantage avec une seule bombe — deux bombes avaient bien suffi aux Américains pour faire capituler le Japon. Mais l'arme marocaine, qui n'avait jamais été essayée auparavant, n'était pas au point. Elle n'avait libéré qu'une très faible puissance par suite d'un mauvais synchronisme entre ses différents éléments. De plus, les Algériens savaient que le Maroc n'était qu'au début de son programme atomique et n'avait certainement pas plus d'une bombe : c'est pour cette raison qu'ils n'avaient pas cédé.

La stupeur passée, tandis que s'organisait le secours international pour soigner les irradiés d'Oran, le monde reprenait peu à peu ses esprits. Et s'interrogeait sur cette première atomique d'un type nouveau et qui faisait trembler.

Depuis vingt ans la prolifération nucléaire paraissait être la bête noire de l'humanité. Mais en pratique les deux grands étaient à peu près seuls à s'en occuper et ils n'intervenaient qu'au moment où un pays était surpris en train de faire la bombe. Plusieurs Etats s'étaient fait pincer et avaient dû reculer. Les puissances en mal d'armement nucléaire avaient alors compris que le meilleur moyen de tourner l'interdiction... était d'avoir la bombe. Tout le monde s'inclinerait devant le fait accompli. Il s'agissait donc de travailler en secret. Difficile, mais non impossible, d'autant que le développement de l'énergie atomique civile, le perfectionnement et la miniaturisation de la technologie facilitaient les choses.

Les Etats s'alliaient souvent deux à deux pour mieux échapper à la vigilance, au reste bien relâchée, des grands. C'est ainsi que la bombe iranienne fut fabriquée en Thaïlande et l'on découvrit que les travaux marocains avaient été financés par le Koweït. Certains pays s'étaient déclarés puissances nucléaires le jour où ils avaient disposé d'armements suffisants. Ce fut le cas du Brésil, de l'Iran, de la Corée. D'autres préféraient garder le silence, mais il s'agissait d'un secret de polichinelle. Tout le monde savait que l'Egypte, Israël, l'Afrique du Sud, l'Argentine, l'Irak et plusieurs autres pays avaient des armes nucléaires. Mais on ne pouvait intervenir faute de preuves suffisantes.

Au lendemain du conflit algéro-marocain, l'O.N.U. décida de dresser un inventaire des forces nucléaires dans le monde. Mission impossible ! Même des Etats pacifiques comme l'Australie, le Japon ou la Suède s'initiaient discrètement aux techniques des armements nucléaires. A tout hasard... L'exemple de l'Algérie qui avait cru pouvoir renoncer à la bombe ne faisait que les encourager dans cette voie. N'aurait-elle pas évité le drame d'Oran si elle avait disposé de l'arme nucléaire ? Décidément il était plus prudent d'avoir sa bombe à soi puisque le voisin risquait toujours de brandir sa bombe bien à lui.

Deux faits essentiels : la nature est ouverte, les techniques nucléaires sont semblables dans les domaines civils et militaires.

La nature est ouverte, cela veut dire que tout le monde peut l'observer, expérimenter et voler ses secrets. La force nucléaire, les moyens de la domestiquer ont été déjà découverts plusieurs fois, ils peuvent l'être encore. On ne peut mettre un écran entre la nature et le chercheur. Les scientifiques soviétiques, français, chinois, etc., ont successivement refait le chemin parcouru par les Américains pendant la guerre. En théorie, sinon en pratique, ces secrets sont à la portée de tous.

L'atome civil et l'atome militaire reposent sur un tronc commun de techniques. Pourquoi ? Parce que les combustibles des centrales contiennent des matériaux qui peuvent être employés comme explosifs des bombes. Voyons cela.

Il existe deux explosifs nucléaires : l'uranium 235 et le plutonium. Une fois que l'on dispose de ces explosifs en quantité suffisante, l'essentiel du travail est fait, la réalisation d'une bombe artisanale ne représente pas de grandes difficultés. Heureusement, il n'est pas facile de se procurer ces produits, malheureusement les méthodes pour y parvenir sont utilisées par l'industrie nucléaire civile.

L'uranium naturel est un cocktail de différentes variétés, divers isotopes, de cet élément. L'U 235 n'en représente que 0,7 %. Nos centrales nucléaires actuelles ont besoin d'un uranium contenant 3 % de 235. Il faut procéder à une séparation isotopique pour l'obtenir. Certes, cet uranium enrichi n'est pas explosif, mais la technique qui a permis de passer de 0,7 % à 3 % peut, en étant poussée plus avant, donner de l'U hautement enrichi. C'est-à-dire de l'uranium militaire. C'est donc le même procédé qui, selon son utilisation, débouchera sur des applications civiles ou militaires.

Aujourd'hui, l'enrichissement se réalise par la technique de la diffusion gazeuse. Ce procédé a « l'avantage » d'être très lourd, très délicat à mettre en œuvre. Pour la France, il a fallu construire l'usine de Pierrelatte. On imagine mal un petit pays se lançant dans une telle réalisation. Toutefois, un grand pays sous-développé comme la Chine a pu construire sa propre usine d'enrichissement.

Mais la technique en ce domaine est loin d'être figée. Divers procédés concurrents sont, aujourd'hui, à des stades plus ou moins avancés de développement : ultracentrifugation, détente en tuyère, séparation par laser, procédés chimiques, etc. Certains, notamment le fameux procédé chimique mis au point par les chercheurs français, paraissent nettement moins « proliférants » car ils ne permettent pas de pousser l'enrichissement au-delà de quelques pour cent. D'autres, en revanche, pourraient se révéler plus commodes pour une utilisation artisanale, à petite échelle, et visant une production militaire.

Il se peut que d'ici dix à vingt ans les barrières techniques qui s'opposent à la production de l'uranium 235 pur aient été abaissées. N'oublions pas, là encore, que ce que l'un a trouvé, l'autre pourra le trouver, que les techniques « non proliférantes » ne serviront à rien, s'il existe ne serait-ce qu'une technique proliférante.

Le plutonium est un élément qui n'existe pas dans la nature. Il se fabrique dans des piles ou centrales atomiques par transmutation de l'uranium. C'est-à-dire que tout barreau d'uranium ayant séjourné dans le cœur d'une centrale atomique contient du plutonium. Or ce barreau, irradié à des fins civiles, doit être « retraité ». A des fins civiles également. En effet, il faut récupérer l'U 235 et le plutonium restant, qui sont des combustibles nucléaires, afin de les réutiliser en centrale. Il faut séparer les corps radioactifs, afin de les conditionner pour une longue, très longue conservation. Bref, l'utilisation civile de l'atome conduit tout à la fois à fabriquer du plutonium et à mettre au point des techniques pour le récupérer.

Ces procédés sont plus simples que ceux qui visent à enrichir l'uranium. Toutefois, ils restent compliqués du fait de la radioactivité et, de plus, ils ne vont pas obligatoirement donner du « bon » plutonium explosif. En particulier, le plutonium qui se forme dans les centrales à uranium enrichi est peu propre à l'usage militaire. Toutefois les Américains ont, dès 1962, fabriqué une bombe avec ce « mauvais » plutonium. La bombe a explosé.

Ainsi la pleine maîtrise des technologies nucléaires civiles conduit à la maîtrise des explosifs, donc à la capacité atomique militaire. C'est le fait de base.

Le scénario proposé suppose d'abord l'échec des tentatives actuelles pour éviter la dissémination nucléaire. Car les nations, et notamment les plus grandes, s'inquiètent depuis fort longtemps. Les Etats-Unis, la Grande-Bretagne et le Canada parlent des « sécurités » nécessaires en ce domaine dès... 1945. Cette question fut discutée par les Nations unies dès leur fondation. En 1956 était créée l'Agence internationale de l'énergie atomique de Vienne. Un de ses objectifs est de vérifier l'utilisation pacifique des techniques nucléaires. Les contrôles existent, toutefois ils butent sur la souveraineté des Etats. Depuis 1970, les Etats signataires du traité de non-prolifération s'engagent à ne pas construire d'armes nucléaires.

Toutes ces dispositions n'empêchèrent pas la France, puis la Chine de construire leurs propres armes nucléaires. A vrai dire, ces premières étapes de la prolifération n'eurent pas de grandes conséquences. Le développement de l'énergie nucléaire et du commerce international auquel il donnait lieu ne s'en trouva guère affecté. Les puissances industrielles, notamment européennes, continuèrent à faire preuve d'un certain laxisme. La dissémination nucléaire était une inquiétude. Pas une angoisse.

C'est l'explosion de la bombe indienne en 1974 qui provoqua une véritable prise de conscience. Elle précipita la mise en place du système renforcé de contrôle qui, pour le meilleur ou pour le pire, prévaut désormais. Celui qui, dans l'état actuel des choses, prépare notre futur.

La Chine étant toujours considérée comme un cas à part, l'Inde était le premier Etat du Tiers Monde à se donner la capacité nucléaire. Il n'était plus vrai qu'un pays sous-développé ne puisse faire la bombe. Qui plus est cette réalisation avait été permise par le « piratage » de techniques civiles achetées, le plus normalement du monde, à un pays industrialisé : le Canada en l'occurrence.

Sous l'impulsion des Etats-Unis et notamment du président Carter, les pays exportateurs de techniques nucléaires se réunirent au sein du Club de Londres et décidèrent l'embargo sur certaines techniques nucléaires considérées comme particulièrement critiques en ce qui concerne la prolifération : enrichissement, retraitement, etc. Des contrats déjà signés ou en cours de négociation furent révisés ou abandonnés. Bref, une nouvelle règle du jeu fut mise en place pour prévenir la prolifération militaire à travers la diffusion des techniques civiles. Nous en sommes là, c'est ce système qui doit rendre impossible la réalisation de notre scénario. C'est ce que rappelle Paul-Yvan de Saint-Germain : « Il existe certes une concertation permanente des principaux pays fournisseurs de matériel nucléaire pour éviter cette prolifération, mais ces précautions grandissantes prises par les grandes puissances n'éviteront peut-être pas une prolifération clandestine comme celle qui est évoquée dans le scénario. »

Nous allons donc assister à un double mouvement dans les années à venir. D'une part, un renforcement du contrôle international — cela ne fait pas de doute —, d'autre part, des facilités accrues pour réaliser la bombe. En effet, le simple développement de l'énergie nucléaire aura pour résultat de multiplier le nombre des techniciens de l'atome. Or rien n'est si facile que de reconvertir aux applications militaires un spécialiste de l'atome civil. On peut penser que, dans vingt ans, la plupart des pays disposeront du potentiel de matière grise nécessaire à la réalisation d'un programme militaire. D'autre part, comme nous le signalions à propos de l'enrichissement, le progrès des techniques pourrait conduire à trouver des solutions plus aisément accessibles. L'avenir va donc se jouer entre ces deux forces antagonistes : une plus grande facilité au niveau des faits, une plus grande difficulté au niveau politique.

Les grands ne toléreront pas que des pays, notamment des pays du Tiers Monde, se dotent d'armes nucléaires. Une prolifération « ouverte », comme fut, par exemple, celle que réalisa la France, est donc moins probable. En revanche, on peut douter que le contrôle soit suffisamment efficace pour s'opposer absolument à toute tentative de prolifération clandestine. C'est pourquoi, dans ce scénario, nous avons insisté sur cette deuxième forme de dissémination.

A l'opposé, on peut se demander si les nations seraient en état de désarmer un pays qui révélerait la possession d'un arsenal nucléaire préparé dans la clandestinité. Il est probable que, dans ce cas, on devrait s'incliner devant le fait accompli. Bref, la règle du jeu pourrait devenir : « Il est interdit de fabriquer la bombe, il n'est pas interdit de la posséder. » La fabrication clandestine a toutes les chances de se développer.

« Cette prolifération clandestine pourrait, par exemple, se

produire grâce à la complicité de pays s'associant deux à deux, l'un par exemple apportant l'argent et l'autre la technologie. C'est un risque important pour l'avenir, car les moyens de contrôle ne seront peut-être pas suffisants, estime Paul-Yvan de Saint-Germain. Je crois qu'effectivement la période critique la plus difficile à passer, c'est celle où l'on fait la bombe. Une fois que la bombe existe, et surtout s'il en existe un nombre suffisant, la loi internationale est un peu impuissante à se faire respecter. En revanche, elle peut encore se faire respecter lorsque le pays est en train de fabriquer les bombes. » Si l'on se fie aux précédents, on a lieu d'être inquiets. La collusion à laquelle il est fait allusion a déjà fonctionné ; dans d'autres circonstances, il est vrai. On a dit, sans que cela soit prouvé, que l'U.R.S.S. — au temps de l'amitié — avait aidé la Chine à préparer sa bombe. Quoi qu'il en soit, l'assistance apportée par la France à Israël est un secret de polichinelle. Quant à la préparation clandestine d'une bombe, nous en avons eu un exemple avec l'Inde. Il est probable que le même scénario se déroule aujourd'hui en Afrique du Sud. Rappelons encore que Israël a pu « pirater », au sens le plus classique du mot, une pleine cargaison d'uranium. On peut enfin s'étonner de voir des pays du Tiers Monde comme la Corée ou le Pakistan s'intéresser si fort aux techniques d'extraction du plutonium, d'autres, comme des pays du Proche-Orient, trouver tant d'attraits aux réacteurs à uranium naturel, unanimement abandonnés, mais qui fabriquent un si bon plutonium militaire. Bref notre scénario, en fonction de la situation présente, manque terriblement... d'invraisemblance. Au reste, qui pourrait croire que, sur les cent cinquante Etats du monde, il ne s'en trouve pas quelques-uns pour rêver d'armes atomiques ?

Le fait le plus inquiétant est de constater qu'un certain nombre d'Etats, qui ont maîtrisé les techniques nucléaires comme le Canada, la Suède, la Suisse, la Belgique, etc., et qui pourraient très rapidement se doter d'un arsenal atomique, n'en manifestent aucune intention, alors que leur stabilité intérieure et extérieure limiterait le risque provoqué par une telle prolifération. Au contraire, les candidats plus ou moins avoués à la bombe : pays d'Amérique latine, d'Asie ou du Proche-Orient, sont instables politiquement, en conflit avec leurs voisins, bref des pays qui risquent d'en faire le pire usage.

Autrement dit, et ce n'est guère surprenant, les bombes les moins dangereuses sont dédaignées, les bombes les plus dangereuses sont activement recherchées. C'est pourquoi nous avons imaginé que la bombe clandestine est fabriquée par un pays en conflit avec son voisin et que, par conséquent, cette bombe finit par être utilisée. Regardez la carte, vous verrez que les situations de ce type ne manquent pas dans le monde.

Or, et c'est le dernier enseignement de cette histoire, il existe une dynamique de la prolifération. Si longtemps que la bombe n'était possédée que par les deux super-grands, la plupart des pays ne se sentaient pas directement concernés. En revanche, ils s'estiment menacés dès lors qu'un pays comparable s'est doté d'une force atomique. Ainsi la bombe chinoise appelle la bombe indienne qui appelle la bombe pakistanaise, tout comme la bombe israélienne appelle la bombe irakienne, égyptienne ou lybienne, etc. La multiplication des armes nucléaires risque de créer une nouvelle donne du jeu international face à laquelle les gouvernements les plus pacifiques en viennent à se dire : « Ai-je le droit de ne pas m'armer alors que mon voisin et ennemi potentiel possède un arsenal nucléaire ? » A partir de là, on enclenche une réaction en chaîne totalement incontrôlable.

Pour Paul-Yvan de Saint-Germain : « C'est effectivement la principale question que pose le scénario. Si la clandestinité devient crédible, si l'on peut à juste titre suspecter tout pays, tout voisin de se doter d'armes nucléaires, alors on risque d'aboutir à une prolifération généralisée que nul ne pourra plus contrôler. »

Il existe donc bien un risque. Des verrous ont été placés, mais qu'il serait urgent de renforcer. Malheureusement, on sait que le pouvoir politique perd toute sa force en passant au niveau international. C'est tout le drame.

Enfin, et nous y reviendrons, la clandestinité est incompatible avec la dissuasion, et condamne le possesseur d'une telle arme à l'employer. Il existe un engrenage : prolifération clandestine, réaction en chaîne, guerre nucléaire. Il est tout juste temps de s'en dégager. Demain il sera trop tard.

LES FLICS DE L'ATOME

Je me présente : Osborn Dickers, 47 ans, 1,84 m, divorcé, deux enfants Ralph et Judy. P.h.d de physique nucléaire au Californian Institute of Technology, Inspecteur général à l'Agence internationale de lutte contre la prolifération nucléaire. Ce n'est pas une « couverture ». On ne peut plus se permettre aujourd'hui les petits jeux des espions de jadis. D'une certaine façon, les nations sont devenues plus morales. Parce que les périls sont plus grands. Je suis, très officiellement, un « flic de l'atome ». On m'a surnommé « patte blanche ». Tout d'abord parce que j'ai effectivement les « pattes blanches » alors que le reste de mes cheveux sont, à part une petite mèche au sommet, à égalité blancs et noirs. Mais aussi parce que tous les pays que nous sommes chargés d'inspecter ont intérêt à nous montrer « patte blanche » et à ne pas dissimuler l'atome d'un atome. Car nous sommes intraitables à l'Agence avec ceux qui jouent double jeu et ne respectent pas le code atomique international.

Ça fait quinze ans que je cours le monde en tournant autour de toutes les installations nucléaires pour voir si elles ne masquent pas des fabriques clandestines de bombes. Routine. Nos clients sont vaccinés contre la folie de la bombe. Mais je me méfie de la routine. Elle aurait pu nous faire passer à côté de la dernière affaire, en 1994, lorsque la Turquie fut prise la main dans le sac en train d'installer une usine de production de plutonium. Une idée folle du général Zaharderiv. Heureusement, un chercheur turc, au dernier moment, avait craqué et m'avait discrètement mis sur la piste. Depuis lors, plus rien. Les inspecteurs sont partout accueillis en amis, opérations « portes ouvertes partout » le soir « champagne, whisky ». C'est mauvais pour la vigilance. Je veux bien croire que nos hôtes n'ont rien à se reprocher, mais, s'ils voulaient nous embobiner, ils ne s'y prendraient pas autrement. Quand je dis cela à l'Agence, on se moque de moi, on me prend pour un obsédé. Mon métier est de l'être. Je n'en ai pas honte.

8 mars 98. Quand j'ai parlé de cette affaire du Venezuela, les directeurs ont haussé les épaules. Certes, le président Maliéras les inquiète. Depuis que son pétrole de l'Orénoque lui assure des revenus colossaux, il se prend pour l'un des grands. « Mais, disent-ils, de là à prétendre devenir la nouvelle puissance nucléaire, il y a un pas que même un mégalomane hésiterait à franchir. » Nos dirigeants ont le tort de prêter aux gens des comportements raisonnables. Moi, je m'en tiens aux faits. Et les faits sont là : rien ne justifie l'importance des lignes à haute tension qui alimentent le centre militaire de Barnaos. Les spécialistes de l'observation spatiale sont formels, les Vénézuéliens ont fait venir une puissance de 800 mégawatts. Pour quoi faire ? Evidemment, le Venezuela n'est pas capable de fabriquer les ultracentrifugeuses qui permettent d'enrichir l'uranium. Mais je demeure convaincu qu'il existe un marché noir. Sur les millions que l'on fabrique — sous contrôle évidemment — il est facile d'en détourner quelques dizaines. Et puis il y a aussi l'affaire de A.M.C., cette société de Taïwan qui fabriquait, soi-disant pour la biochimie, des ultracentrifugeuses : elles auraient aussi bien pu servir pour l'uranium. Nous avons obtenu que la production soit arrêtée, mais qui sait si l'on a récupéré tous les exemplaires fabriqués. Bref, incident diplomatique ou pas, je suis décidé à surveiller de près les Vénézuéliens.

10 mars 98. Tant pis pour les conséquences, cette fois, je suis sûr de mon fait. Les Vénézuéliens m'ont

reçu comme un prince. Ils avaient déjà préparé le
programme de ma tournée d'inspection. Quand j'ai
demandé à me rendre, dès demain, au centre de Barnaos, ils ont sèchement refusé. « Ce n'est pas un centre
nucléaire », m'ont-ils dit. J'ai fait annuler toutes les
autres visites et j'ai informé la direction de Washington.

15 mars. A l'Agence ils sont bien embêtés. Ils ont peur
du Venezuela. A cause du pétrole. Ils reconnaissent que
le dossier est suspect, mais ils veulent temporiser. J'ai
alerté directement mon ami Bob Erlington à la Maison
Blanche. J'ai également organisé une fuite en direction
de l'ambassade soviétique. Ça peut toujours servir.

22 mars. Les plus récentes inspections spatiales de
Barnaos confirment que le camp pourrait bien abriter
une unité clandestine d'enrichissement de l'uranium.
Cette fois c'est la crise. La direction de l'Agence, poussée par les Américains et les Soviétiques, a donné quarante-huit heures au Venezuela pour ouvrir Barnaos à
ses inspecteurs.

23 mars. Le président Maliéras a refusé l'inspection.
L'Agence a prononcé l'embargo général contre le Venezuela. La quatrième flotte américaine est en route pour
faire le blocus de ses côtes. Tous les vols réguliers sont
suspendus. Maliéras est déchaîné et proclame qu'il ne
cédera pas. Il mise sur le fait que l'Occident a besoin
des 400 000 tonnes de pétrole que son pays produit
chaque année. Les Russes sont très fermes : par tous
les moyens l'aventure nucléaire du Venezuela doit être
stoppée. Ils ont bien raison car, dès que les Vénézuéliens auront quelques kilos d'uranium 235, ils disposeront de la bombe. Le reste n'est qu'un jeu d'enfant
lorsqu'on utilise de l'uranium et non du plutonium.

26 mars. Le lièvre que j'ai soulevé est en train de
devenir un éléphant. L'arrêt des livraisons de pétrole
vénézuélien va provoquer une énorme crise mondiale.
D'un autre côté, le Venezuela a tellement d'argent qu'il
arrivera bien à tourner l'embargo. Le temps de tenir.
D'après les photos aériennes et spatiales, il règne une
activité fébrile à Barnaos. Les Vénézuéliens doivent
déménager l'usine en catastrophe.

28 mars. Le président s'est enfin décidé à lancer les Marines sur Barnaos. J'étais de l'expédition. Ce fut mon baptême du feu. Deux cents morts du côté américain. Quelques centaines de blessés, dont moi — rien de grave, une balle dans l'épaule. Mais le jeu en valait la chandelle. Les Vénézuéliens construisaient bien une usine clandestine d'enrichissement. Nous avons saisi quelques ultracentrifugeuses. Made in Taïwan, évidemment. Ensuite, on a tout fait sauter. Les Etats-Unis et l'U.R.S.S. exigent le départ du président Maliéras. A mon avis, ils l'obtiendront dans les quarante-huit heures. Une centaine de pays viennent de rompre leurs relations diplomatiques avec le Venezuela, qui a été en outre chassé de l'O.N.U. et de toutes les organisations internationales.

10 avril 1998. Quand je pense à la conclusion, somme toute heureuse, de cette histoire, je me dis que l'on devrait élever une statue à la mémoire de Pak Tu-ké. Idée scandaleuse puisque aujourd'hui dans le monde ce nom est presque autant détesté que celui de Hitler. Songez donc : l'homme qui a osé lancer la bombe ! Mais je me demande s'il ne fut pas un instrument du destin, un sauveur de l'humanité à sa manière.

C'est que nous étions bien mal partis en 1980. Certes, on parlait beaucoup de non-prolifération et de contrôles internationaux. Une blague ! La récente affaire du Venezuela montre bien avec quelle détermination il faut intervenir pour s'opposer à la prolifération. Dans les années 80, donc, on pensait conjurer le péril avec les procédures diplomatiques normales, qui respectent la souveraineté des Etats. En dépit des plus grands efforts des Américains et des Russes, bien des pays mitonnaient leur bombe en secret. On faisait semblant de ne pas le voir ou de ne pas y croire.

Quand a éclaté, en 1986, la guerre entre les deux Corée, on n'a guère pensé à la menace nucléaire. Les Nordistes ont pris Séoul, puis ont déferlé vers le Sud. C'est alors que Pak Tu-ké, président du Sud, a lancé son ultimatum atomique au Nord. Deux heures plus tard Wonsan rejoignait Hiroshima et Nagasaki sur la liste des cités martyres de l'atome. En quelques minutes le monde se retrouva au bord du conflit atomique généralisé. L'U.R.S.S. adressa un ultimatum à la Corée du Sud, ordonnant une capitulation sans condition sous peine d'une destruction nucléaire totale. L'Amérique fit savoir qu'elle n'admettrait pas l'extermination d'un de ses alliés et qu'à son tour elle exigeait le repli des troupes de Corée du Nord sous peine d'une intervention de la sixième flotte.

Cette journée du 16 avril 1986, nul dans le monde ne l'oubliera jamais. Le pire fut évité, mais l'humanité se réveilla, le lendemain, traumatisée par ce terrible électrochoc. Chacun réalisait qu'un cran de sûreté venait de sauter et que la prochaine bombe qui exploserait déclencherait l'Apocalypse.

Après cette crise, les plus prompts à réagir furent les Suédois. Ils invitèrent à Stockholm les représentants de cinquante pays non nucléaires. Certains comme le Canada, l'Australie, le Japon, la Suisse, etc., étaient en mesure de fabriquer la bombe, mais s'y refusaient. D'autres, notamment des pays africains, n'en avaient pas la possibilité. Le représentant de la Suède présenta un plan qualifié de « détestable mais réaliste » par ses auteurs mêmes. Ceux-ci constataient qu'il était impossible de faire disparaître toutes les bombes atomiques de la planète, que la paix avait été assurée tant qu'il n'existait que deux puissances nucléaires, que la multiplication des bombes créait le plus grand risque de guerre. Il fallait donc, concluaient les Suédois, revenir à la situation antérieure, c'est-à-dire n'avoir que deux puissances atomiques. Au cours des débats, on convint d'en admettre une troisième, la Chine, mais à la différence des deux autres, elle n'aurait pas de responsabilités mondiales. Car l'Amérique et l'U.R.S.S. étaient invitées à exercer un rôle actif dans l'élimination des forces atomiques secondaires.

Les deux grands acceptèrent les principes de Stockholm auxquels adhérèrent bientôt plus d'une centaine de pays. Le pacte antinucléaire prévoyait la rupture de toute relation diplomatique ou commerciale avec les pays qui, dans les six mois, n'auraient pas « régularisé leur situation atomique », selon la formule du plan suédois. L'affaire fut rondement menée par le club de Stockholm. Israël dut remettre ses armes nucléaires contre la présence de troupes américaines à ses frontières, l'Afrique du Sud fut mise à la raison par une menace d'intervention américano-soviétique, le Brésil céda après huit mois d'embargo total, quant à la France, elle dut remettre ses armes nucléaires aux forces occidentales sous contrôle américain. Au terme de ce Yalta atomique, les deux super-grands se répartissaient la police atomique du monde. Voilà ce qui n'aurait jamais été fait si Pak Tu-ké n'avait pas lancé sa bombe sur la malheureuse cité de Wonsan, répétai-je à mes enfants. L'affaire vénézuélienne aussi a du bon. J'y ai pris du plomb dans l'aile, mais ça fait moins mal qu'une bombe. Et je peux être fier de cette balle-là : elle aura sifflé aux oreilles de l'humanité comme un utile rappel à l'ordre.

La première leçon qui se dégage de l'histoire, c'est qu'un véritable arrêt de la prolifération suppose une prise de conscience planétaire. Aujourd'hui, reconnaissons-le, ce problème ne figure pas au premier rang des préoccupations mondiales. Seul le président Carter paraît en faire une des priorités de sa politique. Or, un véritable contrôle implique une certaine autorité supranationale et cette entorse à la sacro-sainte souveraineté nationale paraît bien improbable.

« C'est effectivement ce qui me paraît le plus important dans ce scénario, note Paul-Yvan de Saint-Germain. On imagine donc, que, sur la continuation des tendances actuelles, la prolifération s'est développée jusqu'à un stade où certains pays, notamment la Corée, possèdent réellement des bombes atomiques. La réaction n'est donc provoquée que par un choc majeur : l'emploi d'une de ces bombes. C'est à partir de là que se dégage le consensus mondial. Il est assez intéressant de noter le rôle important que vous prêtez dans cette prise de conscience à des pays que l'on appelle non alignés, neutres, ou non nucléaires. C'est leur coalition qui investit les grands comme gendarmes de l'atome. »

Ce serait effectivement une petite révolution, car ces pays ne sont guère actifs dans ce domaine. Jusqu'à présent, les Soviétiques et les Américains ont mené le jeu, mais il n'est guère venu d'initiatives du Tiers Monde par exemple.

« En vérité, je ne crois pas qu'ils s'en désintéressent, estime Paul-Yvan de Saint-Germain ; leur inactivité traduit peut-être un sentiment d'impuissance. Mais la prolifération nucléaire reste un thème dominant pour tous les pays. »

Il faudrait donc un choc, comme l'utilisation d'une bombe évoquée dans ce scénario, pour transformer cette préoccupation en action. Mais aurons-nous un tel signal d'alarme avant une catastrophe irréparable ?

Reste que, dans cette hypothèse, c'est une sorte de codominium soviéto-américain qui fait régner la paix nucléaire sur le monde. Cela peut faire grincer des dents, toutefois on doit constater que nous vivons déjà les prémices de cette situation. Outre que le fameux traité de non-prolifération est une initiative de Washington et de Moscou, les événements d'Afrique du

Sud en 1977 paraissent préfigurer notre épopée vénézuélienne.

Tout a commencé lorsque des satellites espions soviétiques ont repéré dans le désert du Kalahari des installations qui, estimèrent les experts russes, devaient servir à l'expérimentation d'une bombe atomique. Les Américains, avertis par Moscou, corrigèrent l'orbite des satellites espions qui confirmèrent l'observation. Les Etats-Unis et l'U.R.S.S. exercèrent alors des pressions conjointes sur l'Afrique du Sud pour qu'elle renonce à l'essai nucléaire qu'elle préparait. Pretoria finit par céder. Aujourd'hui encore, certains se demandent si le gouvernement sud-africain n'avait pas effectué ces préparatifs avec une certaine ostentation afin, précisément, qu'ils soient remarqués et qu'ils permettent de faire savoir au monde que l'Afrique du Sud possède la bombe atomique. Quoi qu'il en soit, en cette occurrence, Etats-Unis et U.R.S.S. se conduisirent bien comme les gendarmes nucléaires du monde. On se demande qui, en dehors d'eux, pourrait jouer les « flics de l'atome ».

« Cela peut effectivement paraître assez inéluctable, note Paul-Yvan de Saint-Germain. Dès l'instant où l'on donne le rôle de gendarme à deux pays parmi d'autres, cela implique que les autres pays se soumettent à la loi du gendarme et perdent une part de leur souveraineté. C'est une des grandes difficultés de toute politique de non-prolifération. »

Russes et Américains sont « naturellement » les flics de l'atome. Ils jouent déjà le rôle, mais, faute d'une investiture internationale, ils manquent encore de pouvoir. Face aux plus faibles, ils parviennent à se faire entendre. Ainsi ont-ils convaincu la Corée du Sud de ne pas acheter d'unité de retraitement. En revanche, ils ne peuvent imposer leur volonté aux plus puissants, à l'Allemagne notamment. Dans la logique de cette situation, il suffirait d'un événement choc pour que leur pouvoir soit renforcé et que l'on entre dans le système de notre scénario.

COMMENTAIRE
GENERAL

Quel est le point commun de ces deux scénarios ? C'est que l'arme nucléaire est employée. C'est la différence capitale avec la situation qui a prévalu jusqu'à présent. Quoi qu'il se passe d'ici l'an 2000, l'arsenal nucléaire du monde n'augmentera pas sensiblement, du moins pas du fait des puissances actuellement non nucléaires. En effet, les Etats-Unis et l'U.R.S.S. doivent disposer aujourd'hui de dizaines de milliers de charges atomiques stratégiques ou tactiques. Par comparaison, l'apport de nouvelles forces nucléaires serait absolument négligeable.

Mais le fait capital est que, jusqu'à présent, après trente ans de stratégie nucléaire, ces armes n'ont jamais été employées. C'est dire que ces armes sont au service d'une stratégie de dissuasion et non d'emploi ; elles visent à prévenir la guerre et non à la gagner. Certes, il est loin d'être assuré que la dissuasion pourra assurer à tout jamais cet état de « nonguerre » ; le fait est que, jouée comme elle l'a été jusqu'à présent, elle y est parvenue et c'est bien l'essentiel.

Ces scénarios montrent que ces nouvelles bombes, si négligeables par leur puissance relative, risquent de faire basculer la bombe atomique dans l'arsenal d'emploi et non plus de dissuasion.

Effectivement, un stratège comme le général Buis est d'abord sensible au fait que, dans le premier scénario, l'affrontement nucléaire va se développer à partir d'un simple conflit frontalier et qu'il ne prendra pas la forme d'un échange de menaces crédibles, mais d'un conflit classique appelé à dégénérer brusquement en guerre nucléaire. C'est le contraire même des stratégies de dissuasion telles qu'elles s'élaborent et se pratiquent dans les états-majors des grands.

« Je trouve que cela est très intéressant, conclut-il, et que cela fait bien comprendre la différence qu'il y a entre un pays qui s'est donné clandestinement l'arme nucléaire et le pays qui en a affiché la possession. Ainsi nous sortons de la dissuasion classique et nous tombons dans ce que tout le monde craint : la prolifération sauvage. Or, en ce cas, on en est réduit à cette chose terrible qu'est l'emploi ; on en est réduit au terrorisme. Lorsqu'au contraire on a affiché

la menace, prouvé l'existence d'un système d'arme opérationnel, alors, on peut en rester à cette menace. »

« Il est effectivement logique que, dans votre scénario,
le Maroc n'annonce pas à l'avance son armement nucléaire,
car les deux grands interviendraient aussitôt. Depuis les
accords de Washington de juin 1973, ils sont engagés, à
travers l'article v, d'intervenir partout où un conflit risque
de grimper au niveau nucléaire. Il est donc bien vrai qu'un
petit pays, sur lequel les grands ont de forts moyens de
pression, ne peut que s'en tenir à la clandestinité pour la
fabrication, voire pour la possession de la bombe. C'est cela
qui est terriblement dangereux : s'il y a clandestinité, il n'y
a plus dissuasion.

« Qui plus est, votre Etat, le Maroc en l'occurrence,
utilise très mal la menace nucléaire, car il ne se contente
pas de vouloir arrêter l'adversaire dans ses projets, il veut
exercer une coercition positive, l'obliger à reculer. Il veut
obtenir l'effet maximal de sa bombe, alors qu'il ne possède
qu'un arsenal très rudimentaire.

« Cet exemple montre bien à quel point le jeu de la
dissuasion est subtile. Combien il faut maîtriser les règles de
cette stratégie avant de s'y lancer. »

Ainsi les bombes de prolifération se révéleraient encore
plus dangereuses par le mauvais usage qui en serait fait que
par leur seule puissance destructrice. Car le fait nucléaire
— c'est ce que les Français oublient bien souvent — est
stratégique et pas seulement technique. Il ne suffit pas de
savoir construire l'arme, il faut encore connaître les lois de
la dissuasion et se trouver en situation de pouvoir les faire
jouer. Faute de quoi l'arme, maniée à contretemps, manque
son objectif qui est — et ne peut être — que d'obtenir la
paix sans livrer la guerre. Ainsi le général Buis considère-t-il
que « le possesseur d'un système d'armes sophistiqué, dont
l'existence est connue et l'efficacité démontrée, est infiniment
moins dangereux que ce terroriste clandestin qui embarque
sa bombe dans un avion de commerce pour la jeter par la
portière ».

Pour se résumer, les obstacles à la prolifération ne laissent
ouverte que la voie clandestine, c'est-à-dire celle de la bombe
sans la dissuasion. Il faut donc, en s'y engageant, être assuré
que cette seconde voie est absolument fermée, que l'on

n'aura pas empêché la prolifération ouverte pour permettre la pire de toutes : la clandestine.

Précisément M. Goldblat du S.I.P.R.I. ne semble guère croire à la possibilité de cette prolifération clandestine : « Je crois, dit-il, que ces scénarios relèvent de la science-fiction plus que de l'anticipation politique. On présume tout d'abord l'absence de tout contrôle efficace, ce qui me paraît bien invraisemblable. A l'heure actuelle, par exemple, toutes les livraisons de matières fissiles, c'est-à-dire pouvant servir d'explosif à la bombe, sont dans la plupart des pays non nucléaires soumises au contrôle de l'Agence atomique internationale de Vienne. Je ne crois pas que ce contrôle se relâchera dans les vingt années à venir. Bien au contraire. Toutes les tendances actuelles vont dans le sens d'un renforcement de ces mesures de sécurité. D'autre part, vous présumez qu'il est facile de fabriquer clandestinement une bombe dans des pays sous-développés. Cela me paraît encore très peu vraisemblable en ce qui concerne la majorité de ces pays. »

Le général Buis, lui, est loin de partager cet optimisme : « Dès lors qu'il existe une arme aussi puissante sur le plan dissuasif, et j'insiste sur ce point car seuls les très grands peuvent se donner une force coercitive, elle représente une tentation à laquelle peu de pays accepteront de renoncer définitivement. Voyez le résultat obtenu par l'expérimentation d'une seule arme. L'Inde, par exemple, au lieu de devoir maintenir trois millions d'hommes sous les armes face à la Chine, devient dissuasive du seul fait qu'elle a prouvé sa capacité nucléaire. De ce fait, elle pourra réduire considérablement son budget militaire classique et se contenter d'un budget d'armement nucléaire moins lourd et plus efficace. »

Il est donc urgent de renforcer les barrières et les contrôles comme il est évoqué dans le deuxième scénario. « Il est certain que la seule solution aujourd'hui est que tous les gouvernements, toutes les autorités responsables, du monde, continuent une politique extrêmement ferme de non-prolifération, car, si cette politique venait à échouer, alors nous glisserions vers l'un des deux scénarios », estime Paul-Yvan de Saint-Germain.

Peut-on alors envisager une solution radicale comme celle qui est envisagée dans le deuxième scénario ? M. Goldblat.

quant à lui, « ne voit pas se développer une situation dans laquelle le monde entier, à Stockholm ou ailleurs, accepterait de renouveler la division du monde entre les deux grandes puissances ».

Le général Buis estime que cette solution qui serait effectivement « la meilleure sur le plan pratique », poserait de graves problèmes politiques. « Ce serait accepter la bipolarisation, un nouveau Yalta. Or la plupart des pays, les non alignés, comme ceux qui ont une volonté nationale, se battent férocement contre le système et l'esprit de Yalta. Vraiment cela paraîtrait extraordinairement difficile à faire accepter aux peuples. Il faut effectivement imaginer une catastrophe pour qu'on l'accepte. On se trouve bien devant un problème immense que vous avez raison de soulever et qui mérite une fameuse réflexion politique. »

C'est effectivement sur ce problème du gendarme et de la souveraineté que bute toute politique de non-prolifération. Comment faire respecter une règle sans gendarmes, comment avoir des gendarmes dans un monde d'Etats souverains ? Aujourd'hui, les nations s'efforcent empiriquement de résoudre cette contradiction. Les deux grands sont, de fait, des sortes de surveillants, sinon de gendarmes. Ils exercent des pressions plus ou moins fortes selon le partenaire auquel ils s'adressent. Cela peut marcher, cela peut aussi ne pas marcher... Une chose est certaine : nul ne peut dire que les barrages mis en place pour éviter la prolifération tiendront éternellement. Nul n'imagine, dans la situation actuelle, que l'on puisse mettre en place un dispositif réellement infaillible. Ainsi ne peut-on regarder l'an 2000 sans voir se dresser le spectre de la dissémination.

2. LE PÉTROLE

Invité : PIERRE DESPRAIRIES : président du conseil d'administration de l'Institut français du pétrole.
En 1979, le monde occidental s'enfonce de nouveau dans la crise pétrolière. Hausse des prix, craintes de pénurie... tout cela était-il imprévisible ? Certes, nul expert ne pouvait prévoir les événements précis qui ont pesé sur le marché pétrolier, la chute du shah, l'avènement de l'ayatollah Khomeiny ont surpris les gens prétendument informés autant que les autres. Pourtant la situation présente figurait bien parmi les futurs possibles que les prévisionnistes nous annonçaient. Les seules surprises viennent des circonstances et de la date qui, en tout état de cause, ne relèvent pas de la prévision. Il était mille façons d'arriver à la situation actuelle, mille calendriers possibles, le fait est que nous nous retrouvons bien au rendez-vous fixé par les Cassandre.
Les scénarios sur le pétrole furent écrits il y a dix-huit mois à une époque où le shah semblait bien installé sur son trône, où l'Occident ne prêtait aucune attention particulière au mouvement chiite. Il serait bien aisé d'y apporter un coup de pouce afin de les actualiser. Il me paraît préférable de les conserver tels qu'ils furent écrits à l'époque. En les lisant vous verrez que nous savions parfaitement ce qui risquait d'arriver, que l'aveuglement des nations occidentales peut seul expliquer le désarroi qui, de nouveau, s'empare d'elles

*face à la crise pétrolière. Cet exercice, à la limite
entre prospective et rétroprospective, me paraît extrêmement instructif. Les histoires qui furent imaginées,
les commentaires qui les accompagnèrent ont conservé
toute leur actualité. Cela prouve en un sens que la
prospective ne se trompe pas tellement, en un autre
qu'elle ne sert pas à grand-chose...*
   *Depuis le début de 1974, la question de nos appro-
visionnements pétroliers se pose avec acuité. La hausse
des prix, l'embargo pétrolier de la fin 73 avaient provoqué une brutale prise de conscience en Occident. Un
redressement était possible. Cinq années furent pratiquement perdues. Quel futur nous prépare cette inconscience occidentale ?*
   *S'agissant de pétrole et de crise pétrolière, on a ten-
dance à tout confondre. Il faut bien distinguer différentes situations que nous tenterons d'évaluer. En 1973,
nous avons connu une pseudo-crise de disponibilité.
Il restait dans le sol énormément de pétrole, les installations étaient suffisantes pour produire les quantités
nécessaires, mais le brut était indisponible car les producteurs refusaient de satisfaire la demande : c'était
l'embargo. Les pays arabes peuplés se l'imposaient
autant qu'ils l'imposaient. Ils avaient besoin de vendre,
mais, pour des raisons politiques, ils faisaient la grève
partielle des livraisons. Il s'agissait là d'une crise politique et temporaire. Une fausse crise pétrolière en quelque sorte.*
   *Une vraie crise pétrolière peut être de trois types :
pénurie de réserves, de capacités, de disponibilité. Dans
le premier cas, les gisements sont en voie d'épuisement
et, quoi qu'on fasse, ne peuvent plus satisfaire la
demande. Dans le deuxième, il existe bien du pétrole
en terre, mais on ne peut l'extraire faute d'avoir les
installations suffisantes. Dans le troisième enfin, les
réserves existent, les capacités de production aussi,
mais les pays pétroliers refusent d'accroître leur production pour satisfaire la demande des pays consommateurs.*
   *Pour la plupart des matières, ce troisième type de
crise est fort improbable. Il en va différemment pour*

le pétrole à la suite de l'augmentation brutale des prix. Grâce à ce renchérissement, les pays désertiques peuvent obtenir les dollars dont ils ont besoin en produisant moins qu'on ne leur demande. Il ne s'agit pas d'un embargo classique dans lequel le vendeur se prive d'un profit nécessaire pour des raisons politiques ou autres, mais d'une saine gestion des ressources nationales incitant chacun à ne consommer son capital naturel qu'au rythme de ses besoins.

Voilà donc les trois types de crises qui peuvent nous menacer d'ici à l'an 2000, et sur lesquelles nous allons nous amuser à réfléchir. Mais la fin du siècle devient ici un horizon trop éloigné. C'est bien avant que les crises risquent de se produire. Il nous a fallu avancer la date de nos histoires en conséquence. Encore fûmesnous trop prudents en nous projetant à l'horizon 90. Les récents événements prouvent que nous pourrions aussi bien avancer de cinq ans toutes' nos histoires.

Disposerons-nous du pétrole dont nous avons besoin ? C'est la question fondamentale. A cette interrogation, il est évidemment deux réponses opposées, l'une optimiste, l'autre pessimiste qui déboucheront sur deux scénarios : l'un rose, l'autre noir.

Dans le premier, l'Occident, inconscient, donne la tête la première dans le piège, c'est : « L'ALLIANCE POUR LE PÉTROLE. »

Dans le second, les mesures sont prises à temps pour éviter le désastre, c'est : « LE ROBINET DE RIYAD. »

Intervenants : PAUL MENTRE, ancien délégué général à l'Energie, conseiller financier à l'ambassade de France à Washington.

BERNARD DELAPALME, directeur de la Recherche scientifique et technique dans le groupe Elf-Aquitaine.

L'ALLIANCE POUR LE PÉTROLE

La nouvelle, parue dans le *Middle East Observer* du 10 mai 1992, fut reprise par le *New York Herald Tribune* du 11. En quatrième page. « L'Iran avait décidé de vendre son pétrole aux enchères. » Elle ne parut pas inquiéter outre mesure les commentateurs occidentaux, devenus prudents et sceptiques après vingt années de rumeurs et d'intoxications en matière pétrolière. Ils estimèrent qu'il s'agissait d'une manœuvre, une de plus, destinée à arracher une forte hausse lors de la prochaine conférence de l'O.P.E.P., fin juin à Mexico. Le scénario était bien connu. Au reste, le public n'y attacha pas une importance particulière. Lui aussi avait fini par se lasser de la « guéguerre » que se livraient producteurs et consommateurs de pétrole. Une chose, une seule, était assurée : les prix continueraient à augmenter. Au cours des dernières années, les rumeurs de pénurie s'étaient faites de plus en plus précises et le prix du baril s'était mis à croître plus vite que l'inflation mondiale. Il atteignait maintenant 35 dollars, dépassant de 25 % son cours historique de la fin 1973. En monnaie constante évidemment. L'Occident s'en accommodait tant bien que mal. Le Tiers Monde en était accablé.

La vente aux enchères eut lieu le 8 juin à Abadan. Quinze jours avant la réunion de Mexico. L'Iran vendit 20 millions de tonnes. Les cours atteignirent 47 dollars. Des compagnies indépendantes, incertaines de leurs approvisionnements, avaient fait monter les enchères. Les Majors, eux, les avaient boycottées. Forte de ce précédent, l'Iran demanda une hausse de 40 %. Les pays du golfe s'y opposèrent. Finalement, les ministres de l'O.P.E.P. quittèrent Mexico sans avoir rien décidé, ce que la presse occidentale présenta comme une grande victoire. Elle déchanta lorsque, dans les quinze jours qui suivirent, huit pays producteurs dénoncèrent les contrats qui les liaient aux grandes compagnies et annoncèrent que, désormais, ils vendraient leur brut aux enchères. A nouveau les Majors firent savoir qu'ils refusaient de jouer ce jeu. Mais leurs stocks étaient au plus bas et ils durent bien accepter cette procédure. En sous-main tout d'abord, puis ouvertement. En septembre, certaines cargaisons s'enlevaient à 56 dollars.

Les gouvernements occidentaux voulurent croire que ces cours, qualifiés de « démentiels », ne tiendraient pas. Ils se rassuraient en pensant aux précédents de 74 et 79. A ces époques aussi des tentatives de ventes aux enchères avaient permis d'atteindre des cours faramineux. Mais ces prix de spéculation n'avaient pas duré bien longtemps. Tout était bientôt rentré dans l'ordre.

Malheureusement, rien de tel ne se produisit cette fois. A la mi-octobre, le cours de 50 dollars se généralisait et l'opinion sentait passer un vent de panique. La presse, qui avait minimisé la crise à ses débuts, donnait maintenant dans le catastrophisme. A nouveau on annonçait : « Il n'y a plus de pétrole. » Vieille rengaine qui provoquait toujours le même affolement. A tout hasard, les gouvernements prirent les premiers plans de rationnement. A l'automne, les tickets d'essence furent distribués dans plusieurs pays d'Europe. C'est alors que le président des Etats-Unis invita les pays occidentaux à Washington pour une grande conférence pétrolière.

La réunion s'ouvrit dans une ambiance de crise. Toute la presse internationale se retrouvait à Washington dès le dimanche soir. Nul ne voulait manquer le discours inaugural du président, que l'on qualifiait par avance d'historique. Dans un silence impressionnant, face à 1 534 délégués et experts, il expliqua que cette crise était le contraire des précédentes. « Jusqu'à présent, le manque de pétrole était toujours provoqué par le fait que certains pays producteurs refusaient de vendre autant qu'ils auraient pu. Il n'en va pas de même aujourd'hui. Les enquêtes les plus approfondies auxquelles nous avons procédé partout dans le monde, prouvent que les capacités de production sont utilisées au maximum. Il manque du pétrole parce que ces capacités sont insuffisantes. Elles correspondent à une production annuelle de 4,7 milliards de tonnes, alors que les besoins mondiaux excèdent les 5 milliards. La hausse des prix n'est donc pas artificielle, c'est pourquoi elle sera durable. »

Fait plus grave, le déficit pétrolier ne pourrait que s'aggraver. Le président démontra tout d'abord que la consommation ou, du moins, les besoins continueraient à croître du fait, notamment, du Tiers Monde. La production, en revanche, ne pouvait guère augmenter. Le Mexique avait pratiquement atteint son maximum, la Chine accroissait désormais sa consommation au rythme de sa production, les pays du Golfe, qui avaient accru de 70 % leur production depuis 15 ans, ne pouvaient faire plus. Et si l'on développait les nouvelles provinces pétrolières, notamment en Afrique centrale et en Argentine, ces arrivages ne feraient que compenser la baisse des gisements en Indonésie, en Algérie, en Irak ou au Venezuela, bref dans les grands pays pétroliers des années 60-80. Au total, la production mondiale devrait baisser de 1 % par an dans les prochaines années, alors que les besoins croîtraient de 2 % par an. La pénurie ne pouvait que s'accentuer.

Les commentaires de la presse occidentale prirent alors le ton du réquisitoire. Comment en était-on arrivé là ? s'interrogeaient les journalistes. Ils dénonçaient le manque de volonté politique. Aucun des objectifs fixés en 1974 n'avait été atteint. Ni pour les économies, ni pour la production. Faute de courage, on avait laissé tomber les premières, faute d'argent on avait négligé la seconde. Nucléaire, solaire, charbon et nouveau pétrole s'étant révélés difficiles, coûteux et malcommodes, on avait continué à vivre sur le pétrole de l'O.P.E.P. Tout au long des années 80 l'Arabie Saoudite avait forcé sa production sans trop augmenter les prix. C'était parfait. De ce fait, la France importait encore 60 % de son énergie sous forme de pétrole.

Et les commentateurs rappelaient toutes les occasions ratées : « Pourquoi a-t-on renoncé aux forages en Méditerranée après deux essais infructueux ? Pourquoi n'a-t-on pas davantage utilisé les immenses réserves de charbon ? Pourquoi a-t-on diminué de moitié le programme nucléaire ? Pourquoi n'a-t-on pas exploré les nouveaux gisements de pétrole ? Pourquoi, enfin, n'a-t-on pas imposé des économies plus sévères ? »

En décembre 1992, l'Agence internationale de l'énergie, qui regroupe tous les grands pays importateurs de pétrole, mit en place son plan de répartition. Chaque pays se verrait allouer un contingent semestriel. A charge pour lui d'organiser le rationnement sur son territoire.

Les Français découvraient maintenant cette crise de l'énergie dont on les menaçait depuis si longtemps, et à laquelle ils avaient fini par ne plus croire. L'industrie de l'automobile fut la première touchée. Dès le mois de septembre, il devenait impossible de vendre les grosses cylindrées. A la fin de l'année, les voitures moyennes s'entassaient aux portes des usines. Invendues. C'est alors qu'apparurent les tickets d'essence qui portèrent le coup de grâce. Au printemps 93, Renault, pour ne pas licencier, devait réduire le travail à trois journées par semaine. Par chance, l'automne fut exceptionnellement pluvieux et l'hiver très doux, en sorte qu'on put éviter les coupures et assurer l'approvisionnement en fuel jusqu'à la fin de 92. C'est en 93 que l'on plongea véritablement dans la crise. Entre avril et décembre, l'inflation était passée de 9 à 24 % l'an, le déficit extérieur avait plus que doublé et le nombre des chômeurs augmenté de 900 000. Quant au prix du pétrole, il continuait son ascension et atteignait maintenant 62 dollars.

Le plan de crise fut adopté par le Parlement en

février. Le rationnement de l'essence était renforcé, le chauffage des locaux limité à 16 °C, tous les revenus étaient bloqués, de nouveaux impôts étaient créés. La France fermait ses frontières. Seule consolation pour les Français : tous les Européens et tous les Américains étaient logés à la même enseigne. Tandis que les gouvernements restreignaient les gouvernés, les experts occidentaux étudiaient fébrilement les nouvelles sources de pétrole. Elles ne manquaient pas et chacun les connaissait. Outre le pétrole à découvrir en mer profonde, il y avait les huiles lourdes de l'Orénoque au Venezuela, les sables oléifères de l'Alberta au Canada et les schistes bitumineux américains. A lui seul, chacun de ces gisements représentait au moins l'équivalent des réserves pétrolières mondiales. Malheureusement, il ne s'agissait pas de gisement classique, mais de roche imbibée d'huile. L'extraction en était difficile d'autant que les techniques n'étaient pas au point, faute d'avoir été suffisamment étudiées. De gigantesques investissements étaient nécessaires mais qui ne produiraient pas leurs effets avant une dizaine d'années.

En mars 92, l'Agence internationale de l'énergie proposa « l'Alliance pour le pétrole », un programme d'inspiration américaine prévoyant une mobilisation générale des pays occidentaux pour mettre en exploitation les sables de l'Alberta. Projet gigantesque puisque l'on prévoyait d'investir en cinq ans 400 milliards de dollars. Soit cinq fois plus que pour le programme *Apollo*. Les partenaires étaient liés par des engagements très stricts qui donnaient à l'Alliance pour le pétrole l'allure d'une coalition militaire. A dominante américaine évidemment. Faute de solutions alternatives, les parlements nationaux durent s'incliner.

Seuls les Japonais refusèrent. En juin 93, ils passaient avec le Venezuela un accord décennal pour l'exploitation de l'Orénoque. On apprit qu'ils avaient mis au point, en secret, une technique pour extraire l'huile lourde de cette région. En septembre 93, ils s'entendirent avec la Colombie pour construire le pipe-line qui amènerait au Pacifique le pétrole de l'Orénoque. La participation française à l'Alliance pour le pétrole se traduisit par un impôt supplémentaire. Sur l'énergie évidemment. Dans dix années, si tout allait bien, le nouveau pétrole arriverait. En attendant, on pourrait toujours faire du vélo sur les autoroutes.

Il s'agit ici d'une pénurie de capacités. Les producteurs acceptent de vendre, mais la production est insuffisante. Pour que cette crise soit la première qui survienne, il faut imaginer, ce qui est implicite ici, que les grands producteurs, notamment l'Arabie Saoudite, ont accepté de monter leurs livraisons au maximum de leurs capacités. N'oublions pas, en effet, que la crise de disponibilité peut se produire dès aujourd'hui et à tout moment. Les excédents monétaires de certains pays pétroliers montrent que, dès à présent, il se fait une surproduction de plusieurs centaines de millions de tonnes. Surproduction par rapport aux besoins en dollars des producteurs et non aux besoins en pétrole des consommateurs. Que demain ces pays, Arabie Saoudite en tête, ne tirent sur leurs puits qu'en fonction des dollars qu'ils souhaitent encaisser, et le monde se retrouvera à la limite de la crise d'approvisionnement. Ainsi que nous l'avons vu au cours des derniers mois, cela pousserait les prix à la hausse, ce qui, par ricochet, inciterait ces pays pétroliers à produire encore moins puisqu'ils obtiendraient l'argent nécessaire avec des quantités réduites. Bref, la crise de disponibilité est une épée de Damoclès qui, en raison de la répartition du pétrole dans le monde, peut à tout moment nous tomber sur la tête.

Une véritable crise de capacités ne se manifestera en premier que si l'attitude des pays pétroliers désertiques permet d'éviter la crise de disponibilité. Cette hypothèse est loin d'être assurée et, pour tout dire, a peu de chances de se réaliser, si l'Occident ne mène pas une vigoureuse politique de l'énergie. Mais, à supposer que l'insouciance occidentale n'ait pas provoqué cette crise de disponibilité, nous risquerions encore d'arriver à cette insuffisance des capacités. « Effectivement, estime Pierre Desprairies, ce genre de crise pourrait se produire. Vous dites 1990, on pourrait aussi bien dire 1988 ou 1992, mais enfin disons que, si nous restons une quinzaine d'années sans faire plus que ce que nous faisons maintenant, ce genre de risque est parfaitement plausible. »

Ne faire pas plus que ce que nous faisons, tout est là. Une absence de crise pétrolière suppose un équilibre permanent entre l'offre et la demande. Cette lapalissade montre qu'une action éventuelle devrait porter sur l'un, l'autre ou, préférablement, sur l'un et l'autre de ces pôles. Or que constatons-nous ? Voyons tout d'abord le pôle de la demande. La crise de 1973 a popularisé le terme d'économie d'énergie, mais que s'est-il passé en réalité ? Certes la croissance de la consommation a été très sensiblement infléchie depuis cinq années, peut-on pour autant dire que l'Occident est devenu sage ? Probablement pas. D'une part les quelques économies réalisées ont surtout correspondu à la fin de certains gaspillages évidents comme le surchauffage des locaux. C'est facile à réaliser, cela ne coûte rien, les effets sont rapides. Malheureusement, ce n'est pas renouvelable à moins de mettre en place un véritable rationnement. Passer de 23 °C à 20 °C, c'est excessivement simple, descendre à 14 °C serait bien plus compliqué. Donc nous avons réalisé les économies les plus faciles.

Celles qui pourraient et devraient encore être accomplies supposent soit de véritables privations, soit des investissements considérables pour remplacer nos parcs de logements, de véhicules et de machines, par d'autres qui seraient moins gourmands en énergie. Or les pays occidentaux sont très loin d'effectuer les efforts correspondant à de tels programmes. Qui plus est, le principal importateur de pétrole, l'Amérique, qui à elle seule importe autant que le reste de l'Occident, n'a pratiquement rien fait. Attendons de voir si le président Carter pourra enfin l'engager dans cette voie. En tout état de cause, cinq années d'économies ont déjà été perdues par les Américains, rendant vains les efforts des autres pays industrialisés. En France même, pays pourtant relativement « sage » de ce point de vue, le programme d'économie d'énergie ne sera sans doute réalisé qu'à 60 % et, en 1979, l'électricité est encore vendue aux particuliers à un prix inférieur à celui d'avant l'augmentation du pétrole. En francs constants évidemment. C'est dire qu'il ne faut parler d'économies d'énergie qu'avec la plus extrême prudence.

Qui plus est, la réduction de la consommation a été largement liée à la crise économique. En effet, énergie et croissance restent désespérément liées. 1 % de plus en P.N.B., c'est, presque automatiquement, 1 % de plus en pétrole. Lorsque la croissance repart, la consommation fait de même. Or cette bienheureuse expansion, si vigoureusement pourfendue il y a quelques années, reste le seul remède connu au chômage. Partout dans le monde les gouvernements veulent pousser les feux et emballer la machine pour créer des emplois. Le cercle est bouclé. Pour combattre ce mal suprême qu'est le chômage, il faut forcer la croissance, ce qui fait grimper nos importations pétrolières. Du pétrole ou des chômeurs ; notre futur est toujours prisonnier de cette relation.

Ce tableau est certes simplifié, mais il donne les relations de base. Seules des modifications fondamentales dans nos systèmes économiques, dans notre organisation sociale et dans notre mode de vie pourraient permettre de mobiliser nos forces pour économiser l'énergie, et de revenir à un faible taux de chômage sans forcer la croissance. Ces changements n'étant nullement assurés, il est logique de penser que la consommation pétrolière continuera à croître dans l'avenir. Ajoutons enfin que les besoins des pays communistes et du Tiers Monde augmentent et augmenteront fortement. Résumons-nous : il est probable que le monde aura de plus en plus besoin d'énergie.

Face à cette croissance de la consommation, ne pourrions-nous faire croître la production dans les mêmes proportions ? Le premier obstacle qui pourrait nous l'interdire serait l'épuisement des gisements. Vieille crainte, mais qui n'est guère fondée. Outre les cent milliards de tonnes actuellement trouvées et récupérables — le monde consomme environ trois milliards de tonnes par an —, il existe encore tout le pétrole à découvrir dans les régions peu explorées : mer profonde, Tiers Monde, etc., et qui représente probablement au moins autant. Comptons également qu'avec de nouvelles techniques nous récupérerons davantage d'huile de nos gisements. Lorsqu'on se contente de « tirer » sur un gisement, on ne recueille guère plus d'un tiers du pétrole en place. Avec des méthodes très sophistiquées, on pourrait récupérer la moitié ou les deux tiers de l'huile. On doublerait d'un seul coup les réserves.

Reste enfin « l'autre pétrole » évoqué dans ce scénario : huiles lourdes de l'Orénoque, sables asphaltiques de l'Alberta, schistes bitumineux du Colorado, etc. Ici il ne s'agit plus de « gisements » au sens classique. La roche est bien imprégnée d'huile, mais celle-ci ne jaillit pas. Pour la récupérer, il faut extraire la roche, la traiter, la broyer, la chauffer, etc. C'est beaucoup plus difficile, les techniques ne sont pas toujours au point, les problèmes écologiques sont immenses et l'on ne sait toujours pas comment lancer de telles productions sur une très grande échelle. Mais les réserves sont colossales : au Canada par exemple, à Fort McMurray où l'on commence à exploiter les meilleurs sables asphaltiques de l'Alberta, 7 000 hommes travaillent sur le chantier, des milliards de dollars ont été investis, le tout pour ne recueillir que quelques millions de tonnes par an.

Bref, pour se résumer, on peut estimer que, même en supposant une très forte augmentation de production pétrolière mondiale, les réserves ultimes correspondent, au minimum, à un siècle de consommation et probablement à beaucoup plus. Aucun risque d'épuisement des réserves par conséquent.

En revanche, ce pétrole : celui de l'Arctique, comme celui de la mer profonde, d'une récupération améliorée comme des schistes, est infiniment plus cher à produire que celui dont nous nous sommes servis jusqu'à présent. Songeons que le baril de pétrole extrait du Proche-Orient doit revenir à 20 cents alors que celui de la mer, de la récupération assistée ou des schistes tourne entre 10 et 15 dollars. Changement de coûts impliquant des investissements colossaux. C'est là que le bât blesse.

« Il reste effectivement beaucoup de " bon pétrole " à trouver, c'est-à-dire même des gisements " classiques " exploitables selon les techniques actuelles, estime Pierre Desprairies. Mais la plus grande partie de ce pétrole, encore relativement bon marché, restant à découvrir est située dans le Tiers Monde. Or, depuis la crise de 1973, les compagnies portent tous leurs efforts d'exploration et de production sur les pays industrialisés dans lesquels les risques de nationalisation paraissent moins grands. Là, elles sont en général bien accueillies et le gain par baril est suffisant pour justifier l'opération. Dans les pays en voie de développement, en revanche, les partenaires occidentaux sont peu prisés, les gains, en cas de découvertes, sont faibles et la menace de nationalisation pèse toujours. Il reste donc beaucoup de pétrole bon marché à trouver dans les pays les moins fortunés. L'exploitation serait utile et profitable pour ces pays, mais il faudrait qu'ils acceptent de donner, peut-être, 1 dollar aux compagnies afin d'en gagner 9. Pour le moment, ce genre d'accord n'est pas facile à réaliser. »

Ainsi nous manquons le pétrole bon marché pour des

raisons politiques, et le pétrole cher pour des raisons financières. L'un dans l'autre nous courons les plus grands risques d'arriver à une crise de capacités comparable à celle que nous évoquons dans ce scénario. Pour la décrire, il a suffi de se reporter aux études des experts. Celles-ci ne manquent pas. Lors de la conférence mondiale de l'énergie, qui s'est tenue à Istanbul en 1977, une bonne dizaine de rapports prospectifs ont été présentés. Ils émanaient des sources les plus diverses : compagnies pétrolières, organismes internationaux, centres d'études, etc. Tous tentaient d'évaluer la situation énergétique et surtout pétrolière du monde dans les vingt prochaines années. Robert Lattès en a fait la synthèse. Il a constaté que pratiquement tous ces experts prévoient une crise de capacités entre 1985 et 1995.

Cette crise a d'autant plus de chances d'intervenir que les temps de réponse sont longs et que la conjoncture est trompeuse. Lorsqu'on parle d'énergie, il faut toujours compter en décennies. « Les délais de réponse dans le pétrole sont toujours extrêmement lents, précise Pierre Desprairies. Quand vous décidez d'investir, par exemple, en 1979, vous ne pouvez pas espérer avoir votre première cargaison de pétrole, sauf chances absolument extraordinaires, avant 1989. Il en va de même pour toutes les autres sources d'énergie. Dix ans, c'est une moyenne. »

Cette durée se retrouve dans tous les systèmes énergétiques. Supposons que l'on découvre aujourd'hui un moteur automobile entièrement nouveau qui consomme 25 % d'essence en moins. Le temps de concevoir les voitures, puis de les commercialiser, il faudrait encore compter la décennie entre la première découverte et la reconversion d'une part appréciable du parc. On peut faire le même raisonnement pour l'isolation thermique. Seul le rationnement est rapide... mais douloureux.

Le deuxième fait inquiétant, c'est le piège de la conjoncture. Tout au long des années 60 et jusqu'en 1973 les capacités pétrolières ont été développées sur la perspective d'une augmentation rapide de la consommation. Celle-ci a été considérablement freinée à partir de 1974. Mais, à cause de la fameuse loi des dix ans, les programmes d'extension des capacités ont continué sur leur lancée. On s'est donc retrouvé en surcapacité depuis cinq ans et, aujourd'hui même, alors que l'on parle de pénurie, il existe en réalité dans le monde une surcapacité globale de plusieurs centaines de millions de tonnes. Cette conjoncture n'a évidemment guère incité à lancer de grands programmes d'extension. La reprise de la consommation risque donc d'absorber rapidement les capacités excédentaires actuelles, alors qu'on n'a pas lancé la suite du programme. C'est ainsi que nous avons, peut-être, planifié sans le savoir une crise de capacités pour la prochaine décennie.

Les péripéties que nous avons imaginées pour ce scénario sont certes arbitraires, mais non gratuites. La vente du pétrole aux enchères et non plus aux prix de cartel n'est pas sans précédents, cela s'est produit en 1973 : « Cela voulait dire, se souvient Pierre Desprairies, qu'entre membres de l'O.P.E.P. on se faisait la concurrence à qui vendrait le pétrole le plus cher. Pour vous donner un exemple qui m'est resté en mémoire, à l'époque où le pétrole venait de passer de 3 à 5 dollars le baril, je connais une compagnie dont l'acheteur est revenu en se frottant les mains, parce qu'il avait trouvé du brut à 16,5 dollars. Au Nigeria, on parlait de 22 dollars pour un prix nominal de 5. C'est cela les enchères. Cela veut dire qu'on établit le prix au niveau le plus élevé et que seuls les riches peuvent se l'offrir. C'est la restriction par les prix. »

Certes les enchères de 1973 ne durèrent pas, mais nous sommes revenus à une situation assez comparable avec la crise iranienne. Lorsque l'arrêt de la production iranienne a provoqué un début de pénurie, certains producteurs ont commencé à vendre leurs cargaisons disponibles aux plus offrants. Les grandes compagnies, comme je l'avais imaginé dans ce scénario, décidèrent tout d'abord qu'elles refuseraient de jouer ce jeu. Puis certaines d'entre elles, notamment *Shell,* durent accepter d'acheter de petites quantités à des prix très supérieurs aux cours officiels.

A sa réunion de Genève, l'O.P.E.P. a entériné cette flexibilité en prévoyant un système de surtaxes pouvant s'appliquer en cas de tensions sur le marché. Depuis lors, tout se passe comme si les pays producteurs appliquaient cette proration afin de maintenir l'offre légèrement en dessous de la demande. De ce fait, le brut a rapidement grimpé au-dessus du prix plancher qui avait été fixé. Peut-être s'achemine-t-on dès à présent vers une crise de disponibilité et un système de ventes au plus offrant. En ce cas, notre scénario aurait le tort de nous promettre dix années d'euphorie. En revanche, il ne paraît guère faire de doute qu'en une situation de réelle pénurie comme celle qui est imaginée ici le système des enchères ferait monter les prix très fortement. Heureux si nous pouvions nous en tirer à 30 dollars (de 1979) le baril ! Face à la crise, nous avons imaginé une alliance des pays occidentaux sous la houlette de l'Agence internationale de l'énergie. Cet organisme existe. Il fut créé sous l'influence de Henry Kissinger, lors de la précédente crise. Son objectif était précisément de constituer un bloc des consommateurs pour faire pièce à celui des producteurs. A l'époque, la France — c'était la grande époque du « jobertisme » — avait refusé de s'y associer. Il est logique de penser que, dans une situation de crise, cet organisme, largement sous influence américaine, retrouverait sa vocation première de mobiliser les pays consommateurs.

Quant à la possibilité d'alimenter le monde occidental sur le pétrole de l'Alberta, elle est à peine imaginaire puisqu'elle avait été proposée au début de 1974 par Hermann Kahn. Il estimait qu'en effectuant un *crash programm,* un véritable « programme Apollo du pétrole » pour exploiter ces gisements, l'Occident pourrait, en quelques années, s'affranchir du pétrole de l'O.P.E.P. Mais l'embargo prit fin et la proposition de Kahn fut oubliée. En 1992, si une véritable crise... qui sait ?

LE ROBINET DE RIYAD

Faire tenir les cinq valises du prince dans la petite Renault S.E. posa quelques problèmes. Il fallut se résoudre à en placer trois sur la banquette arrière. Heureusement que Jean Mortier était venu seul chercher son illustre invité.

Ils prirent l'autoroute en direction de Paris filant tranquillement à la vitesse maximale : 110 kilomètres à l'heure. Mortier s'excusa de n'avoir qu'un véhicule aussi modeste : « Même en location, on ne trouve plus les limousines d'antan.

— Vous voulez dire les Cadillac des princes arabes », rectifia le prince Osman avec un sourire moqueur. « Ne vous formalisez pas, c'est la même chose en Amérique. »

Effectivement toutes les voitures qui roulaient à leurs côtés sur l'autoroute étaient de petite taille, répondant aux normes S.E. : Standard Economie.

« Je serais mal venu de me plaindre, fit remarquer le prince, puisque je suis un peu à l'origine de ce changement. »

En arrivant à Montrouge, à hauteur des réacteurs nucléaires qui chauffent Paris, la circulation se fit plus dense et la vitesse tomba à 80 kilomètres à l'heure. Rien que de très normal en cette fin de week-end ensoleillé.

« Je constate, dit le professeur Mortier, que les Américains n'ont plus de rancune envers vous puisqu'ils vous ont rendu votre visa.

— Après dix années de purgatoire, c'est vrai. Je doute que cette faveur soit un succès pour moi, répondit le prince avec un sourire désabusé. On ne me tracasse plus parce qu'on ne me craint plus... Encore que... J'aimerais que vous tourniez un peu dans Paris, rien que pour voir si cette voiture bleue s'intéresse à moi autant qu'il me semble.

— Vous croyez ? interrogea Mortier soudain alarmé.

— Qui sait, soupira Osman. Il se pourrait que je fasse encore peur à certains. Ce serait beaucoup d'honneur. »

Il avait appuyé sa tête sur le bord du fauteuil et resta un temps songeur en soufflant lentement la bouffée de sa cigarette.

Oui, le temps était loin où le monde entier s'intéressait à lui. 1982, quinze ans déjà ! Il s'était vaillamment battu contre les Israéliens à la tête de la deuxième armée saoudienne. Vaine bataille une fois de plus. Israël avait brandi la menace nucléaire et les Arabes avaient laissé se créer un Etat chrétien du Liban associé à l'Etat juif. En contrepartie d'un « foyer palestinien » en Cisjordanie. Une honte !

Pourtant, l'Occident ne vivait que du pétrole saoudien, il suffisait de poser la main sur le robinet pour mettre l'Amérique à merci. Mais le clan pro-américain qui régnait à Riyad n'avait rien fait.

En 1983 Osman, s'appuyant sur l'armée, avait chassé Faad, Abdallah, Yamani et les autres. La panique fut immense en Occident. Il annonça que la production saoudienne — 700 millions de tonnes à l'époque — baisserait de 10 % par mois, jusqu'à ce que les Américains aient obtenu d'Israël le renoncement à l'arme nucléaire et le retour aux frontières de 1947.

Quelle partie de pocker ! Washington avait bloqué les avoirs saoudiens dans les banques occidentales. Osman avait baissé la production de 20 %. L'Amérique avait menacé d'intervenir militairement, mais les Russes avaient fait savoir qu'ils ne le permettraient pas. Entre-temps, la puissance occidentale vacillait vertigineusement. Le pétrole montait à 32 dollars le baril, les gouvernements prenaient en toute hâte des mesures de rationnement. Et le public découvrait que, faute d'avoir mené une politique de l'énergie au cours des dix dernières années, l'Occident était plus que jamais à la merci du pétrole arabe.

Hélas, le plan d'Osman avait échoué. Moscou et Washington avaient négocié dans son dos un accord qui laissait les Américains libres d'intervenir. En juillet 84, les Marines s'étaient emparé par surprise des gisements pétroliers. Peu après, la contre-révolution balayait le pays, tout le clan pro-américain revenait d'exil et Osman devait s'enfuir. Années d'errance, de clandestinité. Il avait échappé à une dizaine d'attentats. Mais, aujourd'hui, tout cela était fini. La situation n'était plus du tout la même et une révolution de palais à Riyad n'aurait pas les mêmes conséquences. « Elle n'en est que plus probable », pensa-t-il en souriant.

« Et comment va le prince Saïd, demanda Mortier. Il réussit toujours aussi brillamment à Harvard ?

— Oui, je vous remercie, répondit-il d'un air évasif. Vous savez que cet hiver il a fait une grave congestion pulmonaire. » Il posa sa main sur le bras de Mortier et ajouta avec une soudaine gravité. « J'ai beaucoup pensé à vous, mon cher professeur. »

Le professeur Jean Mortier avait fait la connaissance du prince Osman en 1979 lorsqu'il avait été appelé au chevet du prince Saïd. L'enfant nouveau-né était immuno-déficient. C'est-à-dire que son organisme était incapable de résister aux agressions microbiennes. Mortier avait fait construire une enceinte stérile dans laquelle l'enfant avait vécu pendant trois ans, puis il lui avait greffé un système immunologique. Cette longue épreuve, vécue côte à côte, avait créé une profonde amitié entre les deux hommes.

« Vous voyez que je suis toujours important, reprit le prince. La voiture de ces messieurs n'a pas quitté votre pare-chocs depuis vingt minutes. Je pense que, maintenant, nous pouvons aller chez vous. »

La voiture bleue s'arrêta devant l'immeuble sans même prendre la peine de se dissimuler. Il s'agissait manifestement d'une filature très officielle. Le prince en fut rassuré.

Le lendemain, à 9 heures du matin, trois personnages se présentèrent au domicile du professeur Mortier. Deux fonctionnaires du ministère de l'Intérieur et un diplomate du Quai d'Orsay. Très courtoisement, ils demandèrent à s'entretenir avec le prince Osman. Mortier allait protester lorsque le prince apparut dans l'entrée.

« Cher ami, dit-il à Mortier, me permettrez-vous d'abuser de votre hospitalité et de recevoir ces messieurs dans votre salon ? »

Ces messieurs étaient fort ennuyés. Ils avaient été alertés par les Américains sur des rumeurs encore incontrôlées d'une révolution de palais à Riyad. La filature du prince avait été aussitôt décidée, d'autant que son fils Saïd avait brusquement disparu de Harvard. Bref, les milieux diplomatiques n'étaient pas loin de penser que le prince allait rééditer « le coup de 83 ».

Le prince répondit évasivement aux questions concernant la situation en Arabie Saoudite. Il affirma que, désormais, il avait rompu tous liens avec la cour et se tenait à l'écart des intrigues. « Me voyez-vous préparant une révolution ici à Paris et trahissant l'hospitalité de mon ami le professeur Mortier ? C'est presque une offense de le penser.

« Cela dit, Monsieur le Conseiller, enchaîna-t-il à l'adresse du diplomate, si je comprends que vous ignoriez ce qui se passe à Riyad, je suis plus surpris que vous méconnaissiez la situation dans les pays occidentaux. Vous redoutez, n'est-ce pas, que l'Arabie cesse ses livraisons de pétrole. Vous avez bien tort. Elle peut toujours le faire, c'est vrai, mais les conséquences ne seraient plus du tout celles de 1983.

« Vous semblez oublier les réactions qui suivirent la crise. Mon action, qu'Allah me pardonne, eut, en définitive, pour seul résultat de réveiller les Occidentaux. Eux qui vivaient dans l'insouciance puisèrent, dans la peur que je leur ai inspirée, la force de lancer une véritable politique de l'énergie. Souvenez-vous des mesures draconiennes décidées par le Congrès américain, celui-là même qui refusait la petite politique du malheureux président Carter. En France même, vous avez renforcé votre programme d'économies, vous avez créé un impôt spécial pour financer le développement de nouvelles sources d'énergie. J'ai bien suivi tout cela dans mon exil, car je m'en sentais responsable.

« Aujourd'hui connaissez-vous la situation énergétique de l'Occident ? Avec l'arrivée massive du pétrole de la Méditerranée, de l'Alberta, de l'Orénoque, avec l'électricité et la chaleur de vos centrales nucléaires, le développement du charbon, avec surtout votre façon de vivre plus économe d'énergie, vous ne risquez plus rien. L'Arabie ne produit que 500 millions de tonnes de pétrole, qu'elle baisse de 200 millions, cela ne changera pas grand-chose. Croyez-moi, cela ne vaut plus la peine d'envoyer les Marines à Riyad. »

Le coup d'Etat fut confirmé dans l'après-midi. La nouvelle équipe dirigeante de Riyad se proclamait « progressiste et libérée de l'impérialisme ». Dans les semaines qui suivirent, les colonels saoudiens annoncèrent une baisse de la production. Elle dura six mois. L'Agence internationale de l'énergie organisa la répartition du pétrole entre les pays consommateurs. En France, le chauffage fut baissé de un degré pendant l'hiver 98. Au printemps, le prince Osman revenait à Riyad et persuadait les jeunes dirigeants du Conseil révolutionnaire qu'il ne servait à rien de poursuivre cet embargo.

« C'est plus tôt qu'il aurait fallu le réussir, expliqua Osman, mais c'est pour cela sans doute que j'ai échoué. »

A retenir trois idées essentielles :
— seule une politique globale de l'énergie peut éviter une crise particulière du pétrole ;
— seule une crise pourra susciter en Occident les réactions nécessaires ;
— seule l'Arabie Saoudite peut précipiter, retarder ou peut-être même éviter la crise pétrolière de l'Occident.

Depuis les événements de 1973, tous les prophètes du passé et correcteurs de l'histoire vont répétant que nous fûmes fous de nous lancer dans le « tout pétrole » au cours des années 60. La suite des événements a indiscutablement prouvé que cet engagement était dangereux. Toutefois on ne saurait le présenter comme une sorte de choix arbitraire et capricieux. La part prépondérante prise par le pétrole dans nos approvisionnements correspond à une réalité objective indiscutable, à savoir qu'il s'agit de l'énergie reine en comparaison de laquelle toutes les autres sont insatisfaisantes.

Cela est particulièrement vrai pour le pétrole du Proche-Orient sur lequel nous nous sommes essentiellement appuyés au cours de ces dernières années. L'extraction en est facile et peu coûteuse. Il suffit de comparer un puits et une mine de charbon pour s'en rendre compte. De ce fait, le prix de revient est remarquablement bas. Le transport se fait également par véhicule ou par canalisation, le stockage ne pose aucun problème, tout cela est bien commode. Enfin l'utilisation est absolument universelle. Nulle autre énergie n'a un tel champ d'application, on ne fait pas voler les avions au gaz, ni rouler les automobiles au charbon. Le pétrole à lui seul sert de support à tout le système énergétique. Il n'est que trop compréhensible que les pays occidentaux aient cédé aux commodités du tout pétrole.

Comme le dit Pierre Desprairies : « Comme le pétrole permettait de faire le plus, on a aussi fait le moins. » Le corollaire de cette première observation, c'est que tout autre système énergétique sera plus compliqué, plus cher et moins commode que la solution monopétrolière. Toutes les autres énergies étant spécialisées, il faut envisager des combinaisons entre des sources diverses et non le remplacement pur et simple du pétrole par une autre énergie miracle.

Cela posé, une crise n'est évitable que si le monde renonce aux commodités du tout pétrole, s'il met en œuvre d'autres ressources afin de réduire progressivement l'appel au pétrole, au pétrole « classique » s'entend. Si, au contraire, nous continuons à fonder sur cette énergie l'essentiel de nos approvisionnements, alors il faudra tant tirer sur les « bons » gisements, que la crise de capacité et même de réserve deviendra inévitable. C'est dans ce sens que la solution du problème pétrolier est énergétique, qu'on ne peut éviter une crise sans élargir le problème.

« Quand on concentre les feux des projecteurs sur le pétrole, on ne voit vraiment qu'un aspect du problème, estime Pierre Desprairies. En fait, l'évolution raisonnable consisterait à réduire d'ici la fin du siècle la consommation du pétrole à ses utilisations spécifiques : transports, pétrochimie, agriculture, pays en voie de développement pour les pays qui ne peuvent accéder aux technologies nucléaires, soit environ la moitié du marché actuel. Le reste devrait être demandé à d'autres énergies : le nucléaire, le charbon... et les économies en premier lieu. »

N'oublions pas, en effet, que, si le pétrole peut faire ce que font toutes les autres énergies, la réciproque n'est pas vraie. Il est irremplaçable pour un certain nombre d'utilisations. Cette constatation trace les lignes d'une politique énergétique susceptible d'éviter la crise pétrolière.

« Le nucléaire, estime Pierre Desprairies, doit évidemment venir en première ligne pour un pays comme la France qui doit pratiquement importer toute son énergie. Le charbon est davantage une bouée de sauvetage. Mais disons que, globalement, ces deux énergies devraient prendre toute la part du marché occupé par le pétrole pour des utilisations non spécifiques.

« Si tous les pays occidentaux faisaient de même, l'appel au pétrole se réduirait, les réserves actuelles dureraient beaucoup plus longtemps, les prix monteraient moins. »

Tel serait le fondement d'une politique énergétique à l'inverse de la précédente. Economies d'abord, nucléaire et charbon en progression, hydrocarbures en régression. Quant aux fameuses énergies nouvelles, il faut dire et répéter qu'elles ne constituent aujourd'hui une alternative ni au pétrole, ni au nucléaire. C'est une suite pour le prochain siècle, non une solution de rechange pour l'immédiat. Au cas où le nucléaire, pour quelque raison que ce soit, nous ferait défaut, l'alternative serait un rationnement brutal et non la mise en place instantanée et miraculeuse de l'énergie solaire.

Dans le scénario que nous avons imaginé, c'est bien une telle politique qui a été mise sur pied. Le parc automobile a été renouvelé dans tout l'Occident afin de moins consommer. Le chauffage urbain se fait par énergie nucléaire et non par fuel, ce qui n'interdit pas d'imaginer qu'ailleurs en France le chauffage solaire se soit largement développé. Ce projet de réacteur nucléaire spécifiquement destiné au chauffage, de réacteur calogène comme disent les spécialistes, n'est nullement imaginaire. Le commissariat à l'Energie atomique a toujours, dans ses cartons, les plans d'un réacteur *Thermos* qui devrait être construit au centre de Saclay. On peut noter encore la faible circulation un dimanche soir ensoleillé. Cela indique que le mode de vie des Français a changé. Ils ont renoncé à leur ruineuse passion pour les résidences secondaires et à leurs multiples « départs ». Des impôts sur l'énergie, des tarifs élevés doivent freiner la consommation. Bref, les économies d'énergie ont été poussées avec une vigueur inconnue jusqu'à présent.

D'autre part, un effort considérable a été accompli pour développer les nouvelles sources d'énergie. De ce fait, les pays occidentaux ne dépendent plus uniquement des puits du Proche-Orient. Ils utilisent également les sources de pétrole non conventionnel, ce qui implique des investissements gigantesques. Sans doute ont-ils également développé l'utilisation du charbon dont les ressources sont presque illimitées à l'échelle historique. A cette époque, la gazéification ou la production d'essence synthétique se font sans doute dans des conditions économiques. Bref, l'issue heureuse n'est rendue possible qu'au prix d'une vigoureuse politique de l'énergie visant à utiliser toutes les ressources disponibles.

On pouvait espérer qu'une telle mobilisation serait lancée en réaction à la crise de 1973. De grands projets furent alors élaborés, notamment le programme d'indépendance du président Nixon, qui devait assurer l'autarcie énergétique des Etats-Unis. Rien de tout cela n'a été réalisé. La leçon ne fut pas comprise, sans doute le mal fut-il trop léger, trop éphémère.

Bref, cette première vaccination n'a pas pris. On peut en déduire qu'une seconde serait nécessaire qui nous infligerait une plus forte dose. C'est ce que nous avons imaginé avec la conspiration du prince Osman. « L'effort que nous avons fait dans les pays occidentaux pour nous prémunir contre le renouvellement d'une telle crise. s'il n'est pas négligeable, reste très modéré, juge Pierre Desprairies. En fait, le nouvel impératif énergétique n'est pas entré dans les mœurs. Sans doute l'augmentation des tarifs a-t-elle incité les gens à baisser un peu leur chauffage, des limitations de vitesse ont été édictées, mais qui les respecte encore ? Bref l'état d'esprit de la population n'est pas à l'économie, voire à la restriction, et cela est aussi vrai en France que dans le reste de l'Occident. Il en va de même pour les nouvelles sources d'énergie. Pour éviter les risques de pénurie, il faudrait se décider à faire un effort nettement supérieur dans les deux ou trois années qui viennent. »

L'histoire de ces dernières années justifie pleinement l'appel à une crise comme seule solution pour susciter de nouveaux efforts. Que constatons-nous, en effet ? D'une part que le retour du pétrole, sa surabondance même, dans les années 74-78 a eu un effet démobilisateur sur tous les pays. La crise s'éloigne, l'effort se relâche, c'est évident. Cette relation est confirmée en sens inverse par les réactions aux tensions pétrolières provoquées par la crise iranienne. A nouveau les pays occidentaux ont parlé de politique énergétique. Les Etats membres de l'Agence internationale de l'énergie se sont engagés à restreindre leur consommation de 5 %. Ce n'est encore qu'une déclaration d'intention, sa réalisation dépendra du marché pétrolier. Si les prix baissent et que les quantités sont abondantes, rien ne sera fait. Dans le cas inverse, il se pourrait que les résolutions se transforment en actions. Encore plus spectaculaire a été la réaction américaine. Dans la période d'euphorie pétrolière, le président Carter n'avait pu imposer sa politique énergétique, dans la période de tension, il a tenté de la relancer. Là encore gageons que le succès de l'entreprise sera proportionnel à l'intensité de la crise qui se dessine à l'horizon. Bref, c'est la conviction que le poids de la crise — et non seulement la crainte — est le début de la sagesse qui inspire cette histoire et qui, malheureusement, risque de déterminer l'avenir.

Reste enfin le rôle privilégié attribué à l'Arabie Saoudite. Cette situation est imposée par les faits. Aujourd'hui ce pays écrase de son poids le marché pétrolier. Maintenant une production très supérieure à ses besoins en dollars, il assure l'équilibre de l'offre et de la demande et empêche une brutale montée des prix. A lui seul, comme il l'a montré en 1977, il peut « casser » une hausse décidée par d'autres producteurs en forçant sa production, il peut compenser la défaillance d'un grand pays pétrolier comme l'Iran, mais, en sens inverse, il pourrait créer la pénurie et la flambée des prix s'il ramenait sa production au niveau justifié par ses besoins intérieurs. Bref, les Saoudiens peuvent à volonté produire entre 200 et 600 millions de tonnes par an. Quelques autres pays désertiques, Lybie, Emirats possèdent également une marge de manœuvre, mais infiniment plus réduite. Quant aux autres pays pétroliers : Iran, Irak, Indonésie, Algérie, Nigeria, etc., ils ne peuvent vendre moins car ils ont besoin d'argent et ils ne peuvent produire plus car leurs gisements donnent au maximum. L'Arabie est donc aujourd'hui le grand régulateur du marché. Jusqu'à présent elle a toujours exercé ce pouvoir dans un sens favorable aux Occidentaux, mais rien ne l'oblige véritablement à arbitrer dans ce sens. Certes les avoirs saoudiens en dollars sont considérables et seraient menacés par une grande dépression occidentale, mais cet argument ne serait pas forcément retenu par un nouveau régime.

Or ce rôle clé de l'Arabie n'est pas appelé à disparaître dans les années qui viennent. Bien au contraire. Tous les experts misent sur un doublement de la production saoudienne pour assurer les approvisionnements de l'Occident d'ici à la fin du siècle ; il faudrait que l'Arabie fasse progressivement passer ses exportations de 500 millions à 1 milliard de tonnes. Cette perspective soulève autant de problèmes qu'elle en résout.

Pays très peu peuplé, l'Arabie peut vivre, et fort bien, avec des revenus correspondant à la moitié de sa production actuelle. De fait elle accumule, bon an, mal an, environ 25 milliards de pétrodollars en excédents non consommés. Cette transformation de bon pétrole appelé à se valoriser, en mauvais dollars condamnés à se dévaloriser, est évidemment contraire aux intérêts nationaux. On voit mal, dans ces conditions, les responsables saoudiens développer cette politique sur une si vaste échelle. Au reste, ils ne cessent de répéter qu'ils ne le feront pas. A supposer même que, cédant aux pressions occidentales, ils acceptent de pomper toujours davantage, ils en viendraient à accumuler quelque 75 milliards d'excédents chaque année, compte non tenu des revenus provenant des excédents précédents. Au total, ce petit pays, petit par sa population, verrait son trésor grossir d'une centaine de milliards de dollars chaque année. Comment l'économie mondiale et le système monétaire s'accommoderaient-ils d'une telle situation ? Bref, nous risquons bien là une crise qui serait intermédiaire entre la pénurie de disponibilité et de capacité. Les Saoudiens refusant de développer leurs installations, le pétrole, bien que disponible dans les gisements, ne le serait pas sur le marché.

Encore supposons-nous que les estimations (très optimistes) sur les gisements de ce pays sont exactes. Certains commencent à douter que ce pactole pétrolier soit aussi généreux qu'on veut le croire. Si ces appréciations pessimistes se confirmaient, si l'Arabie ne pouvait physiquement monter sa production jusqu'aux niveaux envisagés, tous nos plans d'approvisionnement seraient remis en cause. Malheureusement, il est pratiquement impossible de connaître la vérité en ce domaine. Une formidable intoxication a toujours régné sur le montant exact des réserves, elle est entretenue tant par les pays que les compagnies. Selon l'opportunité, on réévalue les gisements en hausse ou en baisse. Il est évident qu'aujourd'hui les Saoudiens ont intérêt à minimiser leurs ressources. Il n'en reste pas moins qu'on ne peut considérer comme acquis et certain, sur le simple plan des réalités physiques, le recours au providentiel pétrole saoudien.

Enfin, *last but not the least,* on ne peut ignorer la situation politique de ce pays. Là encore nous avons voulu fermer les yeux pendant les cinq dernières années. Tout paraissait assuré dès lors que, de réunion de l'O.P.E.P. en réunion de l'O.P.E.P., le cheikh Yamani défendait les intérêts occidentaux. Mais combien de temps cette situation durera-t-elle, quelle est la longévité de ce régime féodal ? Depuis la chute aussi brutale qu'inattendue du shah la question est enfin posée. La politique actuelle de Riyad qui, reconnaissons-le, arrange plus les intérêts occidentaux que nationaux, doit bien créer des tensions, susciter des oppositions dans ce pays.

Nombreux sont les Arabes, saoudiens ou non, qui voudraient utiliser la formidable puissance de ce pays pour régler le conflit avec Israël. Bref, les princes Osman doivent exister dès aujourd'hui, et ce n'est pas trop céder à l'imagination que d'envisager un coup d'Etat à Riyad. Pour tout dire, c'est aujourd'hui l'obsession des Américains.

Tout le monde occidental repose en définitive sur cette pointe minuscule : le robinet de Riyad. Situation lourde de périls pour l'avenir. Aujourd'hui même, il ne semble pas que l'ayatollah Khomeiny ait tenu le rôle prêté ici à notre prince Osman. Nous risquons à nouveau que la crise ne soit pas assez sévère pour susciter une réaction vigoureuse. Bref, si le prince Osman existe quelque part, nous avons intérêt à ce qu'il agisse rapidement et qu'il frappe durement l'Occident. C'est malheureusement la seule possibilité que l'on puisse envisager pour provoquer l'indispensable sursaut.

COMMENTAIRE
GENERAL

Il n'est pas de fatalité qui condamne l'humanité à la pénurie d'énergie, car les ressources de la terre sont abondantes, mais elles ne sont ni gratuites, ni inépuisables. Pour éviter la crise, il faut faire les efforts nécessaires afin de développer la production et modérer la consommation, bref avoir une véritable politique de l'énergie à l'échelon mondial. Selon que l'on croit ou non à la possibilité d'une telle politique, on est enclin à donner plus de vraisemblance au premier scénario ou au second.

Le premier point c'est la prise de conscience susceptible de modérer la consommation. Que peut-on réellement penser de l'évolution actuelle ? Paul Mentré estime pour sa part que le premier scénario est trop noir car « s'il est vrai que des tensions énergétiques se préparent, on constate tout de même une certaine prise de conscience ». De ce point de vue, l'essentiel va dépendre des Américains. Au cours des dernières années, ils ont cessé d'être les premiers producteurs mondiaux de pétrole pour devenir les premiers importateurs. Il est clair que, s'ils ne réduisent pas leur consommation et donc leurs importations, les efforts des autres pays ne seront pas suffisants pour empêcher la crise. En théorie ce devrait être facile, car l'Amérique gaspille l'énergie à tout va. Songeons que si son parc automobile était composé de véhicules consommant « à l'européenne », elle réaliserait une économie supérieure à la consommation totale de la France. Elle pourrait encore économiser dans le chauffage, l'industrie. Il est évidemment plus facile de se restreindre lorsqu'on consomme énormément ; or l'Américain moyen consomme trois fois plus que le Français. Ce sont des centaines de millions de tonnes qui pourraient être préservées chaque année si l'Amérique se lançait dans une véritable politique de l'énergie. C'est ce que le président Carter a tenté. Courageusement, mais sans grand succès. Face à la crise iranienne, l'Amérique, comme les autres pays occidentaux, s'est engagée à réduire sa consommation. Mais le résultat est loin d'être assuré.

Les autres pays occidentaux, moins bien pourvus, ne disposant pas des facilités offertes aux Américains par le dollar, ont fait des efforts plus importants. « Si je prends un pays comme la France, constate Paul Mentré, nous réalisons tout de même plus de 10 millions de tonnes d'équivalent pétrole d'économie par rapport aux prévisions d'avant la crise. Nous avons également un important programme nucléaire en route. Certes ces réactions sont encore insuffisantes, mais elles montrent les signes d'une prise de conscience collective. Si ces réactions s'amplifient dans les deux ou trois années à venir, alors je pense que le premier scénario pourra être évité, sans pour autant que l'on atteigne une situation aussi favorable que dans le second. Toutefois je dirai que, sur les tendances actuelles, on part plutôt en direction du premier que du second scénario. C'est pourquoi il faut amplifier l'effort actuel. »

Schématiquement, il faudrait effectuer un énorme effort en recherche et en argent. En recherche tout d'abord. Pour Bernard Delapalme, celle-ci doit s'orienter dans deux directions. Une recherche classique tout d'abord pour mettre au point des techniques permettant de produire plus d'énergie ou d'en consommer moins. « De ce point de vue, remarque-t-il, on ne prépare pas suffisamment les nouvelles techniques. On en reste trop souvent à des expériences de laboratoire sans pousser jusqu'aux démonstrations industrielles. En effet, ce deuxième stade de la recherche coûte très cher et l'on ne trouve généralement pas les crédits suffisants. On se dit : « dépenser un milliard de dollars pour la recherche, quelle folie ! », alors qu'en réalité il s'agit de « démonstration ». De ce fait les techniques ne sont pas parfaitement au point lorsqu'on veut les utiliser et elles coûtent alors beaucoup plus cher. Or, quand on voit les sommes en jeu dans la production d'énergie, on constate qu'il vaudrait mieux dépenser plus dès le départ, pour assurer la maîtrise des techniques. »

Pierre Desprairies, pour sa part, cite l'exemple suivant : « Présentement, on estime que le pétrole qu'on sortirait des schistes bitumineux coûterait 25 dollars par baril. Une des raisons de ce prix élevé est que le risque technologique est très élevé et que l'on doit prévoir en conséquence une très forte rémunération des investissements. Comme les risques sont gros, les gains doivent l'être aussi. Mais s'il y avait une technologie satisfaisante, les calculs les plus sérieux montrent qu'on pourrait très bien abaisser le prix de 25 dollars à 15. Mais c'est un problème de maîtrise technologique et de confiance dans la technique. »

Mais, pour Bernard Delapalme, cette recherche purement technique ne suffit pas, il faut la prolonger par une recherche socio-économique sur la relation entre la consommation d'énergie et la satisfaction des gens : « Certains écologistes font remarquer : " L'Américain consomme trois fois plus d'énergie que l'Européen, diriez-vous qu'il est trois fois plus heureux ? " Il s'agit de savoir comment on peut organiser une société pour la faire subsister dans une situation d'énergie chère, comment on peut briser les relations entre la croissance, l'emploi et la consommation énergétique, comment on peut apporter des satisfactions égales à moindre énergie, etc. »

A côté de cet effort technique, il faut un effort financier. Les industries énergétiques sont dévoreuses d'investissements. Qu'il s'agisse de construire des centrales nucléaires, de chercher le pétrole en mer profonde, de l'extraire des schistes ou de gazéifier le charbon, on tombe toujours sur des sommes qui se chiffrent en dizaines et en centaines de milliards de dollars. « On ne sait plus, commente Pierre Desprairies, avec de tels chiffres, on se perd dans les galaxies, mais un tel effort n'est pas inaccessible. C'est un prélèvement tolérable sur le produit national brut des pays industrialisés.

« Toutefois, on ne saurait disjoindre les problèmes de l'énergie des problèmes économiques d'ensemble. C'est-à-dire que notre industrie doit payer l'énergie au même niveau que les étrangers afin de rester compétitive dans le commerce international. On ne peut donc construire une politique énergétique en fixant un surprix de l'énergie pour notre industrie. En revanche, il ne faut pas qu'une baisse artificielle des prix démobilise l'opinion au niveau des particuliers. A ce niveau, il faudrait avoir une politique fiscale de relèvement progressif des tarifs pour inciter les particuliers à avoir un comportement plus économe. C'est vrai pour la consommation d'essence ou le chauffage par exemple. »

En définitive, la véritable pénurie qui risque de frapper l'Occident est celle d'énergie morale plus que physique. Peut-être verrons-nous les tickets d'essence ainsi que la crise économique provoquée par le manque de pétrole, ce jour-là nous saurons que nous payons l'imprévoyance des années 70-80.

N'oublions pas enfin les très graves menaces qui pèsent sur le développement de l'énergie nucléaire. Au lendemain de la crise, au début de 1974, des programmes très ambitieux furent lancés dans tout l'Occident. Depuis lors, les réactions de l'opinion publique ont fait diminuer de moitié ces projets pour l'ensemble de ces pays. L'accident de Harrisburg va encore ralentir la construction des centrales nucléaires. On ne peut ignorer que, si un deuxième accident survenait et s'il avait des conséquences graves — ce qui ne fut pas le cas à Three Mile Island —, on pourrait même assister à un arrêt de ces programmes. Le nucléaire apparaît donc aujourd'hui comme une planche de salut singulièrement fragile. Or, tout retard dans le développement de l'atome se traduit par une consommation accrue de pétrole. Songeons encore à la nouvelle querelle sur les effets des faibles doses de radiations, qui, en renforçant encore les normes de sécurité, pourrait freiner ou bloquer la croissance de cette énergie. Bref, il faut miser sur le nucléaire tout en sachant que ce pari est très loin d'être gagné.

Si nous faisons le compte de toutes ces incertitudes, il est clair que notre avenir énergétique n'est nullement assuré et que nous devons faire feu de tout bois pour éviter le pire. Notre pétrole de l'an 2000 n'est pas disponible aujourd'hui et nous avons juste, tout juste, le temps de le gagner.

3. L'ÉNERGIE SOLAIRE

Invité : ROBERT CHABBAL, directeur général du C.N.R.S. *Pour un monde affamé d'énergie, le soleil c'est tout à la fois la manne inépuisable et le mirage insaisissable. L'industrialisation n'a été rendue possible que par l'existence de stocks énormes d'énergie solaire concentrée et conservée sous forme de pétrole, de charbon ou de gaz. Bref, d'un capital accumulé par la nature au cours des millénaires. Héritage colossal se chiffrant à plusieurs milliers de milliards de tonnes d'équivalent pétrole. Pourtant, malgré l'énormité de ces réserves, l'humanité ne pourra vivre éternellement sur son capital. Elle le pourra d'autant moins que sa consommation ne cesse d'augmenter. Tôt ou tard, il lui faudra puiser dans une énergie de revenu, c'est-à-dire une ressource inépuisable. Cette énergie existe, elle est là, évidente, c'est la lumière du soleil. Notre étoile nous fournit l'équivalent de 173 millions de gigawatts, soit six millions de fois la puissance du réseau électrique français. Quelque débauche d'énergie que nous fassions, nous ne parviendrons jamais à un tel niveau de consommation. Voilà donc notre avenir assuré. Les procédés pour récupérer cette énergie paraissent relativement simples. Dès la préhistoire les hommes surent utiliser l'énergie solaire en brûlant du bois et, dès l'Antiquité, Archimède sut l'exploiter de façon plus efficace en la concentrant. Pourquoi, dès lors, nous encombrer avec l'énergie nucléaire ? Ne*

*pourrait-on passer directement du pétrole au solaire ?
Hélas, les choses ne sont pas si simples ! Séduisante
en théorie, l'énergie solaire est bien décevante en pratique. La plupart des techniques ne seront pas opérationnelles et rentables avant de nombreuses années.
C'est pourquoi l'horizon 2000 est trop rapproché et nous
devons ici penser à plus longue échéance.*

*Les « filières solaires » sont nombreuses : des photo-
piles aux cultures énergétiques, en passant par le chauffage solaire et les centrales thermodynamiques. Nous
avons choisi de montrer tout d'abord l'utilisation de
l'énergie solaire à grande échelle et sur le plan mondial, bref de rester dans la logique des systèmes énergétiques actuels. En second lieu nous imaginerons l'énergie solaire dans un cadre décentralisé à plus petite
échelle avec une recherche d'autonomie énergétique.*

*Voici tout d'abord « LE SAHARA ET LA BEAUCE » illus-
trant l'utilisation de l'énergie solaire à grande échelle.*

*Puis, « VIVRE AU SOLEIL » qui met en scène une
« France solaire » du prochain siècle.*

Intervenants : JEAN-PIERRE CAUSSE, directeur scientifique de Saint-Gobain-Pont-à-Mousson.

PIERRE AUDIBERT, auteur des *Energies du soleil* (Seuil).

LE SAHARA ET LA BEAUCE

Jérôme Rambol était furieux de ce qu'il découvrait, furieux de ne pas s'être trompé en quelque sorte. Pendant dix ans à l'Assemblée, ce Lorrain austère — sinistre disaient ses adversaires — s'était fait le procureur de la politique énergétique suivie par le gouvernement. Ses réquisitoires étaient durs, implacables, chaleureusement applaudis sur les bancs de l'opposition. Homme scrupuleux, il lui arrivait de se demander s'il ne poussait pas trop loin la critique, si les erreurs commises étaient bien aussi graves qu'il le pensait. Il s'interrogeait. Maintenant il avait la réponse.

Après les élections de septembre, marquées par le renversement de majorité, il était devenu ministre de l'Energie dans le nouveau gouvernement. En prenant ses fonctions, le mois dernier, il s'était donné six semaines pour se mettre au courant. Dans son bureau, il avait vu défiler les directeurs de son ministère ainsi que ceux des grandes agences, il avait interrogé les présidents des compagnies, les experts de tout bord. Tous les soirs, il emportait les dossiers et épluchait interminablement les contrats, les accords, les budgets. Oui, il avait tout lu, tout vu, tout entendu et il ne décolérait pas. Les découvertes du ministre confirmaient pleinement les critiques de l'opposant. Une fois de plus, la France s'en était remise aux compagnies énergétiques multinationales à dominante américaine pour assurer son approvisionnement. C'était bien la peine d'être passé de l'énergie fossile à l'énergie solaire, de l'énergie concentrée à l'énergie diffuse pour avoir conservé exactement les mêmes systèmes et les mêmes structures.

Premier point : l'exploitation de l'énergie solaire en France même était très en retard. Depuis dix ans, il demandait que l'on accroisse les budgets et, depuis dix ans, le gouvernement répondait qu'on ne pouvait aller plus vite. Il disposait maintenant de notes confidentielles prouvant que de nombreux experts pensaient comme lui, mais qu'on ne les avait pas écoutés. Raison fondamentale : à l'intérieur de l'hexagone, l'utilisation de l'énergie solaire ne pouvait se faire qu'à très petite échelle, elle devait être décentralisée jusqu'à l'éparpillement total. Les ministres ne croyaient pas à ce genre d'organisation. Pour eux, l'énergie se produisait en quelques lieux bien déterminés et avec d'énormes machines. Ainsi ne voyaient-ils dans le soleil français qu'une énergie d'appoint.

Deuxième point : ils misaient sur l'étranger pour fournir à la France le nouveau combustible miracle : l'hydrogène. D'après les plans, la France importerait dans cinq ans l'équivalent de 50 millions de tonnes de pétrole sous forme d'hydrogène. Jérôme Rambol n'était pas un autarcique à tout crin, il approuvait l'importation d'hydrogène produit dans des pays très doués pour l'énergie solaire. A quoi bon se ruiner pour faire avec le soleil de France ce qu'on fait bien plus facilement avec la lumière d'Afrique ! Il souhaitait simplement que l'on développe davantage les ressources nationales et que l'on réduise autant que possible les importations. Sa vraie colère était provoquée par le choix des partenaires.

La France s'était liée à deux sources d'approvisionnement : l'Arabie Saoudite et l'Amérique, deux sources également dominées par les ex-compagnies pétrolières internationales. L'Arabie Saoudite qui, depuis le début du siècle, voyait ses gisements pétroliers s'épuiser progressivement, avait décidé de se reconvertir dans l'énergie solaire. Ce lui était facile car elle disposait de tous les atouts : des moyens de financement se chiffrant par centaines de milliards de dollars, un ensoleillement exceptionnel, d'immenses étendues désertiques pour recueillir la lumière et l'assistance technique des pétroliers américains reconvertis successivement dans le nucléaire puis dans le solaire. En dix ans, les déserts saoudiens s'étaient couverts de centrales solaires dont l'électricité servait à dissocier de l'eau pour en extraire l'hydrogène. Bref, les rentiers du pétrole étaient en train de devenir les rentiers de l'hydrogène. Et le gouvernement français, inquiet par la baisse de la production pétrolière et la flambée des prix, s'était lié au consortium américano-saoudien par des contrats d'approvisionnement à long terme.

Les compagnies pétrolières s'étaient également associées au *lobby* américain de l'espace pour construire des centrales spatiales solaires. Il s'agissait de gigantesques panneaux couverts de photopiles qui convertissaient directement la lumière du soleil en électricité. Celle-ci servait à alimenter des générateurs d'ondes hyperfréquence qui renvoyaient l'énergie à la Terre. Les Américains avaient dû trouver des partenaires étrangers pour participer au financement de ce projet colossal. Là encore le gouvernement s'était embarqué dans l'affaire en liant la France pour longtemps.

Jérôme Rambol était particulièrement irrité de voir avec quel mauvais vouloir on avait considéré les solutions alternatives. Ainsi avait-on enterré, sans examen sérieux, un vaste projet visant à utiliser pour la production solaire les régions vides et ensoleillées de l'Espagne et de l'Italie. Incertain des techniques et de la volonté des Européens, le précédent gouvernement avait préféré l'apparente sécurité qu'offraient les Américains. Or, de ce côté, les garanties ne paraissaient pas absolues. En lisant attentivement les accords et contrats, Rambol avait constaté que les partenaires américains s'engageaient fermement jusqu'à la clause de pénalité. Là, après avoir promis, assuré, garanti, ils étaient absous de tous leurs manquements éventuels. Curieux !

Il pensa, un temps, demander des rapports aux administrations ou aux entreprises, mais il y renonça. Que lui apprendrait-on qui ne figurait déjà dans les documents qu'il avait examinés ! Non, il décida de dépêcher discrètement deux ingénieurs en Amérique et en Arabie pour faire le point des projets en cours. « Ce n'est pas une mission d'espionnage, ce n'est pas non plus une visite diplomatique, précisa-t-il. A vous d'en voir plus qu'on ne vous en montre, sans jamais être pris à regarder par les trous de serrure. » Pour Rambol il était clair qu'il faudrait au mieux renégocier ces accords, au pire les rompre purement et simplement.

Avant même que ses informateurs ne soient revenus, on apprit que le Japon ramenait de 23 à 10 % sa participation au consortium d'énergie solaire spatiale, qui devait construire les fameuses centrales en orbite. Rencontrant peu après l'ambassadeur japonais, Jérôme Rambol ne put s'empêcher de lui demander les raisons d'un tel retrait. Le diplomate esquiva la question avec une affabilité tout asiatique. En revanche, il parla volontiers des projets de centrales flottantes. Les Japonais, privés d'énergie fossile, n'avaient pas non plus de grands espaces ensoleillés. En un premier temps ils avaient pensé chercher en orbite cet espace de collecte qui leur faisait défaut. Depuis lors, ils avaient décidé de capter la lumière sur la mer. Ils avaient conçu d'immenses panneaux flottants, couverts de photopiles, qui alimentaient des navires producteurs d'hydrogène. La première unité expérimentale avait fait une campagne d'essais de six mois dans le Pacifique et avait très vaillamment résisté à deux tempêtes. Pour les Japonais, cette expérience prouvait la faisabilité du projet et cela les avait incités à reporter sur les centrales en mer des crédits initialement affectés à des centrales spatiales.

L'explication était cohérente et Rambol en tira deux enseignements. D'une part, il existait certainement une cause directe au retrait des Japonais, cause qu'ils ne voulaient pas révéler. D'autre part, le Japon était, au même titre que la France, soucieux d'utiliser le « virage solaire » pour réduire sa dépendance énergétique.

Guy Compaire, le premier envoyé spécial du ministre, avait fouiné pendant quatre mois en Arabie Saoudite. Ses conclusions étaient très favorables sur le plan technique. Le procédé utilisé était bien au point, les performances seraient respectées. Même le délicat problème des vents de sable sur les panneaux solaires avait été résolu. En revanche, il apparaissait que le prix prévu de l'hydrogène était nettement inférieur aux coûts réels de production. « Il n'est pas exclu, concluait Compaire, que ces prix aient été délibérément fixés à un niveau dissuasif pour les entreprises concurrentes. En produisant à perte pendant un certain temps, ce que permettent les colossales réserves financières de l'Arabie, les groupes producteurs s'assureraient un quasi-monopole sur l'hydrogène. En un deuxième temps, une fois le marché bien tenu, les prix seraient fortement relevés. »

Le ministre resta un temps immobile et silencieux après avoir terminé la lecture de la brève note que Compaire venait de lui remettre. Puis il releva la tête avec un grognement qui annonçait la contre-offensive.

« Avez-vous eu l'impression que ces techniques sont très en avance sur ce que l'on sait faire en France ? », demanda-t-il.

« En avance sur la France... sans doute, admit Compaire, mais pas forcément sur l'Europe. Les Allemands, par exemple, ont une technologie hors pair dans le domaine des matériaux, quant aux meilleurs brevets mondiaux sur la fabrication d'hydrogène, ils sont français. Les Européens pourraient faire aussi bien, mais il faudrait qu'ils s'y mettent ! »

Jérôme Rambol tenta bien de relancer les programmes de Méditerranée solaire avec ses partenaires européens. Sans grand succès. L'occasion, gâchée cinq années plus tôt par la France, ne pouvait se retrouver. C'est alors qu'il conçut son grand dessein : unir le Sahara et la Beauce.

Il profita du séjour à Paris d'une délégation d'industriels algériens pour nouer les premiers contacts. Deux mois plus tard, il était à Alger pour discuter avec le ministre du Développement. L'Algérie avait bien du mal à nourrir sa population. Celle-ci atteignait maintenant 36 millions d'habitants, les récoltes étaient insuffisantes et les pétrodollars se faisaient rares depuis que le pétrole était épuisé et qu'il fallait vivre sur le gaz. Bref, l'Algérie avait des déserts ensoleillés, mais manquait de terres pour produire ses aliments. Pour Jérôme Rambol, la complémentarité était parfaite entre cette situation et celle de la France. Au lieu d'acheter en dollars notre hydrogène et de nous adresser à l'Arabie Saoudite, pays auquel nous vendons peu et avec lequel nous accumulons les déficits commerciaux, ne vaudrait-il pas mieux nous associer à l'Algérie ? Sahara contre Beauce, hydrogène contre blé, l'échange se ferait pour le plus grand profit des deux peuples et sans créer de déséquilibres commerciaux. Les Français seraient incités à produire plus de céréales, de nouveaux emplois seraient créés pour la main-d'œuvre algérienne, bref les relations seraient équilibrées, ce que, par la nature des choses, elles ne pouvaient pas être avec un pays désertique comme l'Arabie.

Les négociations traînèrent huit mois. Moins d'ailleurs du fait des Algériens que des Français. C'est que Jérôme Rambol avait bien du mal à trouver le financement de son projet. Un financement colossal. Malgré la croissance des budgets consacrés à l'énergie solaire, il ne disposait pas des sommes nécessaires, du moins pas des sommes libres. En attendant l'argent, il faisait un peu traîner la discussion.

C'est Louis Coulaud, l'envoyé spécial aux Etats-Unis qui fournit l'argument décisif. Il avait pu établir que le prix de l'énergie, figurant dans les contrats et incluant tous les frais de construction et d'entretien, supposait que la durée de vie des centrales spatiales serait de vingt ans. Il apparaissait maintenant que les photopiles ne tiendraient pas plus de dix ans dans l'espace. Il faudrait donc changer les panneaux à chaque décennie, et les premiers essais montraient que l'opération serait presque aussi coûteuse que l'installation d'une nouvelle unité. Bref, compte tenu de ce facteur, les prix n'étaient ni « justes », ni « véritables » mais, au contraire, considérablement sous-évalués.

Du coup, l'opération Sahara se révélait éminemment rentable. Sans hésiter, Rambol fit savoir aux Américains qu'il désirait se retirer du consortium solaire

spatial. Il avait un prétexte, il entendait en profiter.
Peu après la signature de l'accord, le ministre de
l'Energie français confiait au chef de l'Etat algérien :
« Cet accord me fait énormément plaisir, Monsieur le
Président, mais je connais un homme qu'il réjouit
encore davantage, c'est mon père. Il est né à Tindouf
et a quitté l'Algérie à vingt ans. Pendant toute mon
enfance, il ne m'a parlé que de votre soleil. C'est peut-
être ce souvenir vivace qui m'a conduit jusqu'ici.

— Voulez-vous l'inviter de ma part à venir poser le
premier panneau avec moi ? Cela me ferait plaisir »,
conclut le président algérien en souriant.

A la différence des énergies fossiles qui se trouvent en gisements, la lumière solaire est également répartie sur toute la terre, toutefois il est des pays « plus égaux » que d'autres. C'est ce que rappelle Robert Chabbal : « Tous les pays ne sont pas placés dans des positions égales pour produire l'énergie solaire. Pour deux raisons : la première est qu'en Arabie Saoudite, par exemple, le nombre d'heures de soleil clair est presque deux fois plus élevé qu'en France du Nord. La deuxième raison, c'est la régularité de la production. Pour des raisons bien connues de ceux qui étudient la géographie, le nombre d'heures de jour est quasiment constant dans les régions tropicales alors que, dans les pays du Nord, les jours d'hiver sont beaucoup plus courts que les jours d'été. Pour rentabiliser un équipement, il faut le faire fonctionner pendant le plus grand nombre d'heures possibles et de la façon la plus régulière possible. Les pays du Nord se trouvent donc très défavorisés pour ce genre de production. »

Cette première constatation peut conduire à une certaine division internationale de la production solaire. Les plus doués produisant pour les autres et recevant en échange des productions qu'ils peuvent difficilement assurer par eux-mêmes. La division internationale du travail étant un fait bien établi, on peut penser que l'énergie solaire suivra la logique des structures en place et s'insérera dans le même système. Ce n'est qu'une possibilité non une certitude, mais on ne saurait la négliger, bien que les amoureux du soleil soient aujourd'hui favorables à une production largement décentralisée et fondée sur l'autosuffisance régionale.

Deuxième aspect surprenant : la concentration des moyens, l'énormité des installations. L'énergie solaire est d'ordinaire présentée sous forme de petites machines, voire d'installations individuelles, aurait-elle également vocation au gigantisme ?

Les deux aspects sont complémentaires. Non contradictoires. Tout dépend des applications, des techniques et des circonstances. S'agissant d'eau chaude sanitaire ou de chauffage, on s'oriente vers des solutions à petite échelle, individuelles ou, au plus, communales. De même une production électrosolaire en France ne se conçoit pas sur le modèle et en concurrence avec le réseau E.D.F. Au contraire, son champ d'application paraît se trouver dans les installations isolées et ne consommant que peu d'électricité : relais de télécommunications, stations météorologiques, voire constructions éloignées des lignes électriques. Pour satisfaire cette demande, on installerait des panneaux de photopiles ou même on construirait de petits générateurs thermodynamiques, mais rien de comparable aux grandes centrales classiques.

Toutefois, si l'on veut tirer parti d'espaces désertiques et inondés de soleil, on se trouve contraint de décaler production et consommation. Il devient alors plus avantageux d'utiliser de grandes installations afin de faire jouer les économies d'échelle.

Les solutions techniques envisagées ici reposent essentiellement sur les photopiles, ces petits cristaux qui ont la propriété de transformer la lumière en électricité. Techniquement, ces dispositifs sont au point, ils alimentent de façon parfaitement fiable les satellites. Deux problèmes se posent, l'un de taille, l'autre de coût. La taille tout d'abord. Ce n'est pas la même chose de faire fonctionner un dispositif de petite surface fournissant quelques watts et de mettre en opération d'immenses panneaux délivrant des millions de watts. Un tel changement d'échelle soulève des difficultés considérables et non encore résolues. Autre problème : la longévité. Une centrale électrique fonctionne pendant vingt ou trente ans, qu'en serait-il d'une centrale à photopiles ? Si les panneaux sont installés dans des déserts, ils subiront l'érosion des vents de sable ; s'ils équipent des centrales océaniques, ils seront soumis à la corrosion du milieu marin. Combien de temps les piles résisteront-elles aux agressions du milieu ? Leur rendement ne baissera-t-il pas dangereusement après cinq ou dix années de fonctionnement ? Cette faible longévité augmenterait d'autant le prix de l'électricité solaire, or ce problème de coût est le grand frein au développement de ces techniques.

Le kilowatt photoélectrique est cinquante fois plus cher que celui qui est produit dans le réseau par des moyens classiques. On sait que le prix des photopiles diminuera considérablement dans l'avenir. Mais pourra-t-on jamais atteindre la compétitivité ? Il faut rester très prudent. Certains experts estiment que le seul coût des différents systèmes annexes : structure des panneaux, dispositifs collecteurs de l'électricité, stockage et transformation de l'énergie, etc., représente un prix équivalent à celui de l'électricité classique. Il faudrait que les photopiles ne coûtent plus rien pour que la technique se révèle rentable ! Certes des percées technologiques sont toujours possibles en un domaine aussi nouveau, mais il faut savoir qu'aujourd'hui on ne peut miser à coup sûr sur l'électricité photovoltaïque pour une production à grande échelle. C'est une possibilité pour le futur, non encore une certitude.

Il est fait allusion, dans ce scénario, à la construction de grandes centrales solaires spatiales. Il s'agit là d'un projet américain faisant l'objet d'études très poussées. Le principe en est simple. Un panneau solaire placé en orbite stationnaire à 36 000 kilomètres d'altitude est ensoleillé en permanence et reste fixe dans le ciel au-dessus du globe terrestre. En outre, le rayonnement solaire, non diffusé par l'atmosphère, est beaucoup plus intense. Bref, l'orbite stationnaire est le lieu idéal pour recueillir l'énergie solaire puisqu'il permet d'éliminer une de ses principales faiblesses : l'intermittence. Pour transmettre cette énergie à la Terre, on convertirait l'électricité en micro-ondes que l'on concentrerait en un mince pinceau. Ce faisceau serait dirigé sur un champ d'antennes qui opérerait la conversion inverse et nous rendrait de l'électricité. Le principe est séduisant et ne se heurte à aucun obstacle théorique. Mais les problèmes pratiques sont... de taille. En effet, pour obtenir ce faisceau concentré, il faut disposer d'une immense antenne spatiale. L'énormité du dispositif destiné à transmettre l'énergie impose la taille. On ne peut coupler une petite capacité de production avec une énorme machine de transport, cela interdirait toute rentabilité. C'est pourquoi les centrales solaires spatiales ne peuvent être que des machines colossales. Dans les projets américains actuels, elles auraient une puissance de cinq à dix centrales nucléaires, les panneaux mesureraient plusieurs kilomètres de côté, le poids de l'ensemble serait de 50 à 100 mille tonnes... On le voit, l'énergie solaire peut se concevoir sur un mode tout aussi colossal que les énergies pétrolières, charbonnières ou nucléaires.

Mais, dès lors que l'on concentre la production en des lieux éloignés des centres d'utilisation, il faut recourir à un intermédiaire pour transporter l'énergie produite. Le plus efficace c'est l'hydrogène. Son pouvoir énergétique a été spectaculairement illustré par la conquête de la Lune. La fusée

Saturne tirait sa puissance remarquable de ses deux étages supérieurs qui brûlaient de l'hydrogène. On pourrait de même alimenter tous nos moteurs d'autos, d'avions, nos chaufferies domestiques et jusqu'aux cuisinières. Bref une civilisation « tout hydrogène » est parfaitement concevable... sur le papier. L'électricité solaire servirait à briser la molécule d'eau pour libérer l'hydrogène. Le gaz serait transporté, stocké, distribué tout comme du méthane ou du gaz de ville et servirait à tous les usages. Avantage non négligeable : la combustion de l'hydrogène n'entraîne rigoureusement aucune pollution puisqu'elle ne dégage que de la vapeur d'eau.

Tel est le schéma théorique. Dans la pratique, les choses ne sont pas aussi simples. Stockage, transport et utilisation de ce gaz posent de nombreux et difficiles problèmes. Au reste, il serait aberrant de concevoir une civilisation solaire sur le modèle de la nôtre en l'organisant à partir de gros centres producteurs et d'imposants réseaux de distribution. L'essentiel de la production énergétique devrait être décentralisé et l'utilisation se ferait sur les lieux mêmes de la captation. Ce serait le cas pour le chauffage solaire, les centrales municipales, etc. En revanche, l'hydrogène représenterait un appoint nécessaire et sa production serait concentrée dans les régions qui offrent les conditions les plus favorables. Dans cette hypothèse, la France solaire produirait tout de même l'essentiel de son énergie ; c'est pourquoi la production nationale est censée couvrir 60 % des besoins, alors qu'elle n'en assure guère que le quart aujourd'hui.

La morale de l'histoire c'est que même dans l'hypothèse d'un XXIe siècle résolument solaire, le commerce international de l'énergie ne disparaîtrait pas forcément et que l'autonomie plus grande des différents pays n'empêcherait pas le développement de vastes courants d'échange et la mise sur pied d'une géopolitique de l'énergie solaire.

Le rôle donné aux grandes compagnies pétrolières ne fait que prolonger leur évolution récente. Depuis une dizaine d'années déjà ces géants du pétrole tendent à devenir des géants de l'énergie. Ils rachètent des mines de charbon ou d'uranium, ils avancent-reculent sur le nucléaire au rythme des incertitudes du marché, et ils poursuivent activement des recherches sur les techniques solaires. Nul doute que la reconversion du pétrole au soleil sera très avancée à la fin du siècle et qu'ils pousseront au développement de cette production centralisée qui correspond davantage que les systèmes éparpillés à leurs structures. La « grosse » énergie solaire, ce n'est pas forcément celle à laquelle rêvent nos écologistes, ce n'est pas pour autant une voie à négliger. Comme le souligne Robert Chabbal : « Il est tout à fait pensable que l'énergie solaire débouche partiellement sur la production massive d'électricité et de fuel avec des installations qui rappelleraient les grandes centrales actuelles. »

VIVRE AU SOLEIL

Anne Moreau alla au-devant de son visiteur et l'accueillit avec une jovialité qu'elle voulait contagieuse :
« Eh bien, monsieur le Maire, où en êtes-vous ? »
André Cartez, soixante-trois ans, personnage lourd et puissant que l'on imagine mieux dans un champ que dans un salon, ne se laissa pas gagner par l'optimisme d'Anne. Sitôt apparu sur son visage carré, le sourire disparut pour céder la place aux rides de la préoccupation.
« Oh que d'embarras, madame, que d'embarras ! Il y en a toujours un qui n'est pas d'accord avec les autres. Vous avez beau dire, on n'avait pas tous ces ennuis avec le pétrole. »
Les ennuis de monsieur le Maire n'étonnaient qu'à demi Anne Moreau. Lors de leur dernier entretien, elle avait eu le sentiment qu'il se précipitait sur une solution, comme pour sortir de ses propres hésitations. Il avait même conclu : « Je dirai au Conseil que c'est vous qui l'avez dit. » Anne l'avait gentiment repris en lui rappelant que l'Agence pour les énergies renouvelables, l'A.E.R., n'apportait que des conseils, mais que les décisions dépendaient des utilisateurs. C'est constamment qu'elle devait refuser de choisir pour les intéressés. La multiplicité des solutions qu'offrait l'énergie solaire déroutait les usagers. Non seulement les particuliers ou les municipalités, mais jusqu'aux industriels et aux architectes. Dans tous les cas, l'A.E.R.

était discrètement poussée à prendre les décisions, à assumer les responsabilités. Anne, qui s'était laissé piéger à ses débuts, se tenait maintenant sur ses gardes et refusait obstinément ce transfert de responsabilités. Le cas de Villers-Beauchatel était exemplaire. Ce gros village de 2 500 habitants avait trop attendu pour s'équiper d'installations collectives. De nombreux habitants avaient déjà adapté à leurs maisons des systèmes de chauffage selon des méthodes très variées. Maintenant, il fallait construire un système municipal pour le chauffage et la fourniture d'eau chaude. Le maire envisageait une petite centrale thermique avec un réservoir souterrain de 30 000 m³ permettant de stocker l'eau à faible température. Le projet n'était pas trop onéreux, mais il présentait un inconvénient : comme l'eau tiède ne pouvait se transporter à distance, il fallait installer la centrale au cœur même de l'agglomération. Et c'est là que les habitants n'étaient plus d'accord et que monsieur le Maire plongeait dans de grands embarras.

Parmi les opposants se trouvaient les propriétaires de maisons solaires. Ils avaient intégré les panneaux dans la construction, disposaient d'un stockage de chaleur et, parfois même, étaient équipés de pompes à chaleur, bref, ils se payaient leur soleil bien à eux et ne voulaient pas, en plus, payer le soleil de tous. Mais les plus déterminés se trouvaient être... les écologistes. C'était, en l'occurrence, l'Association pour la sauvegarde de Villers-Beauchatel, animée par le Dr Villiers, vétérinaire et adversaire politique d'André Cartez. Leurs critiques n'étaient pas dénuées de fondements. « Lorsqu'on regardera le château, on ne verra plus que le reflet des miroirs », faisaient-ils remarquer. L'argument portait et les pétitions circulaient. « Qu'est-ce que vous voulez que je fasse, si les écologistes m'empêchent de mettre l'énergie solaire ? », disait André Cartez avec accablement.

« Il y a peut-être d'autres solutions », dit Anne en se levant. Elle alla prendre un dossier, en sortit une carte qu'elle étala sur la table. « J'ai un peu étudié votre problème. Regardez, vous avez ici Revirbel, là

Villers-Beauchatel et ici La Chauny, trois localités sans chauffage solaire municipal et très proches les unes des autres. Pourquoi n'essayez-vous pas de vous grouper ? Ça ne fait jamais que quatre kilomètres. Et Revirbel se développe avec la coopérative et la conserverie. S'ils faisaient une véritable centrale à moyenne température, vous pourriez participer au projet et vous brancher dessus.

— C'est-à-dire qu'on ferait la même chose, mais en plus gros pour que ça coûte moins cher.

— Non, expliqua Anne, je pense que vous devriez alors prendre un autre type de centrale qui chauffe l'eau à 200 degrés environ. Je n'ai pas l'état de votre sous-sol en tête, mais je crois qu'il existe de bonnes structures souterraines pour injecter cette eau sous pression dans une nappe. L'avantage c'est qu'à cette température on peut transporter l'eau chaude sur plusieurs kilomètres. En vous groupant à deux ou trois villages, vous trouveriez certainement un bon emplacement qui ne ferait pas hurler les écologistes. Au reste n'ont-ils pas raison ? Votre projet n'embellirait pas Villers-Beauchatel. Vous connaissez la municipalité de Revirbel ? »

Le maire répondit « oui » avec une mine renfrognée. Politiquement, ils n'étaient pas du même bord.

« Le soleil brille pour tout le monde, trancha Anne. Pour que je puisse lancer l'étude, il faut que les deux municipalités, et peut-être même les trois avec La Chauny, me le demandent officiellement. Vous vous chargerez de les contacter... ou vous préférez que je le fasse ? » Le maire s'empressa de saisir la perche et repartit en évaluant la hauteur des vagues que le nouveau projet soulèverait au conseil municipal.

Petite, brune, décidée, visage carré et allure sportive, Anne Moreau menait au pas de charge sa croisade solaire. Elle avait fait ses premières armes en Iran au début des années 80. En dépit de ses vingt-cinq ans, elle avait mené à bien la construction de villages solaires dans le Kurdistan. Une rude expérience qui l'avait aguerrie. A son retour en France, en 92, elle avait travaillé deux années en Centre de recherche à Grasse.

Mais elle préférait l'action sur le terrain aux mesures de laboratoire. Elle était alors entrée à l'Agence, avait d'abord travaillé dans les Cévennes, avant de prendre la responsabilité de l'Indre-et-Loire. Mission de confiance, car le département avait été choisi comme « zone d'expérimentation pilote » pour le développement de l'énergie solaire. Ici, tout devait aller mieux, plus loin et plus vite qu'ailleurs. Anne s'y employait. Avec passion, mais aussi parfois avec une fatigue proche de l'accablement, qu'elle masquait sous des dehors toujours enjoués.

C'est que la promotion de l'énergie solaire était tout sauf une sinécure. « Conseiller dans ces conditions, c'est pire que décider », répétait souvent Anne. Car les utilisateurs étaient complètement perdus face à cette énergie protéiforme qui offrait toujours dix solutions non équivalentes là où on n'en demandait qu'une. Les choses étaient tellement plus simples avec le pétrole, le gaz ou l'électricité nucléaire ! On savait où on allait et, finalement, de l'un à l'autre ça ne changeait pas grand-chose. On se branchait sur un grand réseau et on était servi. Mais l'énergie solaire, quel embarras !

Outre qu'elle était extrêmement diverse, qu'elle obligeait à transformer les maisons, les cités et jusqu'au mode de vie, elle reposait sur la décentralisation. Initiative, production, décision, tout devait venir de l'utilisateur. Avait-on jamais demandé à l'automobiliste de forer son puits pour alimenter son véhicule ! Voilà ce qui se passait avec le soleil. Non seulement il n'y avait plus de solutions passe-partout, mais, en outre, il fallait soi-même trouver la bonne réponse à son problème. C'est alors que commençait la sarabande des techniques : installations individuelles ou collectives, pompes à chaleur ou chauffage d'appoint, méthanisation à la ferme ou en coopérative, capteurs solaires ou photopiles, etc. Chaque solution, à travers une dizaine de variantes, combinait avantages et inconvénients. Indissolublement. Il fallait prendre en compte l'ensoleillement, la disponibilité au sol, l'importance des besoins, l'architecture générale, les désirs des gens... le casse-tête. De ce fait, bien des initiatives lancées à

la légère s'étaient révélées désastreuses. Anne même
avait commis, ou fait commettre, de sacrées bourdes.
Avec les photopiles par exemple. Elle les avait recom-
mandées à un entrepreneur pour couvrir le toit de
son usine. Il écrivait maintenant pour signaler qu'après
cinq années seulement d'utilisation la production électrique avait baissé de moitié. Les panneaux se dété-
rioraient bien plus vite que prévu. Que devait-il faire ?
Disposait-il d'un recours contre le fabricant ?
Anne avait eu plusieurs histoires de ce genre. Tantôt
les photopiles tenaient, tantôt elles s'usaient. Il fallait
tirer cette affaire au clair. Sur le terminal qui se trouvait dans son bureau, elle interrogea la banque de
données du commissariat à l'Energie solaire. Peut-être
trouverait-elle une étude sérieuse sur la résistance des
différentes piles. Pourvu que les produits japonais
n'arrivent pas, une fois de plus, en tête !

Etudiant son courrier, elle tomba sur la nième lettre
d'Albert Mavillaud. Un roman fleuve. Gros exploitant
dans l'est du département, il avait voulu avoir ses
propres installations pour fabriquer des combustibles
solides, des petites billes d'un centimètre environ, avec
ses résidus agricoles. Anne Moreau avait tenté de le
dissuader car l'investissement lui paraissait trop important, elle suggérait à Mavillaud de ne faire qu'une
unité de méthanisation. Mais le bougre tenait à son
projet et, au fil de ses lettres, avait voulu convaincre
Anne du bien-fondé de ses idées. Il découvrait maintenant, comme elle le lui avait annoncé, que son installation était trop importante pour sa production et
qu'elle tournait à perte. Allons ! il faudrait convaincre
les fermiers voisins, avec lesquels Mavillaud ne s'entendait guère, de lui porter leurs résidus à traiter.

C'est que l'utilisation de la biomasse avait réservé
encore bien des surprises. Les fermenteurs sont toujours un peu des boîtes à malice. Il suffit d'une erreur
de manipulation pour que les bestioles ne travaillent
plus ou, pire, meurent. Désormais Anne recommandait
aux futurs utilisateurs de suivre un stage de huit jours
pour se familiariser avec ces techniques qui n'étaient
simples qu'en apparence. En revanche, l'expérience

montrait que les exploitants avaient intérêt à faire le
méthane sur place, dans la ferme même. C'est pour
la fabrication de combustible à partir de branchages,
de petits bois ou d'autres résidus végétaux, qu'il valait
mieux se regrouper en coopérative. Ainsi, d'année en
année, très empiriquement, elle avait acquis une expérience concrète et humaine de l'énergie solaire dans
cette région. Les problèmes étaient économiques, sociaux, écologiques, politiques, agricoles... et aussi techniques. Mais après tout seulement.

Bien qu'elle professât que l'énergie solaire ne se
faisait pas en laboratoire, elle consacra l'heure du
déjeuner à visiter le Centre de recherche sur la photo-
lyse près de Tours. Un ami biophysicien lui avait télé-
phoné trois jours avant pour lui annoncer des résultats
spectaculaires, elle voulait se rendre sur place pour
s'informer. On disposait, depuis un certain temps déjà,
de micro-organismes, des algues, dont on avait modifié
les caractéristiques génétiques afin qu'elles brisent la
molécule d'eau en libérant de l'hydrogène. Le résultat
était intéressant sur le plan de la recherche, mais il
était inutilisable sur une échelle industrielle. Les chercheurs de Tours avaient fait mieux. Ils avaient isolé
un système d'enzymes qui servait de catalyseur pour
dissocier la molécule d'eau sous l'effet de la lumière.
On devait concentrer les rayons pour obtenir une intensité lumineuse suffisante, les rendements étaient encore
très faibles, mais l'expérience était prometteuse. Qui
sait si, dans quelques années, on ne produirait pas de
l'hydrogène en grande quantité à partir d'eau, de soleil
et de ces mystérieux catalyseurs enzymatiques ! Un
rêve grandiose qu'elle dut abandonner bien vite pour
revenir à la réalité.

Son après-midi fut consacré au conseil d'administration du Complexe agro-énergétique que l'on allait installer dans le nord du département. Un projet ambitieux. Au cœur se trouverait l'usine, alimentée par une
centrale solaire, et qui traiterait de 400 à 600 000 tonnes de matière végétale par an pour en sortir l'équivalent de 160 000 tonnes de pétrole sous forme de
combustible liquide et gazeux. La matière première ne

devait pas parcourir plus de vingt kilomètres afin de
ne pas rendre l'opération trop onéreuse. Il fallait donc
utiliser les bois et les terres alentour, ce qui posait bien
des problèmes avec les agriculteurs. Anne rentra chez elle à 19 heures, passablement
éreintée. Pourtant sa journée n'était pas finie. Il lui
fallait encore, après dîner, participer à une réunion
communale sur la gestion du chauffage hélio-géother-
mique. La discussion risquait de traîner jusqu'à 1 heure
du matin pour savoir si l'on entreprendrait immédiatement les travaux d'entretien sur les échangeurs ou
si l'on ajournerait la dépense jusqu'à l'année prochaine.
Affalée dans son fauteuil, un verre de jus de fruit à
la main, elle se retourna vers son mari : « Gabriel,
mon chéri, tu ne pourrais pas y aller seul à cette
réunion ? Vraiment, ce soir, j'en ai par-dessus la tête
de l'énergie solaire. »

A l'opposé de la « grosse » énergie solaire, voici la production décentralisée, diversifiée, telle qu'on peut l'imaginer aujourd'hui. Bien que l'histoire se situe dans une vingtaine d'années, nous n'avons imaginé aucune technique entièrement nouvelle, aucun système reposant sur des principes physiques non encore étudiés aujourd'hui. Notre anticipation est profondément « conservatrice ».

L'histoire met en lumière l'extrême diversité des techniques propres à utiliser l'énergie solaire ; c'est un changement capital par rapport à cette énergie universelle d'emploi, si commode de transport et de stockage qu'est le pétrole. Il n'y a pas, il ne pourra pas y avoir de solution unique et passe-partout pour l'utilisation de l'énergie solaire, c'est ce que souligne Robert Chabbal : « Il y a une diversité d'usage et une diversité de sources possibles d'énergie solaire. Diversité d'usages c'est clair. On peut utiliser cette énergie pour le chauffage, pour la production de combustible ou d'électricité. Il faudra rechercher des solutions opérationnelles dans toutes ces directions et ce ne seront évidemment pas les mêmes. La technique qui permettra de chauffer les piscines ne sera pas celle qui fournira du courant, celle qui débouchera sur la production de méthane différera de celles qui assureront le chauffage urbain. Il faudra trouver des solutions optimisées pour chaque besoin et chaque situation. L'expérience montrera que, probablement, on aura tendance, je dirais malheureusement, à s'orienter vers des solutions uniques. » Le rôle attribué dans le scénario à Anne Moreau est déjà inscrit dans les faits ; il faudra utiliser de nombreux conseillers en énergie solaire si l'on ne veut pas connaître trop de mécomptes.

Le scénario passe en revue les grandes « filières » solaires. Schématiquement on peut en distinguer six, comme le fait Jean-Claude Colli dans son ouvrage *Les Energies nouvelles*.

Première filière : la chaleur. La lumière traverse un vitrage, est absorbée par un corps sombre qui la rayonne ensuite, mais sous forme d'infrarouge. Or la vitre fait écran à ce rayonnement. La chaleur tend donc à s'accumuler sous le vitrage. Cela ne donne que de basses températures, de l'ordre de 50° C. C'est suffisant pour l'eau chaude sanitaire, cela peut constituer un appoint, mais un appoint seulement, pour le chauffage des locaux. Pour obtenir des températures plus élevées — et l'on peut même atteindre de très hautes températures —, il faut concentrer la lumière solaire. Cela implique des installations plus complexes.

Deuxième filière : la thermodynamique. On concentre la lumière solaire sur une chaudière et l'on utilise la vapeur pour faire tourner un moteur qui actionnera une pompe, produira de l'électricité, etc.

Troisième filière : la force mécanique. C'est essentiellement celle des vents, c'est-à-dire des masses d'air mises en mouvement par l'énergie solaire. La technique des éoliennes fait l'objet de nombreuses recherches, mais reste toujours aussi difficile à utiliser sur une grande échelle.

Quatrième filière : la photovoltaïque dont nous avons parlé à propos du scénario précédent.

Cinquième filière : la biomasse. La vie est, en définitive, le seul système qui ait de longue date fait ses preuves dans la collecte de l'énergie solaire. Les plantes utilisent la lumière pour élaborer une matière végétale qui constitue autant d'énergie récupérable. Aujourd'hui même, la moitié la plus pauvre de l'humanité vit sur cette énergie-là, une énergie qui commence à faire cruellement défaut à cause du déboisement. En Occident, le recours aux énergies fossiles a fait négliger l'énergie biologique. La crise de l'énergie, la nécessité de mettre à contribution toutes les ressources disponibles nous ont fait redécouvrir le bois, les végétaux et, plus généralement, la biomasse.

Selon les dernières estimations, en l'an 2000, la France pourrait tirer de la biomasse : bois, déchets agricoles et cultures énergétiques, une énergie correspondant à 17 millions de tonnes de pétrole. Cela, sans même supposer la mise au point de plantes à très haut rendement, grâce aux techniques du génie génétique. Cette « houille verte » est donc une ressource particulièrement précieuse pour l'avenir. Les pays les plus doués sont ceux qui disposent d'un climat tropical humide et de vastes étendues : le Brésil par exemple. « Actuellement, souligne Robert Chabbal, le Brésil se précipite sur l'utilisation de la canne à sucre ou d'autres plantes de ce type, à croissance très rapide et qui, par fermentation, donnent de l'alcool. Ces cultures permettent ainsi de produire du carburant que l'on peut mêler à l'essence. Si même cette solution n'est pas forcément la plus économique par rapport au pétrole du marché mondial, elle présente de nombreux avantages pour l'équilibre de la balance commerciale et l'indépendance nationale. »

Bien que la France ne soit pas aussi avantagée par la nature, elle dispose de conditions très favorables grâce à l'étendue de ses terres cultivables et de sa forêt. Mais, pour mobiliser cette ressource potentielle, il faudrait revoir complètement notre politique agricole et sylvicole. Bref, l'utilisation énergétique de la biomasse représente une technique d'avenir pour la France et c'est pourquoi nous lui avons donné un rôle important dans ce scénario.

A plus long terme apparaît la photochimie, c'est-à-dire l'utilisation de la lumière pour favoriser des réactions chimiques productrices d'énergie. Exemple le plus évident : la photodissociation de l'eau. C'est-à-dire la rupture de la molécule d'eau sous l'action de l'énergie solaire qui permettrait d'obtenir directement de l'hydrogène. Ces perspectives sont encore lointaines. Nous supposons qu'en l'an 2000 elles en sont encore au stade de la recherche et non à celui de la production industrielle. Mais il n'est pas interdit d'espérer une heureuse surprise dans un domaine aussi nouveau.

Chacune des six grandes filières comporte de nombreuses variantes. Pour ne prendre qu'un exemple, on étudie actuellement toute une panoplie de photopiles, les unes en silicium, d'autres en sulfure de cadmium, les unes en couches minces, les autres en matière amorphe et non cristalline, certaines recevant directement la lumière, d'autres étant illuminées par des systèmes à concentration, etc. Il existe des centaines de voies possibles pour récupérer l'énergie solaire. En cours de développement, certaines se révéleront inutilisables, mais, à l'arrivée, il restera encore un grand nombre de techniques qu'il faudra appliquer avec discernement dans chaque cas particulier.

Autre problème auquel il est fait allusion dans l'histoire : celui du stockage. Le plus grand défaut de l'énergie solaire c'est de disparaître au moment où elle serait la plus nécessaire. Pour ne prendre qu'un exemple, la chaleur solaire est abondante en été lorsque nous ne nous chauffons pas et réduite en hiver lorsque nous voudrions du chauffage. Il en va de même pour l'électricité solaire dont la production cesse la nuit lorsqu'on veut s'éclairer. Il faut donc prévoir des systèmes de stockage. L'une des solutions les plus évidentes est l'accumulation d'eau chaude dans des réservoirs souterrains. Ce qui implique une organisation collective pour mettre en œuvre ces techniques.

L'utilisation de l'énergie solaire suppose un changement considérable dans le mode de vie. Aujourd'hui, l'énergie est fournie par des réseaux spécialisés à partir de gros centres de production, en sorte que les utilisateurs sont complètement déconnectés des problèmes de production. L'énergie solaire, de nature décentralisée, implique les consommateurs dans la production. Ce sont les particuliers, les collectivités locales, les agriculteurs, les entreprises qui doivent prendre en main l'approvisionnement énergétique. Le rôle d'Anne Moreau n'a rien à voir avec celui d'un responsable de l'E.D.F. ou d'une compagnie pétrolière. Elle ne livre pas l'énergie, elle aide les usagers à la produire.

Henri Durand, commissaire à l'Energie solaire, pense que l'évolution des comportements qui en résultera sera heureusement ressentie : « Chaque Français se sentira fier de fabriquer ne serait-ce qu'une partie de l'énergie qu'il consomme. Ainsi, de consommateurs d'énergie que nous sommes, certains Français, qui auront la chance d'habiter dans les régions ensoleillées, se trouveront producteurs. Je crois que cela changera beaucoup les mentalités et les attitudes face aux problèmes énergétiques. »

Dernier point soulevé par cette histoire : la révolte des « écologistes » contre l'énergie solaire. Aujourd'hui, les amoureux de la nature parent cette énergie de toutes les vertus. Il est certain qu'elle présente des avantages écologiques. Toutefois, son plus grand mérite reste de n'être pas encore utilisée. L'énergie dont on ne se sert pas est toujours la moins gênante. Lorsque l'énergie solaire sera mise en œuvre sur une grande échelle, des inconvénients, qui nous paraissent aujourd'hui négligeables, risquent de devenir intolérables. Est-il assuré que les cultures énergétiques correspondront bien à l'idéal écologique, que l'architecture solaire répondra au cadre de vie idéal, que les centrales solaires agrémenteront le paysage, etc. ? Louis Bériot, militant écologiste et longtemps producteur de la célèbre émission *La France défigurée,* estime que « c'est un risque, mais, à mon avis, limité. Cela pour plusieurs raisons. La première c'est qu'il existe aujourd'hui une conscience du paysage qui faisait défaut lorsque la France industrielle s'est construite. Ni un particulier, ni même l'E.D.F. ne peuvent décider une construction sans qu'aussitôt l'administration et des commissions donnent leur avis. Nous avons maintenant la loi sur la protection de la nature avec les études d'impact, qui impose des limites très précises aux entreprises malheureuses. D'autre raison d'espérer, c'est le progrès des techniques dans l'ordre de l'esthétique. Voyez une cimenterie, c'est très laid. Mais, aujourd'hui, certains architectes veulent les concevoir comme une sorte de témoignage de l'architecture contemporaine. Plus généralement, on peut enterrer les installations les moins esthétiques, on peut encore les cacher dans la verdure. Les maisons solaires, c'est vrai, posent un problème particulier puisqu'il faudra en construire des centaines de milliers et même des millions, mais, là encore, les architectes doivent pouvoir trouver des solutions. Présentement, on a surtout étudié l'aspect technique du chauffage solaire, on progressera également dans l'aspect esthétique. Il y a trois siècles, on faisait des maisons à colombages. Je vous assure que, si on les avait faites aujourd'hui, on se serait dit « ce n'est vraiment pas très beau ». Or on faisait des maisons à colombages pour des raisons économiques et l'on a trouvé une formule satisfaisante. On en trouvera également pour l'énergie éolienne — les moulins à vent traditionnels sont-ils considérés comme enlaidissant le paysage ? — le chauffage solaire et les autres énergies nouvelles. Mais, effectivement, il ne faut pas négliger cet aspect du problème, si on veut avoir un cadre de vie solaire agréable ».

COMMENTAIRE
GENERAL

Aujourd'hui l'énergie solaire est à la mode. Parce qu'elle est peu connue — l'énergie nucléaire également était en faveur dans les années 60 — et, surtout, parce qu'elle apparaît comme une alternative face à l'énergie nucléaire. Cette vogue, génératrice d'illusions, est dangereuse. Elle deviendrait suicidaire si les Français s'imaginaient qu'en misant sur le soleil ils pourront augmenter leur consommation d'énergie tout en se passant de l'atome. Sur le strict plan de l'énergie solaire, il convient surtout de garder présent à l'esprit les ordres de grandeur et le calendrier. On peut regretter que l'énergie solaire n'en soit pas au même niveau de développement que l'énergie nucléaire. Sans doute n'en serait-on pas là si les états-majors avaient fait confiance à Archimède plus qu'à Einstein. Mais le futur se construit à partir d'un présent qui nous est imposé, et non à partir d'une situation imaginaire. Le fait est que les techniques solaires ne sont pas opérationnelles, qu'il faudra un temps fort long pour les mettre en œuvre et que, quelque effort que l'on fasse, on ne pourra brûler les étapes.

Voyons tout d'abord l'ordre de grandeur. « Je ne voudrais pas jouer les prophètes, estime Henri Durand, mais les estimations qui fixent à quelques pour cent, disons 5 %, la part du solaire dans notre bilan d'énergie à la fin du siècle, me paraissent très vraisemblables. Pour autant que l'on puisse donner des prévisions chiffrées à vingt années d'échéance, celles-là me paraissent réalistes. »

Jean-Pierre Causse donne l'exemple suivant : « J'ai calculé, je cite de mémoire, ce qui se passerait si, à partir de 1980, c'est-à-dire demain, 50 % des maisons que l'on construit en France étaient équipées de chauffe-eau solaire. Si l'on y ajoute 10 % des logements nouveaux à chauffage solaire, on trouve qu'en l'an 2000 l'économie réalisée correspond à 4 millions de tonnes de pétrole, soit 2,5 % de notre bilan énergétique. Or, vous voyez qu'il s'agit d'un effort extrêmement important.

« Evidemment, je pense qu'il faut faire cet effort, mais il faut connaître également l'ampleur de l'entreprise et la modestie des résultats. Pourtant il faut commencer tout de suite, sinon nous ne progresserons jamais. » Ces délais paraissent incroyablement longs aux profanes qui brûlent d'impatience. Mais tous les systèmes énergétiques présentent une telle inertie. L'énergie constitue la base même d'une société industrielle. Changer d'orientation à ce niveau, c'est modifier les fondations mêmes. Ce ne peut être qu'une œuvre de longue haleine. C'est pourquoi Jean-Pierre Causse s'interroge sur le calendrier. « Je ferai une petite réserve sur vos calendriers qui me paraissent exagérément optimistes. En ces domaines, vingt-cinq ou trente ans, c'est encore une période courte. Regardez en arrière pour vous rendre compte. Il y a vingt-cinq ans, tous les problèmes fondamentaux de l'énergie nucléaire étaient résolus, pourtant c'est aujourd'hui seulement que cette énergie apporte une contribution marginale, mais significative, à nos sociétés. Pour des raisons analogues, j'ai tendance à penser que, pour le solaire également, nous buterons sur des problèmes de délais qui décevront certains. Je pense également que le développement sera ralenti par des difficultés économiques. Quelles que soient la ou les filières retenues pour la production d'énergie solaire, son développement à grande échelle, correspondant à un pourcentage important de notre consommation, nécessitera d'énormes investissements. Peu importe que les dépenses soient financées par la collectivité ou les individus, elles seront considérables. Or il faudra également investir dans bien d'autres domaines : l'énergie nucléaire, le pétrole, les économies d'énergie, la reconversion industrielle, etc. Il risque d'y avoir manque de capitaux et cela pourra encore retarder le développement du programme. Restons donc prudent lorsque nous envisageons le calendrier. »

Pierre Audibert, lui, pense que les facteurs politiques peuvent faire énormément bouger les choses. « Je crois, dit-il, qu'il se passe quelque chose de très important au niveau de la science. On voit les plus grands savants se lancer sur des pistes qui semblaient hier encore utopiques. Par exemple voyez Clarence Zenner, du Carnegie-Mellon Institute, qui propose de faire fonctionner d'énormes turbines en mer grâce à la chaleur du Gulf Stream. Il existe nombre de projets aussi grandioses et patronnés par de très grands noms de la science. Ainsi le futur s'ouvre au niveau de la recherche, et certains de ces chercheurs pensent que des voies nouvelles pourraient aboutir beaucoup plus rapidement qu'on ne pense si on mettait rapidement les moyens nécessaires. Certes il existe des contraintes que vous soulignez justement dans vos scénarios, mais il se pose surtout à ce niveau des choix politiques. Que veut-on exactement pour l'avenir ? Jouer à fond le jeu de l'énergie nucléaire ou de la dépendance internationale ? Veut-on, au contraire, miser sur l'autonomie nationale et la décentralisation ? Ce sont des options qui dépassent largement le niveau technique et même, d'un certain point de vue, le niveau de la simple politique. »

Faire un choix résolu en faveur de l'énergie solaire est-ce possible si longtemps que ces techniques sont loin de la rentabilité ? Il faut dire honnêtement que nul aujourd'hui ne sait si l'on pourra jamais produire en France de l'électricité solaire au prix de l'électricité conventionnelle ou nucléaire. Il faut certes poursuivre les recherches, tant pour l'exportation que pour la solution de problèmes particuliers, mais on ne peut aujourd'hui annoncer que des centrales solaires concurrenceront un jour, sur le strict plan économique, les centrales classiques. Le développement forcé du solaire représenterait un surcoût que le public ne serait pas forcément disposé à payer. « Les gens sont viscéralement convaincus qu'il va y avoir un effroyable problème d'énergie dans un avenir plus ou moins proche, remarque Robert Chabbal. De fait, il nous faut faire des efforts importants pour développer de nouvelles sources d'énergie. En un premier temps, au stade de la recherche, les dépenses ne sont pas trop éievées, mais c'est par la suite au stade du développement, du prototype industriel, que les coûts deviennent énormes. Alors nous sommes tous convaincus qu'il faut faire un effort considérable dans ce domaine, mais nous devons savoir aussi qu'on ne peut tout faire et qu'on n'avance pas forcément plus vite en dépensant énormément d'argent. »

Faire un effort donc, dès aujourd'hui, en sachant qu'il sera important, que nos moyens sont limités et que les délais seront, de toute façon, longs. De ce point de vue, Henri Durand est raisonnablement optimiste : « Il faut savoir qu'aujourd'hui la France est le deuxième pays du monde pour l'effort fait en ce domaine, tant par le nombre des chercheurs que par l'importance des budgets ou la diversité des industries engagées. Il existe déjà une infrastructure, ce qui est important. »

Il existe surtout en France des conditions relativement favorables au développement de l'énergie solaire. D'une part des régions méditerranéennes raisonnablement ensoleillées, de l'autre beaucoup d'espace libre. N'oublions pas que, de toute l'Europe occidentale, notre pays est celui qui compte la plus faible densité de population.

Enfin, et ce n'est pas le moins important, le sol français est riche. Mieux exploité, il pourrait fournir un appoint très appréciable de cultures énergétiques. Malheureusement, la forêt française est aujourd'hui complètement gaspillée, sous prétexte de respecter le droit absolu de propriété, on la laisse être la plus mal exploitée, la moins productive du monde. Le gouvernement français vient de reconnaître que la biomasse était la première forme d'énergie solaire exploitable en France. Du point de vue chronologique s'entend. Il reste à savoir si l'on saura en tirer toutes les conséquences politiques.

Cela dit, et faisant de la prospective, peut-on imaginer que la France puisse tout entière vivre sur l'énergie solaire ? Un groupe de scientifiques français a tenté de répondre à la question. De ses recherches est né un document passionnant : le projet Alter. Il s'agit non seulement de nous proposer un schéma de France « tout solaire », mais également d'étudier les cheminements qui pourraient nous y conduire et même les dates auxquelles ces différents progrès pourraient être réalisés.

Les chercheurs se sont donné des hypothèses de travail réalistes, c'est-à-dire contraignantes. D'une part, ils fixent pour cette France du soleil un niveau de vie comparable à celui que nous avons actuellement, d'autre part, ils imaginent des techniques qui ne sont que l'aboutissement des recherches actuelles. Par exemple, ils ne se sont pas permis d'imaginer des systèmes permettant d'utiliser directement la lumière solaire pour dissocier l'eau et produire l'hydrogène. Rien à voir avec la science-fiction.

Effectivement, avec une utilisation judicieuse de l'énergie, c'est-à-dire en adaptant chaque technique à sa destination, en n'utilisant pas de l'électricité ou du combustible pour obtenir des calories basse température, on s'aperçoit que les besoins énergétiques de la France pourraient être entièrement couverts par des énergies renouvelables. Le résultat auquel on parvient n'est nullement délirant. Pour ne prendre que cet exemple, les centrales solaires ne couvriraient qu'une surface de 300 000 hectares. C'est important, ce n'est pas disproportionné, puisque cela représente deux fois la surface couverte actuellement par les retenues des barrages. Passons sur les détails de cette analyse passionnante pour en retenir les deux conclusions essentielles : d'une part ce résultat ne pourrait être atteint que si la consommation était contenue à son niveau actuel, voire légèrement en dessous, ce qui, avec une meilleure utilisation de l'énergie, permettrait de maintenir le niveau de vie et même d'étendre le confort à toute la population. Ce contrôle de la consommation constitue la clé de l'affaire. Si les besoins croissent de 5 % l'an, on ne peut demander au solaire de faire face. Or, un tel résultat ne peut s'obtenir qu'au prix d'un effort considérable sur les économies d'énergie, sans commune mesure avec ce qui se fait actuellement. Et cet effort devrait commencer dès à présent. Si on laisse filer la demande, on rate le scénario de transition.

Deuxième enseignement, cette autarcie énergétique ne serait réalisée... qu'en 2050-2060. Pour la fin du siècle, les prévisions ne prévoient toujours que quelques pour cent d'énergie solaire, même si aux yeux des auteurs du projet Alter, ce n'est qu'une étape.

Sans doute ne s'agit-il là que d'un exercice d'école. La France n'a aucune raison de se vouloir totalement autarcique en énergie, et d'autres techniques pourraient se développer en soixante-dix ans. Sinon, ce serait à désespérer de la recherche. Quoi qu'il en soit, cette étude prouve, sur les bases les plus raisonnables, que le pari solaire doit et peut être joué, que le soleil fait bien partie des scénarios de notre futur.

4. LA MÉTÉOROLOGIE

Invité : ADELIN VILLEVIEILLE directeur des recherches à la Météorologie nationale.

Il est des bizarreries du progrès dont nous nous accommodons mal, ainsi ne pouvons-nous comprendre que l'on sache greffer des cœurs mais non pas couper une grippe, aller sur la Lune, mais pas régler la circulation dans une ville, explorer les confins de l'univers et pas connaître le temps qu'il fera pour le prochain week-end. Cette dernière lacune du progrès est particulièrement irritante. D'autant que l'homme a toujours pensé qu'il savait prévoir le temps. Toute une météorologie populaire entretient l'illusion d'une prévision possible. Mais, d'une saison sur l'autre, les caprices du climat dénoncent la mauvaise vue de nos météorologistes.

Pourtant la météorologie fait des progrès. Plus lents qu'on ne voudrait, certes, réels tout de même. Donnons-lui encore vingt ans et l'on peut espérer que ses prévisions se seront très sensiblement améliorées. Mais cette connaissance de l'avenir n'ira pas sans poser des problèmes épineux. C'est ce que nous évoquons dans le premier scénario : « PRENEZ VOS PARAPLUIES. »

Le public est également obsédé par l'idée que le climat se détraque, qu'il n'y a plus de saisons, que le temps n'est plus ce qu'il était. Vaines alarmes, les statistiques de la météorologie démentent ces appréciations toutes subjectives. Non, la bombe atomique n'a pas changé le climat. Est-il assuré pour autant que l'action de l'homme ne finira pas par altérer gravement nos conditions météorologiques ? Voilà qui n'est plus du tout certain. Les plus récentes recherches donnent à penser que, dans un temps relativement court, quelques décennies, l'émission de gaz carbonique dans l'atmosphère pourrait provoquer un réchauffement général et catastrophique de la planète. C'est le thème du deuxième scénario : « AVANT LE DÉLUGE. »

Intervenants : EMMANUEL LEROY-LADURIE, historien, professeur au Collège de France.

Professeur RENÉ-GUY SOULAGE, directeur du laboratoire de Météorologie physique, associé au C.N.R.S.

PRENEZ VOS PARAPLUIES

« Bothereau, vous pouvez monter me voir un instant ? j'ai à vous parler. » Eric regarda d'un air entendu l'interphone d'où sortait la voix nasillarde. Depuis trois jours il attendait cet appel. « Je viens tout de suite, monsieur le Directeur », s'empressa-t-il de répondre. Il se leva, enfila sa veste, prit sur l'étagère un dossier intitulé « RASEM » et quitta son bureau.

Il n'était pas besoin d'être grand clerc pour deviner l'objet de cette convocation : le RASEM évidemment. Ce rapport semestriel d'évaluation météorologique ne constituait pas une véritable prévision à long terme, mais, plus modestement, une étude sur les principales tendances climatiques dans les six mois à venir. Depuis cinq années que la Météorologie publiait deux RASEM par an, les indications étaient le plus souvent fort banales.

En attendant l'ascenseur, Eric Bothereau se remémorait les commentaires sarcastiques du patron sur un précédent RASEM : « En somme, il fera plutôt froid en hiver et il neigera en février. C'est à peu près ce qu'indiquait le calendrier des postes dans mon enfance. » Il est vrai que cette évaluation ne prétendait discerner que les anomalies significatives par rapport au jeu traditionnel des saisons. Lorsque le temps s'annonçait conforme aux moyennes saisonnières, elle n'était d'aucune utilité. Les seuls RASEM publiés auraient dû être ceux qui annonçaient de véritables anomalies, été particulièrement pluvieux, hiver spécialement froid, printemps très tardif, etc. De ce point de vue, le RASEM que son service venait d'établir pour l'été 1998 ne manquait pas d'intérêt. Il annonçait un été complètement pourri, notamment sur le midi de la France. Bothereau savait que Paul Ferval, son patron, ne manquerait pas de réagir lorsqu'il en prendrait connaissance.

En entrant dans le bureau directorial, il s'attendait à une attaque directe. Elle ne vint pas. Monsieur le Directeur l'accueillit le plus aimablement du monde, quitta son fauteuil pour venir à sa rencontre et l'invita à s'asseoir dans un des sièges de cuir près de la table basse. Il prit encore le temps de bourrer sa pipe avant d'attaquer la conversation. Bothereau ne se faisait aucune illusion sur la suite que pouvait réserver un tel préambule.

« Dites-moi, mon petit Bothereau — cela ne vous choque pas que je vous appelle ainsi, accordez-moi ce privilège de l'âge et non de la fonction —, il y a combien de temps que vous êtes à la Météo ?

— J'y suis entré en 89, monsieur.

— En 89... Evidemment vous êtes trop jeune pour avoir connu l'époque héroïque de la météorologie. L'époque de la grenouille comme on disait. Dès que l'on voulait s'aventurer à plus de 48 heures, on disait n'importe quoi ou presque. Oh ! cela n'empêchait pas certains de prophétiser. Qui vérifie jamais les prophéties ! Mais, pour nous qui voulions être sérieux, nos propos manquaient singulièrement d'assurance. Il était admis dans le public que la météo se trompait constamment. C'était une plaisanterie qui ne faisait même plus rire.

— Je n'étais pas encore météorologiste à cette époque, mais je m'en souviens », approuva Bothereau.

« Oui... Savez-vous que notre filiale, la Société française de météorologie appliquée fera deux milliards et demi de chiffre d'affaires cette année ? »

Bothereau avait travaillé deux années pour cette société de conseils-météo créée par la Météorologie nationale. Depuis que les prévisions à 8 jours étaient devenues sûres, elles intéressaient de nombreuses activités économiques, notamment l'agriculture, les travaux publics et le bâtiment, sans compter des administrations. Or, les utilisateurs n'avaient pas toujours le souci de planifier leurs activités pour s'adapter au temps. Il leur suffisait de s'abonner à cette société pour recevoir chaque semaine des prévisions personnalisées en fonction de leurs activités et comportant les indications utiles pour l'organisation du travail. Très rapidement, les coopératives agricoles et les entreprises travaillant sur des chantiers avaient souscrit des abonnements. L'affaire était excellente, mais Bothereau ne comprenait toujours pas pourquoi son directeur l'entretenait du bilan de la SOFRAMETA. M. Ferval poursuivit son discours en feignant d'ignorer l'étonnement de son collaborateur.

« Dites-moi, j'ai remarqué que les effectifs étaient anormalement réduits ce week-end à la prévision.

— Effectivement. C'est un simple défaut d'organisation.

— Pas du tout, coupa M. Ferval. Vous savez très bien que tout votre monde a pris la route parce que vous aviez annoncé le premier week-end de soleil après trois week-ends de pluie. C'est impressionnant, vous ne trouvez pas ? Vous pouvez à volonté jeter tous les Français sur les routes ou bien les calfeutrer chez eux. Vous savez que le ministre peste contre l'effet désastreux de la météo sur la circulation. Il y a huit jours encore il me disait : " Si vos météorologistes voulaient se taire, il y aurait un peu moins d'embouteillages le week-end. " Mettez-vous à sa place, le pauvre homme, il est dangereux d'annoncer à coup sûr le soleil à tout un peuple pris d'héliotropisme. »

« Que de détours, mon Dieu que de détours », se répétait Eric Bothereau, tout en paraissant fort intéressé.

« Et voilà maintenant que vous nous annoncez la pluie », enchaîna le directeur.

« Ouf, nous y voilà », pensa Bothereau. « Oui, monsieur, le mois d'août sera vraiment pourri sur la Côte d'Azur. Il semble que l'anticyclone sera décalé de 5 à 10 degrés et les échanges thermiques sont très anormaux en ce moment, enfin je pense que vous avez lu tout l'exposé de la situation...

— Oui, j'ai lu. Et vous êtes sûr de vos conclusions ?

— Autant qu'on peut l'être. C'est la situation de 1989 qui se reproduit, mais en nettement plus accentué. Vous vous souvenez des pluies et des inondations dans le Var et les Alpes maritimes ?

— Oui, enfin, si l'on peut toujours douter des prévisions, on ne peut pas douter de leurs conséquences.

— Vous voulez dire sur le tourisme...

— Entre autres... Enfin, vous vous en tenez à ces évaluations.

— Ce sont les seules que l'on puisse tirer, monsieur le Directeur.

— Bon, bon, eh bien je vous remercie. Evidemment vous ne publiez rien directement. »

Ainsi tout ce préambule n'avait servi qu'à lui rappeler le « sens de ses responsabilités ». C'était bien nécessaire vraiment ! Après l'affaire du vin de 97, qui pouvait encore les ignorer. Oui, ce fut une dure leçon pour Eric. Il avait publié en janvier le premier RASEM de 97 qui laissait prévoir un ensoleillement exceptionnel, notamment dans les régions de vignoble. Le public n'y avait guère prêté attention, mais certains groupes avaient immédiatement compris que le millésime 97 serait exceptionnel et avaient acheté la récolte à l'avance, des producteurs avaient systématiquement pratiqué la rétention et les cours avaient atteint des records historiques. Cette déplorable histoire avait renforcé la confiance du public dans les évaluations à long terme. L'annonce d'un mois d'août pluvieux sur la Côte ferait fuir tous les touristes. C'était désolant, mais qu'y pouvait-il ? Il ne faisait pas le temps, il l'observait.

Monsieur le ministre du Tourisme avait une autre idée de la météorologie : « Monsieur Ferval, vos gens sont complètement fous, gronda-t-il. Non seulement ils me flanquent la pagaille sur les routes, mais, maintenant, ils veulent tuer le tourisme sur la Côte. Si l'on publie ce rapport, les Français iront tous en Afrique et nos hôteliers seront ruinés, nous ne verrons pas un seul étranger. »

Paul Ferval désirait surtout éviter un affrontement avec son ministre : « Monsieur le Ministre nous avons le devoir d'établir ces évaluations, mais il appartient au gouvernement de les utiliser », fit-il observer. Pour le ministre, un tel document ne pouvait avoir qu'une seule place : sous son coude. Le public ne remarqua pas la non-publication du RASEM. Certains utilisateurs questionnèrent bien la météo, mais la consigne était de répondre qu'on avait pris du retard dans l'établissement des évaluations.

Le secret tint deux mois. Lors de la réunion de l'Organisation météorologique mondiale en février 98, le délégué norvégien parla le plus naturellement du monde, et en public, de l'été pourri qui s'annonçait sur la Côte d'Azur. Le lendemain la nouvelle s'étalait dans tous les journaux.

Bothereau interrogea son collègue norvégien pour savoir d'où il tenait cette information. Celui-ci, qui était de parfaite bonne foi, révéla qu'une copie du RASEM pour l'été 98 lui avait été communiquée par un collègue d'un pays africain. Un pays qui accueillerait les touristes fuyant la Côte d'Azur.

Nous parlons de prévision météorologique, c'est, à première vue, un sujet simple. Pourtant il n'en est rien. Sous ce terme on regroupe des réalités extrêmement diverses, c'est pourquoi Adelin Villevieille peut dire qu' « il n'existe pas une prévision météorologique, mais plusieurs et même, à la limite, autant que d'utilisateurs ». Effectivement, une grande compagnie céréalière veut connaître le climat de l'Union soviétique au cours de la prochaine année pour prévoir l'importance des achats de blé soviétique ; un hôtelier dans une station de sports d'hiver veut savoir s'il y aura de la neige sur les Alpes pendant les vacances scolaires ; un commandant de bord s'inquiète des perturbations qu'il rencontrera sur l'Atlantique dans les heures à venir ; l'organisateur d'une fête en plein air interroge la météo pour savoir s'il pleuvra sur le champ de foire à l'heure de son spectacle, etc. Il faut bien faire les distinctions pour se lancer dans cette « prévision de la prévision ». Prévision qui, notons-le au passage, est encore plus incertaine que le temps lui-même, puisque cette infaillibilité des augures nous est promise depuis des décennies déjà. Le « demain on prévoira à long terme » finit par ressembler au « demain on rase gratis ».

Très schématiquement, on peut distinguer la prévision desti-née au particulier, qui est habituellement à très court terme et très localisée : « quel temps fera-t-il au cours du prochain week-end dans ma campagne ? », la prévision économique qui est tout à la fois plus imprécise, plus lointaine et plus étendue. « Aurons-nous un bon ensoleillement sur le vignoble ? » « L'hydraulicité sera-t-elle favorable en hiver pour assurer le remplissage des barrages ? », etc. En ce cas, le planificateur veut effectivement être informé longtemps à l'avance, mais son interrogation appelle une réponse de statistique globale et non une prévision ponctuelle sur tel temps, tel jour à tel endroit.

Il existe une relation entre les différents paramètres de la prévision : « Plus l'échéance est éloignée, moins la précision est bonne. C'est un peu comme le tir à la cible », remarque Adelin Villevieille. La première prévision très incertaine mais à très long terme porte sur toute une région et toute une saison. Cela commence avec les définitions climatiques que l'on apprend à l'école. Août : « chaud et sec », « saison des moussons », etc. C'est une appréciation globale statistique, probabiliste, qui n'exclut pas les accidents locaux ou instantanés. On tente de l'améliorer à l'intention des activités économiques en général. La deuxième, toute différente, destinée aux particuliers, nécessite un maillage très serré pour donner une prévision locale, immédiate, de plus en plus juste. Cette différence fondamentale, qui existe en aval au niveau du résultat, existe également en amont au niveau des techniques. « Pour les échéances courtes, explique Adelin Villevieille, nous utilisons des modèles que je qualifie d'hérédité, c'est-à-dire fondés sur le principe que toute situation engendre la suivante selon les lois connues de l'aérodynamique. Au contraire, une prévision à grande échelle et à long terme devrait faire appel à des procédés mathématiques et physiques très différents qui permettraient de dégager des tendances générales ou des déviations par rapport à la moyenne. »

Dans le scénario, nous avons distingué en quelque sorte la conjoncture et les perspectives en imaginant que, d'ici à l'an 2000, ces deux types de prévisions auront progressé, mais en se distinguant l'une de l'autre. Aujourd'hui, il n'est de prévision sérieuse que conjoncturelle et, à 48 heures, les particularités des saisons à venir restent insaisissables. En dépit de tous les satellites et ordinateurs, aucun service météorologique n'avait pu annoncer à l'avance la sécheresse de 1976. Pour les prévisions ponctuelles à court terme, on espère développer ces « modèles d'hérédité » jusqu'à obtenir une fiabilité satisfaisante sur quelques jours, une semaine au maximum. Toutefois on ne pourra pas prévoir tous les accidents locaux à très petite échelle de temps et d'espace : les orages, les averses localisées. « On n'échappera pas aux erreurs dites de troncature, c'est-à-dire celles qui sont entraînées par l'oubli de phénomènes à très petite échelle, comme il s'en produit toujours dans les mécanismes de turbulence. »

En faisant passer la prévision « conjoncturelle » de 48 heures à une semaine, on changerait la gamme des utilisateurs et la nature du service rendu. Le temps qu'il fera aujourd'hui et demain intéresse « monsieur Tout-le-Monde » ainsi que les navigateurs ; le temps de la semaine concernerait tous les responsables d'activités économiques planifiées : travaux publics, travaux des champs, entrepreneurs en tous genres, etc. C'est un enjeu économique considérable.

Une prévision saisonnière limitée aux grandes tendances : « particulièrement froid », « exceptionnellement humide », « printemps tardif », etc., aiderait la planification à long terme : organisation des loisirs, évaluation des récoltes, prévision de la production énergétique, etc. Les difficultés de l'entreprise sont à la mesure des espérances. L'atmosphère est un organisme, elle possède une unité dynamique telle que toutes ses parties interagissent, cet organisme est lui-même un organe de l'organisme-Terre. Pour ne prendre qu'un exemple, les interactions atmosphère-océan jouent un rôle capital dans l'évolution du climat. Toute amélioration de la prévision suppose une bonne connaissance de la physiologie terrestre, c'est-à-dire un modèle opératoire permettant d'en rendre compte, ainsi qu'une surveillance complète et constante de ce gigantesque organisme. Il faudrait savoir en permanence ce qui se passe au-dessus des pôles, au-dessus des déserts, au-dessus des océans et avoir le modèle permettant de prévoir ce qui en résultera dans trois ou six mois. Il est vrai que l'arsenal météorologique ne cesse de se renforcer. Les satellites météorologiques se perfectionnent d'une génération sur l'autre. Ils ne se contentent plus de prendre des photos de la couverture nuageuse ; les plus récents, comme *Météosat*, effectuent une véritable auscultation grâce à l'observation sur différentes longueurs d'ondes et avec différents paramètres. Le nombre des stations de mesure ne cesse d'augmenter : 10 000 à l'heure actuelle. Toutefois, certaines régions sont encore bien mal couvertes. C'est le cas de l'Afrique, sans parler des océans. Il va falloir multiplier ces postes d'observation afin d'enserrer la planète dans un réseau beaucoup plus dense. Des moyens de calcul toujours plus puissants sont nécessaires pour intégrer ces milliers d'informations dans les équations de la mécanique des fluides. Un simple exemple : le centre européen de prévisions météorologiques à moyen terme de Reading, près de Londres, disposera du plus puissant ordinateur du monde : 40 millions de francs. Si les moissons tiennent les espoirs des semailles, la prévision précise à court terme pourrait faire un bond de 2 à 5 jours. Une petite révolution... mais qui ne vous empêchera pas de recevoir un « grain » sur la tête par un après-midi annoncé comme ensoleillé sur tout le nord de la Gascogne. Pour la prévision à long terme, la prévision statistique, l'Organisation météorologique mondiale a lancé le Global Atmospheric Research Programm qui permettra de mieux connaître les données fondamentales du système terrestre. Peut-être finira-t-on par repérer à l'avance les anomalies climatiques lorsque l'on connaîtra exactement les échanges de chaleur entre océans et atmosphère, la quantité d'eau en suspension dans l'atmosphère, etc. C'est un espoir raisonnable, nullement une certitude.

Reste que l'amélioration des prévisions, pour désirable qu'elle paraisse, posera de nombreux problèmes qui tiennent une place importante dans l'histoire. D'ores et déjà, les intérêts économiques sont particulièrement sensibles à la prévision météorologique. Catastrophe pour une région touristique si la météo annonce un temps maussade ! En 1977, M. Jean Peyrafitte, maire de Luchon, se plaignait des annonces météorologiques : « Quotidiennement la radio et la télévision annoncent : risques d'avalanches sur les Pyrénées. Quelqu'un d'étranger se fait, c'est le cas de le dire, une montagne de cette information. Alors beaucoup de gens téléphonent aux syndicats d'initiative pour demander si les routes sont coupées, les pistes inutilisables, les séjours dangereux. Cela nous fait beaucoup de mal. Tout provient de ce que l'information est mal interprétée. Si l'on parle d'avalanches sur les hauts sommets, les gens pensent tout de suite à des catastrophes sur les stations. C'est absurde et cela nous fait le plus grand tort. »

Les Bretons, pour leur part, nourrissent une véritable hargne à l'égard des bulletins météo télévisés. « Vous dites toujours qu'il pleut chez nous et cela fait fuir le touriste ! » L'on tourne les informations météo de telle sorte que le beau temps soit toujours sur des régions précises et nommément désignées, alors que le mauvais temps, lui, se situe dans le vague « au nord d'une ligne... » Bref, les prévisions météo terriblement imprécises d'aujourd'hui suffisent déjà à perturber le jeu économique. Qu'en sera-t-il lorsqu'elles seront fiables ? On imagine les contrecoups dans les régions touristiques, lorsqu'on annoncera à l'avance les périodes fastes et néfastes. Cela entraînera un raccourcissement de la saison, donc une augmentation des prix. Aujourd'hui, le beau temps est relativement bon marché parce que incertain. Si, demain, on peut l'avoir à coup sûr, il coûtera plus cher.

Pour l'ensemble des activités économiques liées aux conditions météorologiques, il faudra inventer une nouvelle organisation du travail. Enfin cette information, comme toute information utile, sera récupérée à des fins économiques. Dès à présent, les Américains utilisent leurs satellites d'observation pour connaître le plus tôt possible et, de préférence avant les autres, l'état des récoltes dans le monde. Renseignement de première importance pour un pays qui est tout à la fois le premier exportateur mondial de denrées alimentaires, mais également un gros importateur de certains produits. Si la prévision météo à long terme permet d'évaluer les récoltes avant qu'elles ne sortent de terre, les spéculateurs s'en donneront à cœur joie. Il n'est que d'observer les marchés sensibles, sucre, café, dès que les perturbations climatiques : sécheresse, gelées ou cyclones, laissent prévoir une mauvaise récolte et une flambée des cours. Les péripéties du scénario semblent donc vraisemblables... pour autant que la prévision météorologique fasse bien les progrès espérés.

AVANT LE DÉLUGE

Il y a six mois encore, Norman Garding vivait dans le dixième millénaire avant notre ère. Le monde contemporain l'intéressait fort peu, il lui préférait cette époque fabuleuse où nos ancêtres virent fondre les glaciers du quaternaire et monter le niveau des mers. Il ne s'était pas lancé sur une piste originale. « Nous en avons suffisamment », estimait-il. Il avait préféré rassembler, vérifier, combiner les résultats déjà obtenus afin de reconstituer le puzzle. Pour mener à bien son travail, ce Sherlock Holmes de la climatologie promenait de laboratoire en laboratoire sa longue silhouette de Viking au crâne dégarni, à la barbe rousse. Cette approche particulière l'avait familiarisé avec de nombreuses disciplines : écologie, datation, paléontologie, météorologie, océanographie, etc., et lui conférait une autorité certaine dans le monde scientifique. Bref, Norman Garding était un chercheur heureux, jusqu'au jour où...

C'était en juin 1999 à San Diego. Garding était venu à la Scripps Institution visiter son collègue et ami Benton Norris, une autorité en paléoclimatologie. Norris connaissait les pollens fossiles sur le bout des doigts, et Garding était intrigué par ceux qu'il venait de trouver dans des glaces de l'Antarctique vieilles de 12 000 ans. Cette découverte ne correspondait pas à d'autres résultats obtenus par des méthodes différentes. Une fois de plus, le détective du temps passé voulait confronter les indices.

En prenant leur déjeuner à la caféteria, ils se retrouvèrent à la table de collègues spécialisés dans l'étude de la calotte glaciaire antarctique. Chacun parla de ses recherches et Guy Lasserque, un glaciologue de Grenoble qui travaillait depuis un an déjà à la Scripps Institution, laissa tomber : « Au lieu d'étudier le climat du passé, vous feriez mieux de vous intéresser à celui de l'avenir. Je crois qu'il se prépare de vilaines choses et nous aurions bien besoin d'un homme comme vous, rompu à toutes les disciplines, pour faire le point. Qui sait si nous n'allons pas revivre l'aventure des hommes préhistoriques, qui vous passionne tant. »

Tandis qu'ils prenaient le café sur la terrasse, face à l'océan Pacifique, Lasserque expliqua les raisons de son inquiétude. Depuis trois ans, les mesures effectuées par les satellites et les stations automatiques qui sondent la calotte glaciaire antarctique présentaient une troublante concordance. Elles semblaient indiquer que le bilan était négatif. Or il paraissait établi depuis des années que la calotte grossissait, lentement certes, mais constamment. Voilà qu'elle semblait perdre un millième de son poids chaque année. L'évolution et les observations étaient si incertaines, qu'on ne pouvait rien affirmer. La méthode de calcul pouvait être fausse. Mais d'où venait que les mêmes mesures présentent toutes la même tendance d'une année sur l'autre ?

Les glaciologues préféraient ne pas insister sur ces résultats connus de quelques spécialistes. Ils craignaient les réactions de la grande presse. La calotte glaciaire représente 12 milliards de millions de tonnes. Sa fonte entraînerait une élévation considérable du niveau des mers. Le déluge en quelque sorte. Il suffirait qu'une telle éventualité soit évoquée dans une communication scientifique pour que le monde entier plonge avec horreur et ravissement dans le catastrophisme. Les chercheurs avaient choisi la discrétion. « L'ennuyeux, conclut Lasserque, c'est que cette discrétion conduit à l'étouffement. Faute d'insister sur la gravité du problème, nous n'obtenons pas les crédits de recherche suffisants pour tirer l'affaire au clair. Or il ne s'agit nullement d'une menace imaginaire. Avec l'augmentation du gaz carbonique dans l'atmosphère, une telle éventualité n'a rien que de très vraisemblable. Il faudrait tout de même savoir où nous en sommes. » La discussion se poursuivit deux heures, et porta sur les différents aspects techniques. Garding fut surpris par les similitudes de la prospective et de la rétrospective en climatologie. Là encore, il fallait faire appel à des disciplines extrêmement diverses, chaque spécialiste ne croyait qu'en sa méthode et l'homme de synthèse faisait désespérément défaut.

A contrecœur, il décida d'abandonner — six mois pas plus — les temps préhistoriques pour se consacrer aux temps à venir. Le nom du coupable était sur toutes les lèvres : le gaz carbonique. Restait à savoir s'il y avait crime ou pas.

Le gaz carbonique avait éveillé les soupçons depuis une bonne trentaine d'années. Bien qu'il soit neutre, inoffensif, incolore, inodore et sans saveur, il possède une redoutable propriété : celle de provoquer un effet de serre. C'est-à-dire que, laissant passer la lumière du soleil, il retient la chaleur que la Terre rayonne en retour. Tout comme une serre. Bref, il agit comme un vitrage et l'on sait qu'il provoquerait un réchauffement du climat si l'atmosphère en avait une proportion importante. Heureusement, l'air n'en contenait qu'un pourcentage très faible : 0,3 %. Malheureusement, ce pourcentage augmentait. Inexorablement. Car toute combustion en dégageait. Inévitablement. En 1960, la civilisation industrielle rejetait 5 milliards de tonnes de ce gaz. C'était peu par rapport aux 700 milliards de tonnes que contient l'atmosphère. Mais cette quantité n'avait cessé d'augmenter, elle atteignait en cette fin de siècle 15 milliards de tonnes.

Dès le début des années 60, Charles Keeling avait observé qu'effectivement la teneur de l'atmosphère en gaz carbonique tendait à croître. L'augmentation était déjà de 13 %. En 1998, les météorologistes l'estimaient à 48 %. Sur cette lancée, on aurait doublé le taux initial dans une vingtaine d'années. Tels étaient les faits. Restait à les interpréter.

Norman Garding entreprit d'étudier toute la littérature publiée sur le sujet. Fort heureusement, il put effectuer ce premier travail depuis son laboratoire de Stanford en Californie, grâce à la banque de données météorologiques et climatologiques, qui effectuait automatiquement les recherches et lui adressait les documents à domicile sur son terminal. En outre, sa connaissance des différentes disciplines impliquées lui permettait de dépouiller rapidement cette abondante littérature.

Après quatre mois de travail intensif consacré à la documentation, il disposait d'un dossier complet autant que contradictoire. D'un expert à l'autre, les conséquences variaient du tout au tout. Pour les uns, le réchauffement était inévitable, pour les autres, il serait imperceptible. Ces divergences provenaient de l'importance que l'on accordait aux nombreux facteurs qui intervenaient dans cette affaire : absorption par les océans, recul de la forêt, rôle des polluants atmosphériques, développement de la nébulosité, etc. Il suffisait de distribuer différemment les rôles pour aboutir à des scénarios divergents, voire opposés. Malheureusement on manquait de faits pour évaluer ces conjectures. Certains croyaient avoir enregistré une élévation de la température moyenne du globe. Mais ces résultats étaient contestés. Les mesures faites sur la calotte antarctique étaient les seules observations directes. Mais combien incertaines !

Norman Garding sélectionna une dizaine d'équipes qui lui paraissaient particulièrement compétentes et entreprit de les rencontrer personnellement. Il voulait se faire une opinion par une enquête sur place et non seulement à travers des publications. Sa tournée dura cinq mois et le conduisit aux quatre coins de la planète. De retour à Stanford, il se donna deux mois de réflexion solitaire pour mettre de l'ordre dans ses notes et se faire un jugement.

Les travaux qui, finalement, emportèrent sa conviction furent ceux de... Norman Garding. En étudiant la déglaciation, il avait établi que le renversement de climat n'avait correspondu qu'à une élévation de trois degrés, quatre au maximum, dans la température moyenne de la Terre. On pouvait donc penser qu'un réchauffement général de deux ou trois degrés serait suffisant pour déclencher une fonte de la calotte glaciaire. Or la plupart des chercheurs estimaient qu'une telle élévation devrait intervenir d'ici à vingt ans. A partir de ce premier fait, certains pensaient que le phénomène serait autorégulé et que l'échauffement cesserait. D'autres, au contraire, craignaient une auto-accélération due notamment à la saturation des océans qui n'absorberaient plus le gaz carbonique. Là encore, il estima que cette deuxième hypothèse était la plus vraisemblable. Il penchait donc pour cette interprétation, lorsqu'il reçut le résultat de mesures complémentaires et de calculs qu'il avait demandés à l'Office fédéral de la météorologie. Il s'agissait de tests qu'il avait imaginés pour vérifier les observations sur le réchauffement actuel du globe. Il s'était bien gardé de préciser le but de ces études. Or les résultats confirmaient pleinement l'élévation de la température. Au cours des vingt dernières années, le climat de la Terre s'était échauffé d'un degré au minimum. Le phénomène ayant tendance à s'accélérer, on pouvait craindre qu'on ne gagne un nouveau degré dans les douze années à venir. Autant dire que la débâcle de l'Antarctique pourrait véritablement commencer, c'est-à-dire prendre une ampleur significative, en l'an 2020.

Sa religion définitivement faite, il se devait d'intervenir. Mais comment ? Depuis trente ans, les déclarations s'étaient multipliées sur l'éventuel changement du climat. On avait annoncé successivement une ère glaciaire ou un réchauffement brutal. Le public avait fini par se lasser de ces affirmations péremptoires et contradictoires. Quant aux scientifiques, ils n'y prêtaient plus la moindre attention. Les plus sérieux d'entre eux s'étaient installés dans l'idée confortable qu'en tout état de cause on ne pouvait rien savoir. Il était donc inutile de vouloir directement alerter le public ou la communauté scientifique. Il fallait adopter une stratégie plus efficace.

En un premier temps, Norman Garding établit un dossier récapitulant l'ensemble de ses recherches. Il le fit en deux parties. L'une, brève et simple, résumait les hypothèses, les recherches et les conclusions. L'autre, plus volumineuse, venait en annexe et fournissait tous les renseignements scientifiques à l'intention des spécialistes. Restait à faire passer l'information. Il s'inspira de la procédure suivie par les physiciens en 1939. Afin de persuader le président Roosevelt de construire la bombe atomique, ils avaient utilisé le prestige du plus célèbre d'entre eux : Albert Einstein. Il n'existait plus aujourd'hui de savant jouissant d'une telle autorité. Toutefois, en réunissant une cinquantaine de prix Nobel parmi les plus prestigieux, on arriverait, peut-être, au même résultat. Norman prit à nouveau son bâton de pèlerin et entreprit la tournée des célébrités scientifiques en prenant soin de les choisir dans plusieurs pays, à l'Est, comme à l'Ouest, en Amérique comme en Asie. Il eut un certain mal à convaincre les quatre premiers. Puis ces premières cautions permirent d'éveiller plus aisément l'intérêt des suivants. En l'espace de trois mois, il avait réuni au bas de son rapport la plus belle brochette de savants que l'on pouvait rassembler. C'est alors qu'il attaqua le niveau politique. Afin de ne pas s'égarer dans les échelons subalternes, il visa directement la Maison Blanche. Une intervention de l'un des signataires, Samuel Telington, prix Nobel de médecine, lui ouvrit la voie.

Le 7 avril 2001, il était assis dans le fameux bureau oval face à Jack Colburg, président des Etats-Unis. En un premier temps, il lui demandait d'adresser personnellement le mémorandum à une vingtaine de chefs d'Etat. En un second temps, le président pourrait faire une intervention solennelle devant l'assemblée générale des Nations unies. Jack Colburg refusa de s'engager, mais se déclara très impressionné et laissa entendre que le plan lui paraissait raisonnable.

C'est ainsi que le 7 avril 2001, le président américain, parlant depuis la tribune des Nations unies, lança un avertissement au monde entier. Il demandait qu'une conférence internationale soit immédiatement réunie, tant au niveau scientifique que politique.

Dans les jours qui suivirent, la presse mondiale ne parla plus que du « nouveau déluge ». Les journalistes décrivaient avec complaisance la catastrophe qui risquait de se produire, mais nul n'entrevoyait de solution. Le monde s'était habitué à vivre sur le charbon, notamment sur celui des Etats-Unis, et l'on ne voyait aucune possibilité de s'en passer ou d'éviter les effets catastrophiques du gaz carbonique.

A la hâte, les centres de recherche élaborèrent des projets, tous plus surprenants les uns que les autres. L'Institut de recherche atmosphérique de Léningrad proposa de construire des centrales nucléaires flottantes dont la chaleur servirait à échauffer la coque du navire porteur. Cette masse métallique, portée à haute température, provoquerait une intense évaporation de l'eau qui augmenterait la masse des nuages. Ce renforcement de la couverture nuageuse formerait une sorte de parasol empêchant la lumière solaire de parvenir jusqu'au sol. Les chercheurs soviétiques estimaient que l'on pourrait contrebalancer l'effet du gaz carbonique en construisant dix navires-centrales chaque année.

La NASA proposa de lancer dans la haute atmosphère des millions de petites paillettes en plastique qui réfléchiraient la lumière du soleil. D'autres, dans le même dessein, voulaient répandre les paillettes sur l'océan.

Tandis que les chercheurs donnaient libre cours à leur imagination, le groupe de travail réuni par le président Colburg, et dont Norman Garding était vice-président, s'était emparé du problème. En un premier temps, les politiques demandèrent aux scientifiques de proposer des solutions. On perdit ainsi deux séances. C'est alors que Garding décida de prendre le taureau par les cornes.

« Messieurs, commença-t-il à l'adresse des politiques, la confiance que vous manifestez dans les pouvoirs de la science nous honore. Je crains toutefois qu'elle ne soit mal fondée. Le progrès scientifique peut résoudre bien des problèmes, c'est vrai. Mais il lui faut du temps. Beaucoup de temps. A mon sens, aucune solution efficace ne sera mise en œuvre à l'échelle mondiale avant une dizaine d'années. Il vaut mieux le savoir. N'allez donc pas rêver au remède miracle et instantané comme vous avez rêvé à l'énergie solaire ou thermonucléaire. Nous, scientifiques, sommes obligés de vous dire que nous ne disposons d'aucune invention capable à elle seule d'écarter ce danger dans les délais nécessaires. Les seuls moyens disponibles et efficaces à brève échéance sont de nature politique. Pour réduire la production de gaz carbonique, il faut réduire la consommation de combustibles fossiles. Inutile de tourner autour du pot, nous ne ferions que perdre notre temps. Que cela ne vous interdise pas de mobiliser les scientifiques, mais cette mobilisation sera inutile si vous ne prenez pas immédiatement les mesures de restriction qui s'imposent. »

Les rappels à la réalité ne sont jamais agréables à entendre, mais ils sont bien difficiles à réfuter. La commission entreprit d'étudier un plan mondial pour réduire l'utilisation des combustibles fossiles. Le principe posé, on butait immédiatement sur des difficultés considérables. De telles décisions pouvaient se prendre à l'échelon national, mais comment agir à l'échelon international ? La situation était encore aggravée par l'échec des surrégénérateurs et le retard de la fusion thermonucléaire. Faute de ces ressources, il était impossible de trouver une énergie de substitution. Quant à l'énergie solaire, elle se développait rapidement, mais ne couvrait encore que 8 % des besoins mondiaux. Dans ces conditions, on ne voyait pas comment obtenir à brève échéance une diminution de consommation sur les énergies fossiles. Certes, l'Arabie Saoudite pouvait réduire des trois quarts ses exportations de pétrole, et les Etats-Unis mettre l'embargo sur le charbon, mais le reste du monde, qui dépendait de plus en plus de ces exportations, risquait de fort mal réagir. Déjà certains laissaient entendre que toute cette histoire avait été montée pour renforcer le *leadership* américain sur le monde.

En définitive le président Colburg vint lui-même exposer son plan, le 12 septembre, devant la Conférence mondiale sur le climat, à Genève. Il annonça que les Etats-Unis réduiraient tout à la fois leur production, leurs exportations et leur consommation de charbon. La diminution serait de 5 % par an pendant les trois premières années, puis de 8 %. L'Arabie Saoudite prendrait des mesures symétriques en matière pétrolière. En contrepartie, l'Amérique offrait gratuitement au monde entier sa technologie, notamment dans la conversion de lumière en électricité et la production d'hydrogène par photodissociation de l'eau. Enfin les Américains, aidés par les énormes réserves monétaires de l'Arabie Saoudite, lançaient immédiatement la construction des centrales solaires spatiales qui n'en étaient encore qu'au stade expérimental. Tous les pays étaient invités à se joindre au projet *Sun Space Energy*. Suivait encore un nombre impressionnant de mesures visant à économiser l'énergie ou à développer la recherche sur le gaz carbonique.

L'Union soviétique exprima son opposition totale au programme américain et proposa un contre-projet qui lui ressemblait sur bien des points. Un mois plus tard, Américains et Soviétiques entamaient des discussions sur l'élaboration d'un programme mondial, un programme contre le déluge.

Le changement possible du climat est une vieille obsession humaine. Elle s'est trouvée tout à la fois confirmée et infirmée par la climatologie. Nous savons que le climat a considérablement varié dans le passé. L'ensemble de la planète a connu des périodes beaucoup plus chaudes et d'autres beaucoup plus froides que l'époque actuelle. La faune fut tantôt de type arctique et tantôt de type tropical. Il n'y a donc rien d'invraisemblable à imaginer que le climat puisse évoluer encore dans le futur. Mais le temps de la Terre est infiniment plus lent que celui de l'histoire humaine. Ici l'on ne compte généralement pas en décennies, ni même en siècles, mais en milliers ou en millions d'années. La Terre change, c'est vrai, mais à un rythme qui est le sien et non le nôtre.

Doit-on conclure que, sur des durées humaines, le climat ne peut que rester stable ? La réalité n'est pas si simple, et l'on découvre, sur de courtes périodes, des fluctuations de faible amplitude. Un léger réchauffement, ou un faible refroidissement restent possibles sur quelques décennies. Ces variations ne dépassent pas un degré de moyenne, mais le fait est qu'elles existent. On sait que le XIᵉ siècle fut plutôt chaud et le XVIᵉ plutôt froid. Il semble que notre époque ait été particulièrement chaude, tant pour les 10 000 dernières années que pour le début de ce siècle. Nous aurions connu une période chaude dans une époque chaude. Mais nous serions déjà en train de nous refroidir. Depuis les années 40. Cela pour les légères variations jouant sur les décennies.

Mais n'entame-t-on pas également un retournement de plus grande ampleur comme il s'en produit à l'échelle des millénaires ? Autrement dit, ne sommes-nous pas à l'aube d'une nouvelle ère glaciaire ? Un récent rapport de la C.I.A., reprenant les études de Reid Bryson et Hubert Lamb, a soutenu cette thèse et connu un grand succès par son caractère alarmiste. Les auteurs décrivaient déjà par le menu les conséquences de ce refroidissement sur les récoltes des différents pays. Rien de bien sérieux dans tout cela. Les climatologues sont incapables de dater le prochain cycle de fluctuations climatiques. Sans doute se produira-t-il un jour, sans doute se traduira-t-il par un refroidissement, quant à en prévoir la date et l'ampleur, c'est impossible. Il semble toutefois que les changements de grande ampleur prennent un temps relativement long par rapport à l'histoire humaine. Le climat ne doit sans doute pas baisser de plusieurs degrés en quelques années. Plus vraisemblablement en quelques siècles ou quelques millénaires.

Pour se résumer, la prévision climatologique est tout aussi impossible que la prévision météorologique à long terme. En revanche, un deuxième facteur de changement s'est récemment ajouté aux phénomènes naturels : c'est l'action de l'homme. Action marginale, mais non négligeable, si longtemps qu'elle se limitait à remplacer la forêt par les cultures, action plus conséquente dès lors que les moyens d'action sur le milieu naturel se sont accrus.

Pour illustrer ce fait, nous avons choisi l'exemple le plus actuel, le plus grave : celui du gaz carbonique. Désormais l'alerte au CO_2 est lancée. De l'Académie américaine des sciences à l'Organisation météorologique mondiale, les plus hautes autorités nous mettent en garde : l'accumulation du gaz carbonique dans l'atmosphère risque de bouleverser le climat de la planète en l'espace de quelques décennies. Une fois de plus, notre scénario ne repose nullement sur des faits imaginaires, mais sur des réalités tangibles.

Gaz inoffensif et non polluant, le bioxyde de carbone peut se révéler dangereux par l'effet de serre qu'il provoque. Or toute combustion dégage du gaz carbonique. Voyons les faits et les hypothèses. Les faits tout d'abord, ils sont simples. La civilisation industrielle rejette chaque année 5 milliards de tonnes de gaz carbonique dans l'atmosphère. De ce fait, la teneur atmosphérique en CO_2 s'élève constamment. Selon les meilleures observations, elle aurait augmenté d'environ un quart depuis le début de l'ère industrielle. Le gaz carbonique est lié aux combustibles fossiles dont la consommation ne cesse d'augmenter. De ce fait, sa teneur dans l'atmosphère pourrait doubler d'ici l'an 2010 ou 2020. Les experts sont à peu près d'accord sur ce point, mais ils en apprécient diversement les conséquences.

Les uns pensent que l'effet de serre sera renforcé et que la planète se réchauffera, mais les choses ne sont pas aussi simples, car de multiples facteurs interviennent ou peuvent intervenir qui agiront dans un sens ou dans l'autre. Certains mécanismes donnent à penser que le réchauffement pourrait être plus rapide que prévu. Aujourd'hui les océans, dans leur couche superficielle, absorbent une grande partie de ce gaz carbonique. Mais cette capacité d'absorption pourrait être saturée dans l'avenir, auquel cas la teneur atmosphérique s'accroîtrait très rapidement. Le recul des grandes forêts tropicales est peut-être une importante source de CO_2. En effet le bois des arbres abattus se décompose et le carbone repart dans l'atmosphère. Ce seul phénomène pourrait émettre autant de gaz carbonique que toutes les combustions. D'autres polluants émis par l'industrie, notamment des composés sulfurés, pourraient avoir un effet d'échauffement qui s'ajouterait à celui du bioxyde de carbone.

A l'inverse, une élévation de la chaleur accroîtrait l'évaporation sur les océans, donc la nébulosité. Ce qui renforcerait la couche nuageuse faisant une sorte d'énorme parasol naturel au-dessus de la Terre. En outre, l'industrie émet d'énormes quantités de poussières qui font écran à la lumière solaire. Mais, à l'inverse, certaines de ces particules pourraient contribuer à l'échauffement de l'atmosphère. Il faut encore compter avec l'arrivée d'une période de refroidissement qu'annoncent certains climatologues.

Que retenir de tout cela ? « Pour le savoir, estime Adelin Villevieille, il faudrait des modèles de météorologie dynamique capables d'être extrapolés à des échéances de quelques années pour le moins... Je ne pense pas qu'on possède à l'heure actuelle des modèles capables de donner des indications de qualité sur les années à venir. »

Les experts ne savent pas et c'est bien là l'inquiétant. La teneur en gaz carbonique augmente, cet élément joue un rôle climatologique, mais nous n'en connaissons pas les conséquences exactes.

Les répercussions envisagées dans ce scénario sont conformes aux évaluations de W. Kellogg, météorologiste américain chargé par l'Organisation météorologique mondiale d'une étude sur l'influence des activités de l'homme sur le climat du globe. Cet expert estime que, d'ici à l'an 2050, le gaz carbonique pourrait provoquer un réchauffement de la planète de 3 à 6 degrés, et que ce réchauffement pourrait atteindre 10 degrés dans les régions polaires. Les ordres de temps et de grandeur sont comparables à ce qui est évoqué dans cette histoire, c'est pourquoi il nous a fallu reculer notre horizon. L'événement lui-même, c'est-à-dire le réchauffement, ne se produit pas encore en l'an 2000, mais à cette époque on passe de l'interrogation à la certitude. Aujourd'hui, on se demande si le gaz carbonique ne provoquera pas une élévation catastrophique de la température, nous supposons qu'en l'an 2000 on connaîtra la réponse et qu'elle sera défavorable. Les faits, eux, ne devraient pas se réaliser avant 2020 ou 2050. La climatologie vit en état d'incertitude. Notre scénario présentant un seul futur pourrait donner une fâcheuse impression de certitude, faire croire que tout est déjà joué et que le réchauffement est inévitable. Il n'en est rien comme le soulignent MM. Villevieille et Soulage.

« Il est vrai, dit ce dernier, que de telles variations climatiques posent des problèmes et que ces problèmes doivent être étudiés. Mais, avec ce que nous commençons à savoir, et qui reste encore très peu de choses, on ne peut pas prévoir ce qui va se passer. L'atmosphère est une machine si complexe que, dans l'hypothèse même où ce réchauffement serait réel et entraînerait un début de fonte glaciaire, il se pourrait encore que des mécanismes régulateurs interviennent pour atténuer ces phénomènes et limiter tout à la fois le réchauffement et la fonte des glaces. Il y a donc un problème qui doit être étudié, mais ce n'est pas pour autant que l'humanité doit s'alarmer et croire que le déluge arrivera certainement en 2030. »

Adelin Villevieille insiste également sur les incertitudes des extrapolations : « L'extrapolation des tendances actuelles, en ce qui concerne le gaz carbonique, comporte un certain risque car on extrapole certains facteurs et pas d'autres qu'on connaît mal ou qu'on oublie. Il faudrait tout d'abord avoir un réseau de mesures beaucoup plus dense pour mieux évaluer la situation. D'autre part, il faudrait mieux évaluer l'effet d'éponge joué par les océans. N'oublions pas que la masse océanique contient d'ores et déjà 60 fois plus de gaz carbonique que l'atmosphère. L'effet de rétention est donc très important. Mais la pollution de surface pourrait réduire considérablement ce pouvoir de fixation. Au total, le bilan de l'océan et de la biosphère est très mal connu, tant en ce qui concerne le stock de carbone fixé, que les flux de carbone entre ces réservoirs et le réservoir atmosphérique. Bref, les extrapolations deviennent très aventureuses à ce stade d'incertitude. » Incertitude, c'est donc le mot qui revient le plus souvent dans la bouche des experts. Y aura-t-il ou non réchauffement ? Ils ne savent pas. Les conséquences en seront-elles catastrophiques ? Ils ne peuvent répondre. Etant donné l'étendue du désastre qui se produirait si les plus sombres prévisions se réalisaient, cette incertitude n'est pas rassurante. Sans céder au catastrophisme à la mode, on doit rester vigilant.

COMMENTAIRE
GENERAL

Il est banal de constater que les conditions climatiques ont joué un rôle capital dans l'histoire humaine. La civilisation technicienne s'est développée dans des régions tempérées et non dans les zones désertiques ou glaciaires, ce n'est pas le fait du hasard. Un climat favorable est une ressource naturelle des plus importantes. A la différence d'un gisement que l'on découvre, il existe depuis toujours dans la mémoire ; c'est pourquoi il paraît aller de soi. L'histoire montre qu'il n'en est rien. Sur une longue période, des changements se sont produits. Hérodote ne décrit-il pas l'Afrique du Nord comme le grenier à blé du monde ? La société industrielle serait très vulnérable à de telles évolutions que, pourtant, elle risque de précipiter.

On sait, par exemple, que les derniers hivers ont été particulièrement doux en Occident. Toute la conjoncture pétrolière et monétaire internationale en a été influencée. Les pays occidentaux ont acheté moins de pétrole, les pays producteurs ont reçu moins de dollars, le déficit des pays importateurs a été moins important, etc. Si, à l'inverse, nous connaissions de grands froids au cours des quatre années à venir, les conséquences seraient tout aussi importantes, mais en sens contraire. La tension qui s'est créée sur le marché pétrolier depuis 1979 s'en trouverait aggravée, les prix monteraient, etc. En France, la production d'électricité est incapable de faire face à une vague prolongée de grand froid. L'accroissement de la demande qui en résulterait dépasserait les capacités du réseau et rendrait inévitable les coupures.

Songeons encore aux conséquences d'une grande sécheresse sur l'U.R.S.S., la Chine ou l'Inde ; le déficit des récoltes céréalières provoquerait des tensions internationales avec domination américaine, flambée des cours, etc. Bref, les difficultés économiques nous rappellent que le progrès technique n'a pas libéré l'homme des servitudes et des caprices climatologiques. C'est une vérité généralement oubliée. On tient peu compte des rigueurs du climat en U.R.S.S. lorsqu'on parle des difficultés économiques de ce pays. Par comparaison, la France jouit de conditions exceptionnellement favorables à la croissance, c'est une « ressource » précieuse, mais

que l'on passe volontiers sous silence. A l'extrême opposé
se trouvent des régions comme le Sahel, toujours en limite
de survie, en raison d'un climat particulièrement hostile. Bref,
depuis que nous devons faire nos comptes, nous découvrons
l'importance du climat dans le devenir des nations.

Cela posé, la période historique n'a pas connu les immenses changements climatiques dont on retrouve trace dans le
passé de la Terre. « Depuis 2 000 ans, précise Emmanuel
Leroy-Ladurie, il y a eu de légères fluctuations thermiques,
des variations dans les précipitations, on a observé des
avancées et des retraits des glaciers, mais, au total, le climat
est resté fondamentalement constant, tout au long de la
période historique. Si donc, il se produisait les changements
climatiques envisagés, ce serait une situation entièrement
nouvelle, non pour la Terre, qui a connu encore des variations très importantes il y a 10 000 ans à la fin de la
dernière période glaciaire, mais pour l'humanité qui n'a jamais
rien connu de tel depuis lors. »

Nul précédent historique ne peut guider la prospective
en une telle matière. La situation serait entièrement neuve,
mais doit-on s'alarmer d'une telle perspective ? Le professeur
René-Guy Soulage nous met en garde contre le catastrophisme : « Je pense, dit-il, que votre deuxième scénario est
un peu alarmiste. S'il est vrai que nous devons étudier les
conséquences climatiques éventuelles des activités humaines,
s'il est également vrai que nous pouvons avoir une première
idée de ce qu'elles pourraient être, il n'en reste pas moins
que nous ne pouvons rien prévoir à une telle échelle de
temps et d'espace. »

Il existe effectivement un deuxième scénario, virtuel en
quelque sorte, celui d'un climat qui resterait inchangé. Mais
on peut se dispenser d'une prospective qui ne fait que continuer le présent. En revanche, il est indispensable d'envisager
le pire dès lors qu'il n'est pas exclu.

Dans le cas précis de la lutte contre le gaz carbonique,
l'humanité risque d'être désarmée par l'origine même de la
pollution. La comparaison avec les dangers du fréon illustre
cette particularité. Les écologistes craignent que ce gaz,
employé dans les bombes aérosols, ne finisse par attaquer
la couche d'ozone atmosphérique qui protège l'humanité des
radiations ultraviolettes du soleil.

Les aérosols et pulvérisateurs n'étant jamais qu'une commodité secondaire, il est facile d'en arrêter l'utilisation et de stopper ainsi les émissions de fréon. C'est ce que viennent de décider la Suède et les Etats-Unis. Voilà un péril que nous pouvons conjurer sans perturber gravement nos sociétés. Il en va tout autrement du gaz carbonique. Son émission est totalement liée à l'énergie fossile. Or charbon, gaz et pétrole constitueront encore nos principales sources d'énergie en 2030. Le nucléaire et le solaire, qui ne dégagent pas de CO_2, n'auront pas éliminé ces énergies. Diminuer les émissions de gaz carbonique signifierait donc réduire les combustions de toute nature, c'est-à-dire toucher nos sociétés au niveau le plus fondamental : celui des systèmes énergétiques. Voilà qui ne pourrait se faire aisément.

« Si ce que vous présentez dans ce scénario — et qui, heureusement, n'est pas du tout certain aux dires des experts — se réalisait, je serais assez pessimiste, reconnaît Emmanuel Leroy-Ladurie. Quand je vois le malheureux président Carter incapable d'imposer aux *lobbies* et à l'opinion publique américaine un modeste programme d'économie, je ne peux imaginer que la communauté mondiale, présidée ou non par les Etats-Unis, puisse se montrer beaucoup plus raisonnable dans une cinquantaine d'années. Il faudrait qu'elle ait véritablement beaucoup changé. »

On dit couramment que la pollution n'a pas de frontières. C'est particulièrement évident en ce qui concerne les perturbations globales du climat. L'on sait aussi que l'impuissance commence sitôt que l'on franchit une frontière. Le « mauvais scénario » du gaz carbonique se présenterait comme un défi absolu à l'humanité puisqu'il réunirait tout à la fois le risque majeur et la planétarisation totale. Si quelque chose de cet ordre doit se produire, espérons, à tout le moins, que les experts pourront donner l'alarme suffisamment à l'avance pour que la mécanique si lourde des nations ait le temps de se mettre en marche.

A côté de ces perturbations involontaires du climat, on peut en imaginer d'autres qui seraient, cette fois, volontaires. L'homme modifiant le climat à volonté, c'est un vieux rêve de science-fiction. Pas tout à fait irréaliste puisque « l'arme météorologique » fut, à plusieurs reprises, brandie ; pas tout à fait réaliste non plus puisque les deux grands y ont renoncé... prouvant par là qu'ils étaient incapables de la maîtriser. Que peut-on espérer dans les années à venir ?

« S'il s'agit de modifier le temps à faible échelle de temps et d'espace, alors je pense qu'il s'agit de perspectives raisonnables, estime René-Guy Soulage. L'homme sait déjà faire de petites choses : faire disparaître le brouillard sur les aérodromes dès l'instant où la température est négative, par exemple, ou encore augmenter les précipitations des nuages orographiques, c'est-à-dire de ceux qui se forment par ascendance de l'air contre les chaînes de montagne. En revanche, pour modifier le climat à l'échelle de la planète ou sur des durées beaucoup plus longues, on peut toujours imaginer des choses, mais on ne sait rien réaliser. Dès lors que vous augmentez l'échelle, vous accroissez tout à la fois la complexité des phénomènes en cause et l'importance des énergies en jeu. On arrive rapidement à des contraintes telles, qu'une intervention de l'homme sur les variations climatiques ne me paraît pas envisageable. »

Restent enfin les conséquences d'une prévision améliorée. Nous en avons évoqué certaines qui modifieraient considérablement le jeu économique et social.

Pourtant Emmanuel Leroy-Ladurie envisage sans trop d'inquiétudes de tels changements. « Au début, il y aurait certainement un petit vent de panique comme celui que vous avez évoqué, puis on s'habituerait à mieux planifier les choses. Les agriculteurs qui, aujourd'hui, attendent les récoltes pour faire leurs comptes, sauraient à l'avance s'ils doivent compter sur une bonne ou une mauvaise récolte de blé. S'ils le savaient à temps, ils adapteraient leurs cultures aux conditions climatiques de l'année, sinon, il se mettrait en place un système d'assurance et de compensation. En définitive, les revenus des agriculteurs ne devraient plus connaître ces à-coups qu'on a enregistrés dans le passé. Ce serait un progrès. »

D'un autre côté, le soleil, devenant plus certain, se fera également plus rare, donc plus cher. C'est une sorte de rationnement du beau temps qui se mettrait en place. « Le rationnement n'est pas une chose scandaleuse en soi », fait remarquer Emmanuel Leroy-Ladurie. Mais il faut également prévoir d'importants détournements de migrations vers des régions qui, cette année-là, resteront ensoleillées. Non, cela ne me paraît pas inquiétant. »

Nos scénarios ne sont ni prédictifs, ni catastrophistes. Ils visent à imaginer des possibilités ou des probabilités. De ce point de vue, il est aussi intéressant d'envisager une évolution qui apporte peu de changements, mais qui est hautement probable, qu'une autre fort improbable, mais génératrice de bouleversements. C'est ainsi que doivent se lire ces deux histoires. L'amélioration de la prévision ne bouleversera pas la vie des hommes, mais elle est hautement probable, il faut donc s'y préparer. Le réchauffement, lui, est encore très incertain, mais les conséquences en seraient telles que l'on ne risque rien de s'en préoccuper dès à présent... trop heureux si nous avons pris tout ce soin sans aucune nécessité.

5. PARIS

Invités : PHILIPPE BARRET, chargé de mission à la délégation à l'Aménagement du territoire et à l'Action régionale.

BERNARD HIRSCH, directeur régional de l'Equipement (région parisienne).

Comme toute création humaine, les villes naissent, évoluent, vivent et, éventuellement, meurent. Contrairement à ce que dit la chanson, il n'est pas évident que « Paris sera toujours Paris ». Il est même certain que la capitale changera dans les vingt années à venir. Mais, dans quel sens, c'est toute la question. Car on peut imaginer des destins fort différents pour une telle métropole. C'est ce que nous avons fait en prenant deux tendances extrêmes et contradictoires.

On peut tout d'abord imaginer un développement rapide tant sur le plan économique que démographique. La ville devient de plus en plus grosse, de plus en plus puissante, c'est le centre moteur de la France. Première perspective, c'est celle de notre scénario : « LE GRAND PARIS. »

Mais, à l'inverse, Paris peut freiner son développement économico-démographique pour favoriser son rayonnement international tant sur le plan artistique que politique ou financier. Cette évolution, visant à privilégier l'extérieur sur l'intérieur, la qualité sur la puissance et la beauté sur l'efficacité, c'est celle qui est retenue dans le deuxième scénario : « LE BEAU PARIS. »

Intervenants : JACQUES CHIRAC, maire de Paris.

SAMUEL PISAR, avocat international.

LE GRAND PARIS

« Contrôle des cartes s'il vous plaît. » La voix manquait manifestement d'autorité, voire de conviction. Les passagers qui s'entassaient dans l'aérotrain Rouen-Paris tournèrent très ostensiblement le dos au contrôleur et lui barrèrent le chemin en échangeant des regards complices.

A deux reprises, l'homme à la casquette s'efforça d'effectuer ses contrôles. Sans plus de succès. Il restait dans son coin, écrasé par la cohue comme le ballon sous une mêlée de rugby, ne parvenant ni à se faire entendre, ni à se déplacer. De guerre lasse et sans insister davantage, il haussa les épaules et se mit à regarder le paysage qui défilait à 150 kilomètres à l'heure.

Des scènes semblables se déroulaient dans les trains, les métros, les autobus ainsi qu'aux nouveaux postes de péage qui avaient été établis à l'entrée des autoroutes parisiennes. Partout les usagers, poussés par les syndicats et diverses associations, refusaient avec calme et détermination de payer. La semaine précédente, lorsque le mouvement s'était déclenché, les autorités avaient bien tenté la fermeté. Il en était résulté quelques échauffourées aux termes desquelles les préposés avaient battu en retraite. On était maintenant installé dans cette « drôle de guerre », cette résistance passive, dans laquelle chacun attendait de l'autre qu'il cède.

La réaction des Parisiens était prévisible et le maire du Grand Paris avait même alerté ses collègues du gouvernement. Car Paris était en ébullition depuis qu'avait été publié le « Bilan du Grand Paris ». Ce rapport, établi à la demande du Premier ministre, avait été publié à l'automne 98. Il devait faire le point sur cette agglomération gigantesque qui regroupait 14 millions de personnes et s'étendait pratiquement d'un seul tenant de Provins à Rouen. Les auteurs de l'étude mettaient en évidence l'importance décisive de la capitale dans l'économie française. Mais chacun interprétait ce fait à sa façon. Les Parisiens retenaient qu'ils créaient pratiquement la moitié de la richesse nationale. Les provinciaux que Paris accaparait, contrôlait et, d'une certaine façon, détournait cette richesse.

Mais ce brillant résultat économique était éclipsé par les éléments négatifs, les atteintes à l'environnement, le déclin culturel, la perte de prestige, la montée de la violence, la dégradation des conditions de vie et, surtout, les transports : le cauchemar de la capitale. Les auteurs du rapport notaient que le travailleur parisien parcourait chaque semaine en moyenne 35 kilomètres de plus qu'en 1975. De ce fait, la R.A.T.P., dont les points extrêmes du réseau étaient désormais distants de 190 kilomètres, accumulait chaque année un déficit de 28 milliards. Quintuplé en vingt ans. Pourtant l'Etat avait effectué des dépenses d'infrastructure considérables avec le deuxième étage du périphérique, le développement complet du R.E.R., le doublement des quatre autoroutes principales, les nouveaux aérotrains rapides pour la grande banlieue, etc. Au total, les experts avaient chiffré ces dépenses à 70 milliards, soit dix fois les dépenses du train à grande vitesse Paris-Lyon. Or ces équipements, loin de suffire, devaient maintenant être complétés, notamment par le périphérique extérieur qui tournerait dans la banlieue parisienne par Corbeil, Rambouillet, Versailles, Pontoise et Meaux. Un projet de 258 milliards que le pays devrait financer à 75 %. Les auteurs du rapport avaient encore constaté que le Parisien consommait en moyenne deux fois plus d'essence que le Provincial et « qu'il contribuait ainsi pour une large part à entretenir le déficit commercial. »

Les élus de la région établirent un contre-rapport intitulé « Grandeur et servitudes de Paris » rappelant tout ce que la capitale apportait au pays et tout ce qu'il lui en coûtait. N'était-ce pas l'essor économique parisien qui avait été la locomotive de la croissance française ? N'était-ce pas Paris qui contrôlait indirectement le quart des emplois créés en province ? Et les Parisiens ne payaient-ils pas durement ces services rendus à la patrie ? La vie dans l'agglomération était de plus en plus difficile, de plus en plus chère, les travailleurs s'épuisaient dans les transports, les bureaux, les usines, les voies de communication avaient envahi le paysage, étouffé les hommes, détruit le cadre de vie. Tel était le prix fort payé par Paris pour que la province connaisse la qualité de la vie et la prospérité.

Mais ce plaidoyer *pro domo* et les multiples protestations n'avaient pas ébranlé la détermination du Premier ministre, Louis Leguet, un Lorrain têtu, bien décidé à remettre de l'ordre dans le Grand Paris. Il estimait que la nation ne devait pas subventionner indéfiniment cette mégalopolis dont le développement excessif nuisait à celui de la province. Il avait donc décidé de diminuer les subventions de l'Etat à la capitale. Pour combler ce trou budgétaire, la municipalité avait dû faire « payer les Parisiens » en créant les péages urbains et en augmentant de 70 % les tarifs des transports publics. Encore ne s'agissait-il là que des premières hausses. Le refus de paiement commença aussitôt. Le 22 avril, commerçants et syndicats organisaient une journée « Paris ville morte ».

Le maire du Grand Paris, Pierre Billaud, membre de droit du gouvernement depuis 1992, menaça de démissionner avec tout le conseil municipal. Il provoquerait ainsi des élections. C'était l'épreuve de force. Le 28 avril s'ouvrait au Parlement un débat passionné autant que confus. Les partis, déchirés entre leurs élus parisiens et leurs élus provinciaux, ne parvenaient pas à se prononcer, et les députés réagissaient davantage en fonction de leurs circonscriptions électorales que de leurs formations politiques. En définitive fut votée une motion invitant le gouvernement à tenir compte des intérêts des Parisiens et des provinciaux. Un débat pour rien.

Les Parisiens, eux, avaient le sentiment d'être floués. Depuis vingt ans, l'impératif économique avait présidé au développement de leur ville. Les zones industrielles s'étaient développées partout, finissant par joindre les villes en un tissu urbain continu. C'est alors, en 92, qu'on avait créé le Grand Paris, qui couvrait un ensemble de 10 millions d'habitants. Les anciennes banlieues et les villes périphériques n'étaient plus, en fait, que des arrondissements sous la houlette de la municipalité centrale.

La ségrégation s'était encore accentuée avec la spécialisation géographique. Le centre parisien était occupé par les bâtiments et les tours de bureaux, traversé par les boulevards à circulation rapide. Le nord, l'est, le sud-est ainsi que la vallée de Seine étaient les grandes zones économiques : bureaux, industries légères et grosses usines à la périphérie. L'essentiel de la population vivait dans ces régions, mais la bourgeoisie aisée résidait dans la banlieue ouest où l'on trouvait encore des cadres agréables. La vie parisienne était loin d'être attirante, et les artistes et créateurs avaient progressivement déserté la capitale. Mais les travailleurs y venaient toujours plus nombreux, car les possibilités d'emplois y étaient plus grandes qu'en province.

Bref, les Parisiens ne comprenaient pas qu'on leur reproche d'avoir à se déplacer, alors qu'ils y étaient obligés, ou qu'on les fasse passer pour des assistés alors que leur ville était un des quatre pôles économiques mondiaux.

Sous la pression de l'intergroupe des élus parisiens, le gouvernement décida de rétablir la moitié de la subvention à la R.A.T.P., ce qui permettait de limiter à 30 % la hausse des tarifs. En revanche, il maintenait son refus de financer la croissance de l'agglomération, notamment avec le périphérique extérieur. Pour l'avenir, il était prévu que l'on donnerait la priorité au développement de la province. De cela, les Parisiens pouvaient s'accommoder... on le leur disait depuis cinquante ans.

De cette histoire, retenons l'image de la ville champignon, au dynamisme économique irrésistible, à l'activité proliférante, à l'urbanisme démesuré. Bref une croissance à l'américaine, voire de type latino-américain. C'est Paris-São Paulo, Paris-Chicago, Paris-Osaka, Paris-Los Angeles. Il ne s'agit pas d'un destin imaginaire, mais de la conformation à un certain « modèle » de développement urbain que l'on rencontre dans le monde. Qui plus est, ce devenir parisien n'est pas tellement différent des projets qui germèrent dans les années 60. Heureusement, on a pu voir se dessiner une certaine réaction et l'on peut dire que ce futur caricatural est déjà dépassé. Au niveau des conceptions tout au moins. C'est ce qu'explique Philippe Barret : « L'avenir de Paris décrit dans ce scénario correspond à une certaine philosophie du développement national dans laquelle la région parisienne, sorte de locomotive, devient une « Ruhr française » se prolongeant dans la vallée de basse Seine, et appelée à rester la plus grande et la principale région industrielle française. Naturellement, c'est une région à forte croissance. Croissance démographique tout d'abord. On a évoqué le chiffre de 14 millions d'habitants en l'an 2000. Cela semble aujourd'hui excessif. Au beau milieu des années 60, c'était une prévision tout à fait raisonnable, tout à fait officielle. Croissance économique, avec une énorme concentration d'activités industrielles, de services, de bureaux, etc. Concentration encore des pouvoirs politique, administratif et économique car, dans cette hypothèse, c'est à Paris que se trouvent les sièges sociaux de toutes les grandes entreprises. C'est une certaine façon de concevoir la ville fonctionnelle, d'assimiler la Grande Ville à la Grosse Ville.

« Mais cela ne va pas sans inconvénients sur le plan de la gestion, de la vie quotidienne, de la circulation, des services municipaux, de l'urbanisation... En outre, ce développement forcené se traduirait par un appauvrissement culturel et artistique, sinon intellectuel, de la région parisienne. »

Voilà donc comment ce triomphe par le gigantisme entraîne une double contestation évoquée dans le scénario : celle des

Parisiens dont la qualité de vie se dégrade, celle des provinciaux qui estiment que cette mégalopolis leur revient trop cher. Toutefois ne convient-il pas de nuancer le tableau ? C'est ce que pense Bernard Hirsch.

« Je crois d'abord que ce scénario apocalyptique ne correspond pas à l'hypothèse de 14 millions d'habitants, mais plutôt à celle de 20 millions. C'est ce qu'on prévoit pour une ville comme São Paulo qui a actuellement 10 millions d'habitants, comme la région parisienne, et qui en aurait 20 millions à la fin du siècle. Et là, effectivement, c'est une agglomération qui s'étend sur 190 kilomètres. En fait, il y a eu une étude, un schéma directeur de Paris : 14 millions d'habitants, qui est beaucoup moins dramatique que ce qui est exposé ici, puisque l'agglomération ne dépasserait que de 10 % sa superficie actuelle. Cela dit, je crois que les deux problèmes qui sont évoqués dans ce scénario : celui des transports, du refus de payer les transports, et celui du conflit Paris-province, sont des problèmes d'actualité et non de l'an 2000. On a vu, non seulement d'ailleurs dans les grandes métropoles, mais d'abord dans des villes de province, des usagers faire la grève des transports, du paiement des transports. Il n'est pas exclu, étant donné qu'il faudrait doubler le prix du métro pour supprimer son déficit, qu'un jour les Parisiens refusent de payer. »

Reste, sous-jacent tout au long du scénario, le conflit Paris-province. Comment s'expliquer qu'une ville créatrice de tant de richesses économiques ne puisse subvenir à ses besoins et doive être subventionnée par le pays ? C'est pourtant une situation dont on possède un certain nombre d'exemples. Bernard Hirsch veut y voir un faux problème : « Cette rivalité s'apparente au conflit de la fable qui raconte le conflit entre les membres et l'estomac. Ce n'est pas d'aujourd'hui que le problème est posé. Si les provinciaux ne sont pas disposés à payer le déficit des transports parisiens, ou celui de l'Opéra, de même les Parisiens protestent-ils quand ils doivent payer pour l'arrachage des vignes du Midi, ou pour venir en aide à la sidérurgie. En vérité, il est impossible de faire les comptes. Si on tentait de les faire, on constaterait sans doute que la valeur ajoutée de la région parisienne, proportionnellement à sa population, donc sa contribution à la richesse nationale, est supérieure à celle du reste de la France. Mais cela ne prouverait pas grand-chose. »

Un Paris, machine économique faite pour s'enrichir plus que pour vivre, pour produire plus que pour habiter, pour circuler plus que pour flâner, c'est une possibilité pour l'an 2000, heureusement, ce n'est pas la seule.

LE BEAU PARIS

Extraits du journal de Jack Kitburn romancier et diplomate américain en poste à Paris. Année 1998. *Jeudi 28 avril.*

Ce matin je suis allé au ministère de l'Economie. Curieusement, je suis arrivé avec un quart d'heure d'avance. J'écris « curieusement », car j'ai observé à cette occasion que, depuis fort longtemps, je n'arrive plus à mes rendez-vous en avance. Ni en retard d'ailleurs. Depuis que la disparition des voitures particulières a entraîné celle des embarras de la circulation, je suis simplement à l'heure. Comme tous les Parisiens d'ailleurs. C'est un changement considérable, mais que l'on ne remarque pas.

J'ai profité de ces minutes de liberté pour me promener en flânant dans la Défense. C'est une expérience intéressante. Les Parisiens n'aiment plus trop ce quartier dont ils étaient si fiers il y a une vingtaine d'années. Ils ont tort, je crois.

L'installation des principaux ministères dans les tours de la Défense souleva une tempête de protestations au début des années 90. Réaction typiquement française. Ici, le cadre fait la fonction et les hauts fonctionnaires considéraient que l'Etat, héritier d'une longue tradition, devait être enchâssé dans les palais ministériels. Les « buildings » étaient bons pour les puissances de l'argent, mais ne convenaient pas à la puissance publique.

En définitive, les administrations se sont fort bien accommodées de cet « exil ».

Autant je partage la répulsion des Parisiens pour les tours qui défigurent la cité historique, autant je m'étonne de leur hargne contre la Défense. L'architecture en est belle, et l'affirmation de cette personnalité moderne fait encore mieux ressortir le charme du Paris traditionnel. Sans la Défense, Paris risquerait de devenir une ville-musée. Les Parisiens ont, si j'ose dire, une réaction de défense. Ils ont été si près de sacrifier leur cité à ce prétendu monde moderne, qu'ils semblent voir dans la Défense l'armée des tours massée à la frontière et prête à envahir la ville.

Claude Velucci, le directeur des Investissements étrangers, fait partie de ces hauts fonctionnaires qui ont transformé Paris en une grande place financière. Il y a quinze ans, cette ambition faisait sourire. L'expérience a prouvé qu'elle n'était pas démesurée.

Jim Benton, mon collègue de l'ambassade, qui suit les questions financières, me disait récemment qu'à son avis la place de Paris peut désormais rivaliser avec la City de Londres pour l'efficacité de ses réseaux et la compétence de ses banquiers. Cédant au fameux complexe de supériorité anglo-saxon, Benton n'a pu s'empêcher d'ajouter : « Il est vrai que la plupart des jeunes banquiers français sont de formation anglo-saxonne ! »

Claude Velucci souhaite que les sociétés étrangères, et notamment américaines, installées à Paris, créent davantage d'emplois en région parisienne. Eternelle contradiction ! Depuis vingt ans, les Français luttent contre l'engorgement de la capitale et développent l'activité économique en province. Ils ont parfaitement réussi puisque l'agglomération a perdu près de 100 000 habitants par an. Mais cette saignée, qui a évité l'apoplexie, risque de créer l'anémie. Paris, progressivement libéré de ses administrations pléthoriques, de ses activités industrielles proliférantes, attire bien les sièges sociaux des grandes sociétés multinationales, mais cela ne crée plus suffisamment d'emplois. Les jeunes partent, à regret, travailler au loin. Il faut maintenant ren-

verser la vapeur, faute de quoi le renouveau culturel
lui-même risquerait de s'essouffler. Des laboratoires
de recherche pourraient s'installer avec profit dans la
banlieue sud autour de Saclay ou d'Orsay. Des usines
d'électronique ou des industries propres également.
Nous sommes convenus de nous revoir.

Pendant cet entretien, je me suis pris à réagir en
Parisien plutôt qu'en Américain. Quel obscur sentiment
pousse tout homme civilisé à s'approprier les grandes
cités historiques : Rome, Venise, Genève, Paris ? Il
paraît que certains Européens éprouvent maintenant
ce sentiment pour des villes américaines : New York,
Boston ou San Francisco notamment. Je m'en réjouis.

Père m'a enfin donné son accord pour venir passer
une semaine à Paris. Il n'aime pas cette ville, mais je
pense qu'il nourrit cette répulsion avec des souvenirs
anciens.

Samedi 12 mai.

Réunion au Centre de coopération technologique, rue
de Grenelle. On a parlé toute la journée des télécommunications spatiales au service de l'Afrique. Cette
babelisation africaine entre tant de langues, d'ethnies
ou d'Etats fait de Paris une plaque tournante de ce
continent, mais elle complique singulièrement l'utilisation des satellites pour l'alphabétisation et l'éducation.
J'ai été surpris de voir comme ce décor si typiquement
français plaît aux étrangers, notamment aux Africains.
Cet hôtel, aujourd'hui Centre de coopération avec le
Tiers Monde, est, je crois, l'ancien ministère de l'Industrie. A moins que ce ne soit celui du Travail. Il
n'importe. Il charme les étrangers parce que, précisément, il est totalement français. Le style moderne est
de nature cosmopolite. Les pays européens ignorent
leur bonheur de pouvoir offrir l'hospitalité dans leur
histoire même et non pas dans ces buildings modernes
vides de toute mémoire et de toute présence.

Il fait une chaleur surprenante en ce printemps. Les
berges de la Seine sont envahies par les Parisiens qui
se dorent au soleil. De nombreux baigneurs nageaient
dans le fleuve lorsque j'ai traversé le pont de la
Concorde à deux heures de l'après-midi.

Mardi 15 mai.

Outre tous les avantages particuliers que je trouve à sa fréquentation, Nathalie m'est infiniment précieuse pour explorer le monde foisonnant de la création artistique parisienne. Je ne sais comment elle fait pour toujours savoir ce qu'il faut voir ou connaître. J'avoue, pour moi, que je me sens perdu entre tant d'expositions, de spectacles, de livres et de manifestations aussi diverses qu'originales. Elle sait toujours « où ça se passe » selon son expression. Il est vrai que son travail constitue un excellent poste d'observation. Que saurions-nous si les journalistes n'étaient pas informés !

Hier donc elle m'a fait découvrir Baga Joutera, un jeune peintre africain. Une curieuse peinture envoûtante, pleine de profondeur, que l'on découvre bien après avoir quitté le tableau. Le critique du *New York Herald* que nous avons rencontré estime que c'est une des étoiles montantes de la peinture. Plusieurs directeurs de galeries américains étaient venus au vernissage.

Le soir nous sommes enfin allés voir « Quand c'est fini », l'événement théâtral de la saison. Milton Musding ne me paraît pas encore maître de son art. A la fin du deuxième acte notamment, l'enchantement se dissipe et ses personnages semblent revenir dans notre monde. C'est dommage. Mais il possède cette puissance souveraine qui crée des univers différents. Cet homme de vingt-huit ans porte en lui des chefs-d'œuvre à naître. Les Anglais lui reprochent beaucoup de s'être installé à Paris. Je le comprends sans peine. Ne serait-ce que pour bénéficier de Carlo Berecci comme metteur en scène.

La Conférence mondiale sur l'Intelligence artificielle s'ouvre demain au Palais des Congrès. Je m'y suis fait inscrire, mais père m'a annoncé son arrivée pour jeudi. Je ne pourrai suivre ses travaux, c'est dommage. En revanche, il faudra que je prenne le temps d'assister à l'inauguration du Centre océanique mondial qui s'installe à l'hôtel Matignon.

Vendredi 18 mai.

Je crois que mon père s'est définitivement réconcilié avec Paris. Contrairement à ce que je pensais, il a été moins surpris par la disparition des embouteillages, la propreté de la ville, la multiplication des espaces verts que par les Parisiens eux-mêmes. Il faut dire qu'il en gardait un souvenir horrible. « Ces gens, m'avait-il dit, traitent toujours les étrangers en importuns. » Au cours des promenades qu'il a effectuées seul — car mes occupations m'ont beaucoup absorbé durant ces derniers jours — il a été frappé par la gentillesse, l'amabilité des gens. Il a bien ajouté avec une pointe de malice : « Il est vrai que beaucoup sont des étrangers. » Toutefois il a reconnu loyalement que la plupart des Parisiens qu'il a rencontrés parlaient l'anglais, ce qui lui a bien facilité les choses.

Il est vrai que l'hospitalité franchit difficilement la barrière du langage. De ce point de vue, les campagnes menées pour que les agents de police, les chauffeurs de taxi et les commerçants parlent une seconde langue, ont beaucoup fait pour faciliter l'accueil des étrangers.

Bref, père m'a avoué ce soir qu'il aimerait prolonger son séjour à Paris. Je crois que, lui aussi, est en train de tomber amoureux du Beau Paris.

C'est un Paris fort différent qui est dessiné à travers les notations de ce « journal intime ». La vie a été rendue plus agréable par une limitation très stricte du véhicule individuel. La densité d'activité et de population a diminué. La ville est plus propre, plus verte, plus paisible. C'en est fini du modernisme agressif et désordonné qui défigure les centres historiques. C'est surtout une ville ouverte sur le monde. Les hôtels ministériels sont des lieux d'accueil internationaux — combien attractifs ! —, les Parisiens se font accueillants, hospitaliers. Paris est une place financière, juridique, scientifique, politique, et, surtout, culturelle. C'est là que s'expriment les artistes et créateurs du monde entier. Les peintres étrangers y exposent et les marchands américains viennent voir. Les auteurs britanniques s'y font jouer et sont mis en scène par des Italiens. Car l'art n'a pas de patrie et subit l'attirance des lieux où « il se passe quelque chose ».

Cette image de Paris nous semble irréalisable, voire utopique, pourtant, remarque Philippe Barret, ce n'est qu'un retour à la tradition. La vocation de Paris n'est-elle pas plus proche de Venise que d'Osaka ?

« C'est Paris cosmopolite. Le Paris du XVIIIe siècle, ou, beaucoup plus près de nous, le Paris de l'entre-deux-guerres, ouvert aux étrangers. Et cette image correspond assez bien au rêve qu'en ont, à l'heure actuelle, les visiteurs de province ou de l'étranger, dit-il. Elle a deux caractéristiques. D'abord, c'est une ville accueillante, psychologiquement, moralement. Les gens s'y sentent bienvenus. Elle est aussi accueillante matériellement. C'est-à-dire qu'on peut y circuler. On a pour cela réduit considérablement la circulation des automobiles privées. On peut y téléphoner, on peut s'y réunir, on peut y tenir à la fois une conférence internationale de caractère scientifique et, en même temps, une conférence de très haut niveau à caractère politique sans la moindre gêne. On peut s'y loger. Il y a un réseau d'hôtellerie suffisamment abondant et suffisamment divers pour répondre à la demande. Bref, c'est une ville de rencontres. La deuxième caractéristique, c'est que Paris aurait réussi, dans ce scénario, à concilier à la fois les traditions, la préservation de son patrimoine architectural, sa qualité de vie, la vie des quartiers, l'animation sociale, la diversité sociale dans la ville, et, en même temps, aurait su acquérir le confort, les aménités, et même les audaces de la vie moderne.

Le danger serait évidemment de faire une " ville-musée ", brillante sur le plan artistique, mais en pleine récession sur le plan de l'activité économique, bref une ville vivant sur son passé. Pour Philippe Barret il n'est pas obligé qu'il en aille ainsi, bien au contraire :

« Il ne faudrait pas, pour autant, croire qu'il s'agit là d'un scénario passéiste. L'exemple du Centre Pompidou à Beaubourg montre assez bien qu'on peut à la fois donner libre cours à l'innovation architecturale d'avant-garde, et en même temps contribuer à la promotion d'une des fonctions tout à fait traditionnelles de Paris : la fonction culturelle. Finalement, ce scénario est celui d'une ville ouverte, d'une ville carrefour, où l'on a réagi contre l'encombrement. On a déconcentré Paris et sa région. C'est un schéma de la croissance parisienne tout à fait opposé à celui du premier scénario. »

Responsable de l'Équipement, confronté quotidiennement avec les soucis et les désirs des Parisiens, Bernard Hirsch est plus réservé sur ce scénario dont, reconnaît-il, « je suis sûr qu'il a séduit tous les lecteurs ». Remarquant tout d'abord que le chiffre de 10 millions d'habitants correspond davantage aux tendances actuelles que celui de 14 millions évoqué dans la précédente histoire, il s'inquiète des contradictions souterraines de ce scénario. « Vous parlez, note-t-il, de Paris-Venise. Et il est vrai que Venise est la ville idéale pour les étrangers. Mais, regardez bien ; la population vieillit, s'appauvrit, le patrimoine immobilier se dégrade. Ainsi cette ouverture sur le monde s'accompagne d'une perte d'activité économique, d'un vieillissement de la population et, paradoxalement, d'un certain repli sur soi. »

Deuxième point relevé par Bernard Hirsch : la disparition des embouteillages. « Votre Paris est séduisant parce que c'est une ville sans voitures, ou, du moins, sans trop de voitures. Chacun est contre les voitures, celles des autres. Mais y a-t-il un Parisien qui soit prêt à abandonner son automobile ? Pourtant, c'est vrai, le Paris intra-muros serait particulièrement bien adapté à la suppression des voitures, car il existe un réseau de bus et de métro sans comparaison avec les autres métropoles.

Troisième point relevé par Bernard Hirsch : la déconcentration. « Dans votre scénario, tous les ministères sont transplantés dans les tours de la Défense. C'est un projet, effectivement, mais aucun des fonctionnaires ne veut quitter ses bureaux actuels. Je rappelle que le ministère de l'Education nationale devait aussi aller à la Défense et qu'aucun des fonctionnaires du ministère n'a voulu quitter le vieil hôtel de la rue de Grenelle. » Cette résistance des hommes est effectivement évoquée dans le scénario, on voit qu'elle n'était pas exagérée. Nous avons supposé qu'elle serait surmontée dans une dizaine d'années. Espérons que ce délai n'est pas trop court pour vaincre l'inertie des administrations.

Ainsi ce Paris, un peu de rêve il faut bien le dire, n'est nullement donné. Si les Parisiens veulent le réaliser ou, simplement, s'en approcher, il leur faudra faire des efforts considérables, accepter des disciplines nouvelles. Ce n'est certainement pas en se contentant de freiner la croissance de la capitale qu'on en fera « le Beau Paris ».

COMMENTAIRE
GENERAL

De ces deux Paris, c'est évidemment le second qui a la préférence des étrangers. Un homme comme Samuel Pisar, qui se dit « Parisien de choix et non de naissance », estime que la réalisation de ce deuxième scénario est tout à la fois « possible et indispensable ».

« Je crois, dit-il, que le monde sera très triste si Paris perd sa personnalité et se trouve complètement sacrifié aux impératifs économiques. » Le problème est donc de conserver à Paris une personnalité qui ne soit pas uniquement une survivance. « Prenez Vienne, ajoute Samuel Pisar, qui était la grande capitale diplomatique, économique, politique avant la Première Guerre mondiale. Aujourd'hui c'est une ville très agréable, mais elle est morte. Elle essaye de se trouver une vocation suivant les péripéties de la vie diplomatique, des rapports Est-Ouest, mais c'est très difficile. Paris peut, tout à la fois, conserver sa vie et son visage humain sans devenir une mégalopolis invivable comme New York ou Tokyo. Je pense qu'elle peut être une place financière capable de rivaliser avec Londres, qu'elle peut devenir la capitale du droit international. Elle l'est déjà en un certain sens, et c'est pour cela que j'y suis. Enfin, et surtout, elle doit rester une très grande ville sur le plan culturel. »

Programme séduisant, certes, mais dans quelle mesure tout cela est-il réalisable ? N'oublions pas que les deux scénarios ne sont pas exactement symétriques. Le premier met l'accent sur le côté négatif du Grand Paris, le second sur le visage avenant du Beau Paris, mais il est clair qu'il existe des avantages et des inconvénients dans les deux directions. Comment donc le maire de Paris voit-il l'avenir de la capitale entre ces deux futurs ?

Pour Jacques Chirac, ces deux extrêmes sont inacceptables. C'est évident pour la mégalopolis démesurée : « On ne gère pas une agglomération au-delà d'un certain nombre d'habitants », mais, à l'inverse, Paris, dit-il, « ne peut pas non plus devenir une ville de retraités, d'étrangers, voire de gens qui se dorent au soleil ou se baignent dans la Seine ». L'objectif serait donc que « Paris vive réellement tout en restant humain. Il faut pour cela que Paris conserve une activité économique, une activité industrielle diffuse, une activité artisanale, une activité commerciale et que ce ne soit pas seulement un centre de relations internationales, de recherche, de culture ou une place financière ».

Un Paris donc qui marie le dynamisme du premier scénario au charme du second, est-ce dans ce sens que l'on s'oriente ? On peut chercher les tendances dominantes au niveau des conceptions tout d'abord, des faits ensuite.

« Effectivement, reconnaît Jacques Chirac, dans les années 60 on pouvait craindre que la première solution, celle que vous appelez du " Grand Paris ", et que je n'aime pas car cela me rappelle le " Gross Paris " des Allemands, l'emporte. En 1964, par exemple, on escomptait un Paris de 16 à 18 millions d'habitants pour l'an 2000. C'est à ce moment-là qu'on a engagé la politique d'aménagement du territoire, une très remarquable action fort bien conduite par la DATAR. En 1975, je m'en souviens fort bien car j'ai présidé en tant que Premier ministre les conseils et réunions qui ont pris ces décisions, on a fixé comme objectif que Paris ne devrait pas avoir plus de 12 millions d'habitants, à la fin du siècle, soit deux de plus qu'aujourd'hui. Je rappelle que, aujourd'hui, le simple Paris intra-muros compte 2 300 000 habitants. C'est déjà beaucoup, mais cela n'a rien à voir avec la situation évoquée dans le premier scénario. »

Voyons maintenant les tendances actuelles au niveau des faits. Le maire de Paris reconnaît que « les activités industrielles étaient excessives dans Paris et sa région au début des années 60. On a donc mené une politique systématique pour les faire partir. Il s'agissait d'éviter le scénario de l'inacceptable " Paris et le désert français ". Cette action, remarquablement conduite par la DATAR a permis la décentralisation de nombreuses activités. Et nous sommes ainsi arrivés au retournement de situation en 1975. Cette année-là, pour la première fois, le bilan des échanges Paris-province, traditionnellement favorable à la capitale, a été favorable à la province. De peu, certes, mais Paris a perdu de la population au profit du reste du pays. C'est un renversement complet de tendance. Parallèlement, les activités économiques et industrielles dans Paris se sont redistribuées. Certaines, il est vrai, sont tout à fait déplacées, parce qu'elles sont pol-

luantes, par exemple, mais, d'autres sont parfaitement conformes à la vocation de Paris. Elles répondent à la nécessité
pour les travailleurs parisiens de trouver sur place des
emplois et des activités. Or, l'une de mes craintes c'est,
notamment pour le Paris intra-muros, que se développe petit
à petit ce mouvement centrifuge faisant que les industries,
les entreprises artisanales, les travailleurs tendent à fuir la
ville. Or ce départ excessif serait une perte de sève et de
sang provoquant une sorte d'anémie. Je crains aujourd'hui
que l'exclusion de Paris des entreprises et des travailleurs,
loin d'améliorer la qualité de la vie, la mette en cause dans
le Paris de demain ».

Maintenir dans Paris un niveau d'activité convenable, celui
qui assure la santé urbaine entre le repli mortel et la prolifération cancéreuse, c'est un premier objectif. Un autre, non
moins important, est d'améliorer le cadre de vie parisien.
Si l'on en croit l'annuaire de l'environnement, publié en
1974 par le ministère de la Qualité de la Vie, la situation
actuelle n'est guère favorable. D'après ces statistiques, Paris
intra-muros serait la ville du monde où l'on rencontre la
plus forte densité d'habitants et d'automobiles ainsi que le
moins d'espaces verts par habitant. Certes ce genre de compa-
raisons internationales est toujours sujet à caution, il n'en
reste pas moins que le cadre de vie parisien est loin d'être
idéal. S'agit-il d'une situation normale au terme d'une période
où l'on ne se souciait guère de ces questions, d'une situation
appelée à se modifier ? S'agit-il d'une dégradation irréversible
et sur laquelle on ne pourra revenir ?

Jacques Chirac se montre optimiste à ce sujet et juge
positives les tendances actuelles. Exemples à l'appui il affirme :
« Je crois qu'on peut dire, sans risque de se tromper, qu'en
toute hypothèse l'évolution de la région et de la ville de
Paris se fera dans le sens d'un accroissement important des
espaces verts. » Même confiance pour la Seine : « Je suis
persuadé que, dans dix ans, on devrait pouvoir se baigner
dans la Seine. » En revanche il ne croit pas à l'élimination de
la voiture particulière.

« Dans l'état actuel des choses, reconnaît-il, il est souhaitable de lutter contre les abus de la circulation automobile :
c'est tout à fait évident. D'ailleurs, elle ne s'accroît plus
aujourd'hui dans Paris. En revanche, il ne me semble ni

raisonnable ni sérieux d'envisager comme objectif la suppression d'un élément du mode de vie de tous les citoyens du monde, et notamment des Parisiens, que constitue désormais la voiture. Je crois qu'à poursuivre comme objectif systématique la suppression de cette circulation on tirerait, en définitive, plus d'inconvénients que d'avantages. »

Une croissance contenue dans des limites raisonnables, une activité économique soutenue mais non dévorante, un cadre de vie constamment amélioré, tel paraît être l'objectif réaliste, vu de la mairie de Paris. Le regard d'un amoureux de Paris, comme Samuel Pisar, est sensiblement plus audacieux. Il ne recule pas devant des changements véritablement révolutionnaires nous rapprochant davantage du second scénario.

Evoquant le « problème universel » posé par la question des trop grandes villes : New York, Tokyo ou Moscou, véritable « problème de civilisation », Samuel Pisar se demande si les Etats, pour lutter contre cette tendance des capitales à la croissance, n'en seront pas conduits à dissocier la capitale économique de la capitale politique. « Je me demande, dit-il en précisant sa pensée, si, dans un certain sens, pervers peut-être, les Allemands n'ont pas eu la chance de perdre Berlin. Cela a provoqué une décentralisation forcée et donné un grand élan à Francfort, Hambourg, Munich, Hanovre ou Düsseldorf. Sur tous les plans : économie, circulation, gestion urbaine, qualité de la vie, il vaut mieux avoir quatre, cinq ou six grandes villes, plutôt qu'une grande capitale progressivement atteinte de tous les maux qui frappent un centre comme New York par exemple. »

« Décapitaliser Paris », que ce soit sur le plan politique ou économique, c'est évidemment une proposition hérétique, scandaleuse même pour un Français, que seul un étranger peut faire. Pour Jacques Chirac c'est une éventualité qu'on ne peut envisager « compte tenu de notre histoire, de nos traditions, de nos structures sociales ». Le fait est que les précédents historiques paralysent la réflexion lorsqu'on songe à faire sortir les pouvoirs publics de Paris. Pour le meilleur ou pour le pire, pour très longtemps en tout cas, Paris est condamné à demeurer la capitale de la France, au sens le plus fort du terme.

Ne pouvant s'amputer d'aucune de ses dimensions, devant être tout à la fois le centre politico-administratif du pays, la plus grande zone d'activités économiques, un pôle d'attraction et de rayonnement pour le monde entier, un haut lieu de création culturelle et artistique, le Paris de l'an 2000 représente assurément un pari difficile.

Pour réconcilier ces exigences contraires, pour ramener la douceur de vivre dans une ville dynamique, pour enrichir la capitale sans appauvrir la province, il faut peut-être, estime Jacques Chirac, revenir sur certaines erreurs d'urbanisme.

« On a beaucoup trop copié l'urbanisme anglo-saxon qui est un urbanisme de l'intérieur. Sans se rendre compte, pendant un certain temps, que Paris appartenait à la civilisation latine, c'est-à-dire que c'était une civilisation de la rue, de la place, du café, du contact humain, de l'extérieur. On a voulu plaquer sur ces exigences sociologiques fondamentales un urbanisme tourné davantage sur le foyer, la maison, la famille, bref de type anglo-saxon. Il y a là une contradiction fondamentale. Il faut revenir à cette conception essentiellement latine qui est celle de notre civilisation. »

Face à son avenir, Paris apparaît surtout riche de trop de possibilités. Ses vocations sont multiples, nulle ne peut être entièrement sacrifiée et leur combinaison risque de retirer toute personnalité à la cité. Combiner tous les futurs possibles en un Paris unique et heureux à vivre pour ses habitants, c'est une entreprise difficile, incertaine, c'est aussi l'exigence de l'avenir.

6. LA POPULATION FRANÇAISE

Invité : PAUL PAILLAT, chef de département à l'Institut national d'Etudes démographiques.

Les Français se sont tant préoccupés des problèmes démographiques du Tiers Monde : explosion démographique, surpeuplement... qu'ils ont fini par oublier les leurs. Pourtant, les déséquilibres de population ne sont pas moins grands ici que là-bas. Les humanités de 10, 20 ou 30 milliards d'individus peuplent nos cauchemars. Les France de 30, 20 ou 10 millions d'individus ne hantent guère nos nuits. Effectivement, le danger de la surpopulation paraît plus évident que celui de la dépopulation. On ne voit pas comment 1,5 milliard d'hommes pourraient vivre aux Indes, mais on conçoit sans mal que 25 millions de Français peuplent l'hexagone. Cela s'est vu dans le passé, cela pourrait se revoir dans l'avenir. En revanche, la Terre n'a jamais porté une humanité aussi nombreuse que celle qu'annoncent les démographes pour le prochain siècle. Bref, en démographie nous avons peur du trop-plein pour les autres et non du trop peu pour nous. Certains trouvent même des avantages à un moindre peuplement de notre pays : les hommes seraient moins entassés, la nature serait moins malmenée, etc.

Cette vision rose de la dénatalité en France et en Occident traduit une erreur d'évaluation totale de notre futur. Si la situation actuelle correspondait à une guerre ou une épidémie, bref à un accident, on pourrait envisager sans trop de crainte notre avenir démographique. La reprise de la natalité compenserait ces coupes claires. Mais l'actuel recul de la fécondité n'a rien d'accidentel, il est culturel. Les familles françaises veulent un ou deux enfants. Pas plus. C'est un modèle qui s'est progressivement imposé et qui condamne la France à une diminution de sa population.

On a beaucoup insisté sur l'auto-accélération de la croissance démographique. Pour un taux constant d'accroissement, le nombre d'individus augmente de plus en plus vite. C'est la croissance géométrique, exponentielle. Mais il en va de même pour la décroissance démographique. Avec un taux de fécondité trop bas pour assurer le renouvellement des générations, on peut, sur une longue durée, atteindre le seuil d'auto-accélération. C'est l'implosion démographique, la disparition d'un peuple.

La première caractéristique des phénomènes démographiques, c'est leur grande inertie. Il faut vingt ou quarante années pour que les effets d'un changement dans le taux de fécondité se fassent sentir. Dans un sens ou dans l'autre. De ce fait, l'événement reste inaperçu à l'origine, au temps des causes, et ne devient clair que beaucoup plus tard, à l'époque des effets. Alors qu'il est très tard pour apporter les corrections nécessaires.

Si la France ne renouvelait ses générations qu'à 70 %, sa population s'accroîtrait encore jusqu'à la fin du siècle. La décroissance ne commencerait qu'après. La démographie se présente donc comme un piège de l'avenir, un mécanisme à très long terme qui s'enclenche dans l'indifférence générale. Telle est la situation en France et dans l'Occident.

En l'an 2000 nous ne verrons pas la population française s'effondrer. C'est plus tard, bien plus tard qu'il faudrait nous reporter pour proposer un scénario d'une France dépeuplée. Au rythme actuel, il y aurait encore 50 millions de Français en l'an 2007 et 42 millions en l'an 2034. Nous situant à un horizon plus rapproché, nous ne pouvons pas envisager cet aspect du phénomène. C'est pourtant le plus grave de tous et nous ne devons pas oublier, en lisant notre histoire pessimiste, qu'elle nous conduit tout droit à cette situation. En effet, la démographie est dynamique et non statique. Le nombre n'a aucune importance. La France pourrait être prospère avec vingt millions d'habitants et nous n'aurions sans doute rien à gagner si nous étions deux fois plus nombreux. L'essentiel c'est la dynamique, indépendamment du nombre d'habitants. Une population en légère croissance présente une pyramide des âges satisfaisantes, une harmonie sur une longue période. Une population déclinante entraîne des déséquilibres entre les générations. Ces effets pathologiques sont curieux. En un premier temps, c'est l'euphorie qui domine : la population malade se porte mieux ; à moyen terme, au contraire, elle est accablée par son vieillissement. A très long terme enfin, elle se transforme en quantité et non seulement en qualité, le nombre des individus diminue. C'est le déclin.

Dans le premier scénario, nous imaginons les conséquences prévisibles de la situation actuelle. Nous extrapolons les courbes afin d'en montrer les conséquences dans une vingtaine d'années. Ce sera : « L'IRRÉSISTIBLE ASCENSION DE LA C.G.R. »

Dans le second scénario, nous tentons d'imaginer les adaptations sociales qui permettraient de limiter les effets néfastes de l'actuelle baisse de la natalité. C'est :
« ON N'EST TRAHI QUE PAR LES SIENS. »

Intervenant : PIERRE CHAUNU, historien, professeur à la Sorbonne.

L'IRRÉSISTIBLE ASCENSION DE LA C.G.R.

Pierre Crémati annonça sa décision le 3 avril au cours d'une conférence de presse. Il parla devant une belle bousculade de journalistes, une forêt de micros, une batterie de caméras, preuve que la presse ne s'était pas trompée sur l'importance de l'événement. La position de la C.G.R. allait peser lourd dans la bataille qui s'engageait. Signe des temps, cette Confédération générale des retraités, qu'il avait fondée en 1989, était devenue en l'espace de sept ans une force politique majeure.

Les chroniqueurs politiques avaient souri lorsqu'en 1993 Crémati avait annoncé que son mouvement présenterait des candidats aux élections législatives. Ils avaient déchanté au soir du second tour. Grâce au scrutin proportionnel, la C.G.R. avait obtenu 15 % des suffrages et 60 élus.

Les journaux avaient évoqué le souvenir de Pierre Poujade, un tribun populaire qui, dans les années 50, avait remporté un succès comparable avec son mouvement de défense des commerçants. Mais une analyse plus subtile avait révélé que la situation était toute différente. Alors que les petits commerçants étaient en régression, les retraités, eux, étaient en progression constante par suite du vieillissement de la population et de l'avancement de la retraite.

La classe politique n'avait guère prêté attention aux signes avant-coureurs de cette évolution. Seuls quelques professeurs de sciences politiques avaient noté qu'aux élections municipales de 1991 de nombreuses mairies avaient été acquises à des candidats de plus de cinquante-cinq ans, donc des retraités, ou bien que l'intergroupe parlementaire du troisième âge exerçait une influence de plus en plus grande. C'est ce que l'on avait bien vu lors du vote sur la revalorisation mensuelle des retraites. Le projet avait été finalement repoussé, mais les parlementaires avaient beaucoup plus voté par âge que par parti. Depuis trois ans, le groupe C.G.R. au Parlement s'efforçait de monnayer son appui, mais la majorité avait pu le rejeter dans l'opposition, en sorte que sa présence n'avait pas permis de modifier la législation dans un sens favorable aux retraités. L'opposition, de son côté, manifestait la plus grande méfiance à l'égard de la C.G.R.

Beaucoup de leaders politiques avaient plus de cinquante-cinq ans, car la classe politique avait un peu vieilli, toutefois la compétition jouait tout autant que la solidarité parmi ces dirigeants. La situation changeait avec l'élection présidentielle. Tous les observateurs prévoyaient un scrutin serré au second tour. Les deux coalitions avaient effectué de discrètes manœuvres d'approche en direction de la C.G.R., mais on ne savait pas encore qui arracherait son soutien.

Pierre Crémati gagna l'estrade avec un visage résolu, ne laissant rien prévoir de sa décision. C'était un homme de soixante-quatre ans, qui portait beau comme un officier de marine. Il avait effectué une brillante carrière dans la fonction publique, mais avait manqué à deux reprises son entrée dans la vie politique. La fondation de la C.G.R. lui avait donné l'occasion d'assouvir une passion longtemps contrariée.

« Messieurs, commença-t-il, la C.G.R. n'est pas un parti comme les autres, un parti parmi d'autres. Cela, les formations politiques ne l'ont pas encore compris. C'est pourquoi, à la veille de cette campagne électorale, elles ont tenté de nouer des alliances avec nous. Ces offres, nous les avons repoussées, et je vous annonce que je serai personnellement candidat à la présidence de la République. »

Les journalistes harcelèrent Pierre Crémati afin qu'il se prononce sur les désistements au second tour. Il se garda bien de répondre, se bornant à dire que cela dépendrait des résultats du premier tour et des engagements que prendraient les uns et les autres.

L'irruption de Pierre Crémati dans la campagne présidentielle modifia le jeu des partis. Ceux-ci avaient axé toute leur propagande sur la situation des travailleurs. Ils promettaient l'échelle mobile des salaires, l'élection des dirigeants d'entreprises, la réduction du temps de travail, une promotion plus rapide pour les jeunes, etc. Les interventions télévisées de Pierre Crémati les obligèrent à réviser leur tactique. Dès sa première apparition, il affirma : « Je parle au nom des 14 millions de retraités et d'ayants droit que la politique actuelle réduit au rang de débiteurs alors qu'ils sont les créanciers de notre société. Les anciens travailleurs ne peuvent pas admettre plus longtemps qu'après avoir créé par leurs efforts les bases de la prospérité dont jouissent les nouvelles générations, ils soient considérés comme des poids morts dans notre société. Trop longtemps, les anciens se sont résignés. Aujourd'hui, tous ensemble, ils exigent leurs droits et leur place. Leurs droits : c'est-à-dire le retour à la stabilité monétaire. Au rythme actuel, vous le savez, nous dépasserons largement 20 % de hausse des prix cette année. Qu'est-ce que cela signifie ? Que les titulaires de revenus fixes, revalorisés tous les semestres, vont subir un impôt occulte de plus de 4 % par an et, si l'on ajoute la malhonnêteté de nos systèmes d'indexation, c'est en fait 6 % de pouvoir d'achat qui nous est retiré. Or, cette inflation n'est pas le fait du hasard. Elle est entretenue par les industriels, les travailleurs, les commerçants qui, tous, poussent à la hausse et gagnent à la hausse. Tandis que nous qui ne sommes pour rien dans cette inflation, nous en payons le prix. Voilà le système mis en place pour nous reprendre d'une main ce qu'on nous accorde de l'autre. Pour mettre fin à cette escroquerie, nous exigeons le blocage des prix et des salaires ainsi que des profits, la revalorisation mensuelle des pensions, toutes mesures dont j'aurai l'occasion de préciser les détails au cours de cette campagne. Et puis, nous voulons notre place.

celle des hommes d'expérience et de sagesse qui doivent
éclairer les jeunes générations. J'ai remarqué que sur
les six candidats à la présidence, quatre ont déjà
dépassé cinquante-cinq ans, c'est vrai, mais ils ne sont
que les mandataires des jeunes générations et non les
représentants des hommes et des femmes de leur âge.
Notre monde a besoin — je le dis tout net — que la
sagesse des anciens inspire le pouvoir. »

Les deux camps furent tentés de faire des conces-
sions à la C.G.R., mais leurs économistes les en dissua-
dèrent. « Au contraire, dirent-ils, il faut attaquer. »
C'est le candidat de la majorité, le jovial Rémy Riard,
qui s'y risqua le premier. Il rappela qu'entre les retraites, les pré-salaires étudiants, les salaires maternels, les
indemnités de chômage la collectivité distribuait plus
d'argent que les travailleurs n'en touchaient effectivement. « Cette charge exorbitante représente — estimait-il — le premier moteur de l'inflation. Tout accroissement de ces transferts conduirait à confisquer sous
forme de prélèvements fiscaux, sociaux et autres plus
des deux tiers de ce que gagnent les travailleurs, à
faire des travailleurs les esclaves du reste de la population. Il est temps de réagir avant que l'irréparable ne
soit accompli. »

Les sondages révélèrent que cette attitude ferme était
très favorablement perçue par l'opinion. La cote du
candidat gouvernemental remonta de trois points. C'est
alors que l'opposition la rejoignit sur le thème du
« Non à la démagogie de la C.G.R. ». Au second tour,
Pierre Crémati se retira purement et simplement sans
donner de consigne à ses 19 % d'électeurs. Rémy Riard
obtint finalement 52,4 % des voix et prit possession
de l'Elysée. Deux mois après le scrutin, toutes les
grandes villes de France étaient paralysées par les
militants de la C.G.R. qui bloquaient la circulation en
faisant rouler leurs voitures au pas ou bien en
s'asseyant directement sur la chaussée au milieu des
plus grandes artères. Le lendemain, la presse d'opposition publiait en première page la photo de policiers
emportant vers les paniers à salade des vieilles dames
de soixante-dix ans.

Cette irrésistible montée des vieux dans la société française est la conséquence de l'actuel déclin démographique. Moins de naissances aujourd'hui, une proportion plus élevée de personnes âgées quelques décennies plus tard, la relation est inévitable. Si la natalité augmentait dans les années à venir, il y aurait tout de même un vieillissement dû à la dénatalité de la dernière décennie. C'est donc de l'actuelle baisse de la natalité qu'il faut partir. Les démographes la suivent très précisément depuis le milieu des années 60. En 1973 on comptait encore 855 000 naissances, en 1976, on était à 720 000, on atteindra 735 000 en 1978.

Pour apprécier cette situation, il faut la replacer dans une continuité temporelle et spatiale. Historiquement, la fécondité française a énormément varié. Elle connut un déclin très net entre les deux guerres. En 1938, la France était en dépopulation avec un déficit net de 35 000 unités. 60 départements présentaient un excès de décès sur les naissances. A ce rythme, la population française allait progressivement régresser vers 30 millions d'individus. Puis ce fut le retournement spectaculaire des lendemains de la guerre. Le taux net de reproduction pour 100 femmes, qui avait chuté à 91 au début des années 30, remonte jusqu'à 138 en 1964. La natalité française passe de 14,6 ‰ en 1928 à 19,7 ‰ en 51 [1]. Bref c'est le renouveau démographique qui dément toutes les prévisions antérieures. Mais la tendance s'inverse à nouveau dans les années 60. Ce n'est, au départ, qu'une inflexion de la croissance, mais qui se transforme en dégringolade dans les années 70.

Géographiquement, cette évolution a été suivie par l'ensemble des pays occidentaux. Avant la guerre, le monde déprimé par la grande crise perd sa fécondité. En 1937, les démographes américains prévoient que la population de leur pays n'atteindra jamais 160 millions d'individus. Mais la tendance se renverse entre 1940 et 1960, c'est le *Baby Boom*. Phénomène général de croissance économique et démographique. L'Amérique, démentant toutes les prévisions, compte aujourd'hui 220 millions d'habitants.

---

1. Voir *la Population mondiale*, Jean-Marie Poursin « Points ».

Mais, là encore, le renversement de tendance est général dans les années 65-70, et tout l'Occident passe de la croissance à la dénatalité. La situation française, loin d'être originale, reproduit une tendance générale de l'Occident.

Les leçons du passé nous indiquent que ces tendances peuvent s'infléchir, que nous aurons peut-être des générations plus abondantes dans les prochaines années, mais cela n'effacera pas le « manque à naître » des dix dernières années. Si même les couples français retrouvent le goût des ménages à 2,6 enfants comme disent les statisticiens, les jeunes générations actuelles resteront peu nombreuses et devront en leur âge adulte supporter les générations pleines du *Baby Boom,* parvenues au soir de leur vie. Cette situation-là est inévitable pour la fin de ce siècle et le début du prochain.

A cette situation démographique de base s'ajoutent des conditions socio-économiques sur lesquelles nous pouvons agir. Car on peut imaginer bien des France différentes avec un excès de population âgée.

Dans ce premier scénario, nous imaginons une continuation des tendances actuelles. Celles-ci conduisent à un allongement de la scolarité, à une réduction du temps de travail, à un avancement de la retraite et à un fort chômage structurel par inadéquation de l'offre et de la demande sur le marché du travail. Tous ces faits conduisent globalement à réduire la population active, disons la quantité de travail effectivement fournie. Comme les inactifs vivent sur cette production, il faudra opérer sur chaque heure de travail un prélèvement de plus en plus lourd pour financer les retraites, pensions, indemnités et allocations diverses. Il est clair que ce prélèvement, quelque forme qu'il prenne, ne peut s'alourdir indéfiniment. Il existe quelque part un seuil de tolérance à partir duquel les travailleurs auront une réaction de refus. A l'inverse, les inactifs aussi ont un seuil de tolérance à partir duquel ils se révolteront contre la médiocrité de leur condition. Notez que cette révolte, cet affrontement entre actifs et inactifs, sera favorisée par le nouveau rapport de force. En effet, tant que l'âge de la retraite est élevé, que les vieux sont relativement peu nombreux, le monde des inactifs ne représente qu'une force très limitée. Ce ne sont pas les veuves de soixante-dix ans, quelle que soit leur misère, qui vont lancer une action d'envergure susceptible d'infléchir la répartition des ressources nationales. Si, en revanche, la catégorie des retraités inclut la tranche des cinquante-cinq-soixante-cinq ans, alors elle se renforce considérablement en nombre et en combativité. Les conditions de l'affrontement se trouvent réunies. Seule compensation : le poids des inactifs peut être allégé par le très petit nombre des enfants. Le remède est alors pire que le mal. D'une part, le poids des dépenses sociales incite les adultes à comprimer ces dépenses, de l'autre, le poids des inactifs les pousse à refuser cette réduction. C'est l'épreuve de force. Telle est la situation décrite dans ce scénario. Elle n'est, hélas, invraisemblable ni dans son architecture générale, ni dans ses péripéties. C'est d'autant plus vrai qu'il faut tenir compte de la continuité générale de l'évolution qui rendra cette nouvelle situation encore plus difficilement supportable, comme le souligne Paul Paillat : « Au XXI\ :sup siècle, on risque fort, après une période assez heureuse puisqu'on sera allégé des charges des jeunes, de voir la situation se détériorer singulièrement puisqu'en effet les retraités de ce temps-là trouveront assez peu d'actifs pour payer le poids de leur retraite. » La microdémographie rejoint ici la macrodémographie. Un ménage sans enfants connaît une certaine aisance dans sa vie adulte puisqu'il n'a pas à assurer le soin d'une famille. Par comparaison, les parents assument une charge plus lourde. Mais la situation s'inverse lorsque ces mêmes gens sont vieux. Alors ceux qui n'ont pas élevé d'enfants ne peuvent compter sur l'aide de leurs descendants, tandis que les autres peuvent miser plus facilement sur la solidarité familiale. Ainsi en va-t-il des sociétés. L'Allemagne, dont la démographie est au plus bas, n'a pas à consentir de grands efforts pour l'éducation ou l'aide aux familles, elle vit bien à l'aise. C'est vrai. Mais, dans vingt ans, ces mêmes Allemands trouveront difficilement des adultes en nombre suffisant pour leur assurer une retraite décente.

Or les tendances actuelles sont extrêmement nettes, comme le souligne Michel Debré : « Le nombre des mariages diminue. La fécondité des couples n'a jamais été aussi basse. En 1976, dans trente départements, le nombre de décès l'a emporté sur celui des naissances. Nous sommes le seul pays au monde, a indiqué récemment un rapport officiel, où désormais le nombre annuel des naissances est inférieur à ce qu'il était à une année correspondante du XVIIIᵉ siècle. Alors qu'au XVIIIᵉ siècle il y avait à peine 20 millions de Français. Nous sommes

aujourd'hui 53 millions d'habitants. Le problème de dénatalité n'est, en aucune façon, diminué par le fait qu'au
lieu d'avoir 70 000 naissances de moins cette année par rapport à l'an dernier, nous n'en avons que 50 000 de moins.
Ce qu'il faut voir, c'est que nous continuons, alors que
la population augmente, à avoir un moins grand nombre
d'enfants, et, ce qu'il faut surtout savoir, c'est que s'il y a une
légère réduction de la rapidité de la courbe, c'est en partie
parce que les femmes d'immigrés, les couples d'immigrés ont
davantage d'enfants que les couples français. »

Cela c'est le constat brutal pour aujourd'hui. Mais ne peut-il
exister un infléchissement de ces tendances ? Evelyne Sullerot
a tendance à le croire car, note-t-elle : « Il n'y a pas du tout,
mais pas du tout, refus de l'enfant. Les familles sans enfants
ont à peu près disparu, puisqu'il n'y a que 10 % des couples
qui n'ont pas d'enfants, alors que 7 % d'entre eux sont stériles.
Il n'y a donc pas refus de l'enfant mais resserrement de la
famille. »

Elle estime même que différents signes paraissent indiquer
un regain d'intérêt pour l'enfant : « Prenez l'exemple des
chansons, il y en a un certain nombre qui chantent le bébé.
Autrefois il n'y en avait pas du tout. Même les hommes se
mettent à en chanter. Il s'est de même créé des magazines pour
les parents, sur les enfants, etc. Voyez qu'il existe même une
nouvelle mode pour les bébés. Je crois qu'il faudrait analyser
tout cela. »

Il serait imprudent de tirer des extrapolations définitives à
partir des tendances actuelles. Si une action politique déterminée se marie à une évolution culturelle, il se peut que la
démographie française sorte du creux de la vague. Mais cela
nous laisse entier le problème des retraites pour notre génération, celle des adultes d'aujourd'hui. D'ores et déjà l'avancement de l'âge de la retraite pose des problèmes inquiétants.
On sait que certaines catégories de travailleurs peuvent désormais se retirer dès soixante ans ; cela ne peut que précipiter la
crise, comme l'indique André Bergeron :

« Jusqu'à maintenant, le nombre des gens qui ont demandé
le bénéfice de cette disposition est relativement peu important.
Il y en avait 700 à la fin du mois de septembre. Mettons qu'il
y en ait deux fois plus à la fin du mois d'octobre. Ce n'est pas
encore considérable puisqu'il y en a 350 000 qui potentiellement

pourraient demander le bénéfice de cette mesure. Donc, en supposant que beaucoup la prennent, ils cotiseront moins longtemps. Il y aura donc inévitablement déséquilibre entre le nombre de ceux qui versent des cotisations et le nombre de ceux qui perçoivent des prestations. Il y a aussi le problème démographique d'une manière générale. Par conséquent, nous ne contestons pas à Force ouvrière l'existence de ce problème, et je répète que, pour nous, c'est probablement le problème social le plus important dans les années qui viennent. Personne ne l'a posé en clair avant les élections de mars 78. Mais on n'évitera pas de le poser un peu plus tard. »

Quant à l'idée d'un parti des retraités, elle est si peu farfelue qu'elle est déjà réalisée au Danemark. Ce parti qui regroupe tous les pensionnés, retraités et handicapés, fut fondé en février 1977 avant les législatives. Les retraités profitèrent, comme en France les écologistes, de cette tribune pour demander une augmentation des pensions et des dégrèvements fiscaux. Le résultat ne fut guère brillant en voix : moins de 1 % des suffrages. Ils n'ont donc pas pu arracher une représentation parlementaire, mais l'expérience continue et le parti compte présenter des candidats aux prochaines élections. Qui sait si, en vingt ans, ils n'atteindront pas la force de notre C.G.R. ?

ON N'EST TRAHI QUE PAR LES SIENS

Raymond Roucarle se renversa dans son fauteuil, leva les yeux au plafond et sourit d'un air entendu. L'inconséquence de ses contemporains suscitait toujours en lui le même étonnement légèrement teinté d'ironie. Un instant il sembla oublier la voix qui parlait dans le téléphone, puis il redressa sa longue silhouette d'universitaire que démentait une autorité toute technocratique. « Ecoutez, cher ami, je veux bien lui parler, mais vous savez que mon beau-père a maintenant soixante-sept ans... Mais bien sûr... Il a abandonné ses fonctions directoriales, depuis quatre années déjà. Je doute qu'il puisse faire quelque chose pour vous... Non, non, je ne manquerai pas de lui en parler, mais sans garantie... C'est cela... Au revoir cher ami. »

Il reposa le combiné, resta un instant la main posée dessus. « Décidément, ils ne s'y feront jamais, pensa-t-il. Voilà bientôt dix ans que la loi est passée, mais ils n'ont toujours pas remarqué que les patrons ne vieillissent plus dans leurs fauteuils. » Cet appel l'amusait d'autant plus que c'était précisément lui, Roucarle, qui avait préparé le texte de loi lorsqu'il était conseiller technique au ministère du Travail. Il est vrai que l'opinion avait eu bien du mal à comprendre le double régime.

Lorsqu'en 1984 on avait dû instaurer la retraite à la carte pour compenser le vieillissement de la population, tous les dirigeants : présidents, directeurs généraux, professeurs, etc., s'étaient incrustés dans leurs postes jusqu'à soixante-dix ans. Afin de combattre cette gérontocratie, on leur avait appliqué le régime inverse. Le système s'en était trouvé dédoublé entre les travailleurs qui pouvaient exercer leur profession jusqu'à soixante-dix ans et les dirigeants qui étaient impitoyablement rejetés à soixante-trois ans. La frontière n'était pas toujours facile à tracer et, dix ans plus tard, il régnait encore une certaine confusion.

Son propre beau-père, directeur général d'une importante société d'informatique, s'était bien souvent querellé avec lui sur ce sujet. « En somme vous ne voulez maintenir au travail que les médiocres, brillante idée pour redresser la France ! », lui avait-il lancé un soir. Roucarle avait souri. Il comprenait l'amertume de ce petit homme droit, râblé, pétulant, que l'on obligeait à quitter son poste. Actif comme il l'était, son beau-père continuait d'ailleurs à suivre l'évolution de son ancienne société. Par passion autant que par habitude. *Dura lex, sed lex.* Les hommes et les lois n'avaient pas changé depuis les Romains.

De leur côté, les enfants ne s'étaient pliés qu'en rechignant au nouveau système d'entrée dans la vie active. Pour Marie-Claude, la cadette, âgée de dix-huit ans, tout se passait bien. Elle finissait son cycle d'études obligatoires. Avec succès. Sa spécialité : la biotechnique, était très recherchée. Elle avait toutes les chances de suivre directement ses études. Il n'en allait pas de même pour les garçons.

Le second, Alexis, vingt et un ans, travaillait comme technicien dans une usine d'électroménager. Il rêvait de devenir journaliste. Une profession encombrée pour laquelle les postes de formation étaient rares. Faute d'en avoir décroché un, il avait dû commencer à travailler. Dans six ans, il aurait droit à ses deux années de formation. Peut-être pourrait-il reprendre ses études de journaliste... et les terminer.

Mais l'exemple de Georges, l'aîné, prouvait que la seconde chance restait ouverte à ceux qui voulaient s'en donner la peine. Georges souhaitait poursuivre des études d'architecte. Malheureusement, il avait

échoué aux très difficiles épreuves de première sélection. Impétueux comme sa mère, il avait demandé à
Raymond, alors directeur de la main-d'œuvre et de
l'orientation, d'intervenir pour lui éviter le travail
industriel. Impitoyable, le père avait refusé. Il ne pouvait aider son fils à tourner le système que, lui-même,
avait mis sur pied. Seule concession, il était intervenu
auprès de son ami Guy Angelès qui dirigeait une usine
d'aluminium près de Poitiers. Ce dernier avait accepté
d'engager Georges et de lui faciliter l'accès à la formation permanente.

Georges s'était alors calmé, il avait bûché en dehors
de ses heures de travail. Ce matin même il avait télé-
phoné à son père pour lui annoncer son succès aux
épreuves de sélection. Grâce à ses excellents résultats,
il avait obtenu la deuxième chance en trois années au
lieu de six. Une faveur réservée aux sujets les plus
travailleurs. Raymond Roucarle, lui-même bosseur
impénitent, appréciait en connaisseur la performance.

Le système n'était donc pas si dur qu'on le prétendait.
A l'époque, pourtant, toute l'université s'était mise en
grève pour dénoncer la « planification autoritaire et
technocratique ». Les professeurs contestataires en
étaient toujours à penser que les jeunes devaient faire
les études qui leur plaisaient, aussi longtemps qu'ils
le désiraient. Roucarle avait préparé des dizaines
d'exposés à l'intention de son ministre pour justifier
le nouveau système. Il prouvait, chiffres à l'appui, que
la France ne pourrait plus payer les retraites si elle
n'orientait pas les jeunes vers les tâches productives,
il démontrait que la justice exigeait ce lien entre la
formation et le travail industriel. Mais ces démonstrations n'emportaient pas la conviction.

Le soir, rentré dans sa villa du Vézinet, il se félicita
chaudement du succès de Georges. Irène, sa femme,
semblait légèrement gênée, un peu tendue même. Le
triomphalisme de son mari paraissait l'agacer : « Mais,
voyons, Irène, c'est beaucoup mieux ainsi. Georges
n'est pas fait pour être technicien dans l'aluminium
toute sa vie. Au fait, mon ami Dumailloux m'a appelé
au sujet d'une étude que sa société voudrait obtenir

d'Etudes et Services informatiques. Il voulait que j'intervienne auprès de ton père. J'ai dû lui rappeler qu'il ne dirigeait plus Etudes et Services informatiques depuis bientôt quatre ans. »

Irène, qui écoutait distraitement tout en regardant le film américain qu'elle avait mis sur son télécran, se retourna avec vivacité. « Mais c'est absurde ! », dit-elle. Puis, se reprenant, elle conclut : « Ça n'a pas d'importance, j'appellerai papa demain à son bureau.

— Mais, ma chérie, ton père n'a plus de bureau. Je te rappelle qu'en dépit de sa prestance il a soixante-sept ans. »

Irène se troubla et dit qu'évidemment c'est chez lui qu'elle l'appellerait.

Le lendemain, Raymond Roucarle eut une conversation des plus désagréables. Son collègue de la formation deuxième chance avait reçu de ses services une note confidentielle indiquant que Georges Roucarle avait utilisé des certificats de travail fictifs pour se présenter au concours. Une enquête avait permis d'établir que, contrairement à ce qu'il prétendait, il n'avait jamais travaillé dans l'entreprise Alumeca et qu'il avait pu consacrer tout son temps à se préparer.

Pour Roucarle, cette révélation était une injure personnelle. Il s'empressa d'appeler Angelès à Alumeca. Celui-ci lui donna des explications fort embarrassées : « Ah, oui, c'est une petite conspiration que nous avions montée avec Irène, tu comprends... J'ai fait le certificat d'embauche pour Georges, mais, évidemment, il n'a jamais travaillé chez moi... Il fallait qu'il ait tout le temps pour se préparer au concours... Enfin tu vois... On t'en aurait bien parlé, mais tu es tellement rigoriste qu'Irène n'a pas osé... Oui, bien sûr, sa mère lui donnait de quoi vivre... C'est à l'occasion d'un contrôle banal qu'ils ont découvert que Georges avait été embauché mais ne figurait pas sur la liste de nos salariés. Tu dois pouvoir arranger cela. »

Les fraudes de ce genre étaient assez fréquentes, et Roucarle les avait toujours considérées avec sévérité. Méritocrate impénitent, il ne pouvait admettre les avantages de naissance ; pour être tout à fait exact, il s'indignait des privilèges que ne justifiaient pas l'intelligence et le travail. Quelque déception qu'il puisse en éprouver, il préférait voir son fils ouvrier qu'architecte sans mérite et sans talent.

La soirée fut orageuse dans la luxueuse villa du Vézinet. Irène refusa de plaider coupable ou d'invoquer l'amour maternel comme circonstance atténuante. Elle attaqua le système mis en place par son mari. « Les enfants ne méritent pas leur naissance. D'accord. Mais ils ne méritent pas non plus leur intelligence. C'est toujours un héritage. Puisque Georges doit se battre avec des garçons plus intelligents que lui, il est normal que sa famille l'aide. Il n'y a qu'un technocrate désséché pour ne pas comprendre cela. » Emportée par sa colère, Irène se lança dans un réquisitoire qui s'étendit bientôt à l'ensemble du système. Elle dénonça, pêle-mêle, les systèmes d'affectation, les mises en retraite, l'uniformité absurde du système, etc. Raymond jugea qu'il n'était pas utile de répondre puisque aussi bien aucun argument ne pourrait aller contre la passion d'Irène pour ses enfants. Il releva toutefois avec curiosité une allusion à son beau-père « qui avait failli être contraint d'abandonner son fauteuil... ». Rendu vigilant, voire soupçonneux, par l'affaire de Georges, il mena une enquête discrète et découvrit facilement que son beau-père dirigeait toujours Etudes et Services informatiques. Comme la loi l'y obligeait, il avait renoncé à son titre de directeur général, mais il avait laissé le poste vacant et, en fait, l'occupait toujours en tant que président honoraire.

Le parallélisme entre son fils qui ne voulait pas commencer à travailler et son beau-père qui ne voulait pas cesser fit passer un sourire désabusé sur ses lèvres. Puis son esprit, comme il y était habitué depuis trente ans, repassa du particulier au général. Le mauvais fonctionnement de son système n'était, en définitive, pas dramatique puisque la grande politique familiale lancée en 1983 avait provoqué une très sensible augmentation de la natalité. Les nouvelles générations seraient assez nombreuses pour assurer la relève. Il suffisait de tenir encore une dizaine d'années pour attendre qu'elles arrivent sur le marché du travail. Alors tout rentrerait dans l'ordre et il ne serait plus nécessaire de maintenir ces contraintes pour compenser, vaille que vaille, le « manque à naître » des années 60-70. Cette pensée le réconforta. « On n'est jamais trahi que par les siens », conclut-il avec une moue désabusée.

Dans ce scénario sont évoquées certaines mesures qui pourraient être prises pour adapter la société française à une situation démographique qu'en tout état de cause elle connaîtra à la fin du siècle. Deux idées dominent les transformations qui sont envisagées ici. La première, c'est de briser les cadres rigides et normalisés du temps. La seconde, c'est de mieux adapter le travail aux besoins de l'économie. Il paraît normal aujourd'hui que la vie se divise en périodes bien délimitées : tout d'abord la formation, ensuite le travail, enfin la retraite, la tendance actuelle étant de prolonger le temps de formation, ce qui retarde d'autant l'entrée dans la vie active, puis d'avancer l'âge de la retraite. Sur ces deux points, nous entrevoyons ici des évolutions inverses. La formation tout d'abord. Faut-il apprendre une fois pour toutes, puis, les études terminées, abandonner l'école pour n'y plus revenir ? Pour de multiples raisons, cela semble une solution dépassée.

Pour Paul Paillat, on pourrait « étudier toute sa vie ». La formation s'étalerait tout au long de la vie avec des périodes de perfectionnement, d'études ou de recyclage s'intercalant dans des périodes de travail. Il existerait en quelque sorte un droit à la formation que l'individu exercerait à tel ou tel instant de son existence et pas forcément dans sa jeunesse. Paul Paillat voit deux raisons qui militent en faveur d'une telle solution. « L'une est économique. On ne peut avoir à la fois une population croissante d'inactifs, au sens économique du terme, et de retraités pendant que le nombre des actifs diminuera sensiblement. L'autre est psychologique. Il n'est pas bon de reculer inlassablement le moment d'affronter les difficultés de la vie réelle, c'est probablement beaucoup plus grave que l'expression populaire " reculer pour mieux sauter ". »

Comme le montre le scénario, de tels systèmes permettraient de mieux adapter l'offre et la demande de travail. Une société qui devra payer de nombreuses pensions ou allocations d'études ne pourra en plus s'offrir le luxe d'indemniser un nombre important de chômeurs. Le problème n'est pas seulement social et humain, il est également économique. Ne nous y trompons pas. On pourrait fort bien se trouver dans une situation où la population active serait insuffisante par rapport à la population inactive et où, pourtant, une partie de la main-d'œuvre serait inoccupée. Pourquoi cela ? Parce que le chômage est qualitatif autant que quantitatif. Les demandeurs d'emploi sont également des refuseurs d'emploi. La preuve en est que la France a toujours besoin d'une importante main-d'œuvre étrangère et que bien des emplois, dans l'industrie, l'artisanat ou les travaux publics, ne trouvent pas preneurs. La réalité du chômage actuel — et vraisemblablement du chômage futur — c'est la coexistence d'une , insuffisance d'emplois d'un certain type et d'un excès d'emplois d'un autre. Or, les emplois disponibles sont largement déterminés par notre système économique. Il n'est pas possible de créer spontanément du travail correspondant exactement au goût des Français. Par exemple, on aura besoin de travailleurs manuels et industriels, que ces emplois plaisent ou non. Pour diminuer le chômage, il faut donc que les Français occupent les emplois de l'économie française.

Pour réaliser cette adéquation, il faudrait tout d'abord que l'on répartisse convenablement les avantages et les inconvénients entre les différents métiers. Par rapport à la situation actuelle, il s'agirait d'une véritable révolution. En effet, le refus des Français vis-à-vis de certaines professions ne s'explique pas seulement par la nature du travail, mais également par le statut. Il est banal de constater que les métiers les plus pénibles et les plus utiles à la communauté sont également les moins considérés moralement et les moins bien gratifiés matériellement. Il est tout naturel qu'ils n'attirent pas et qu'il en résulte un chômage d'inadéquation. Le premier point serait de revaloriser toutes ces professions et de limiter sévèrement les avantages des secteurs encombrés.

Des mesures plus incitatives seront sans doute nécessaires pour adapter l'offre à la demande sur le marché du travail. Le système envisagé dans ce scénario n'est qu'une réponse parmi beaucoup d'autres. La sélection directe, très sévère, permet de former très jeunes des spécialistes de haute qualification. La seconde chance de formation donne à tous les espoirs de carrière dans des emplois qui, aujourd'hui, n'en comportent aucun, elle permet de procéder à une certaine affectation compensée par la possibilité de formation et de promotion. De tels mécanismes fonctionnent déjà en Norvège. Le jeune Norvégien qui accepte d'occuper pendant un certain temps un poste d'infirmier y gagne le droit de préparer par la suite sa médecine. De même un certain nombre de professeurs de l'enseignement technique sont recrutés après formation parmi les ouvriers spécialisés de l'industrie. Dans les deux cas, le gouvernement assure évidemment l'ensemble des charges de formation. S'agit-il de « faits précurseurs » ? Pourquoi pas ?

Le même problème se pose à l'autre extrémité de la vie pour le départ en retraite. Décrété aujourd'hui de façon autoritaire et uniforme, il correspond à une « expulsion du travail », comme le souligne Alfred Sauvy. La tendance à avancer l'âge de ce départ correspond autant à la volonté de réduire la demande de travail pour lutter contre le chômage, que d'assurer un repos plus précoce aux travailleurs âgés. Moins il y a de gens qui veulent travailler, moins les travailleurs travaillent et moins il y a de chômage, c'est toujours cette fausse évidence qui réduit le problème de l'emploi à son aspect quantitatif.

En fait le départ en retraite est ressenti très différemment par les individus. C'est tantôt un repos longtemps désiré et tantôt une condamnation à l'inactivité. Quant aux conséquences économiques, elles sont extrêmement variables. Si le travailleur souhaite avancer l'âge de son départ, c'est probablement qu'il occupe un emploi pénible pour lequel il y a peu de candidats. S'il souhaite continuer son activité, c'est sans doute qu'elle est intéressante et qu'elle attire de nombreux jeunes. Si les boulangers, bouchers, charcutiers prenaient leur retraite obligatoirement à cinquante ans, il en résulterait une énorme pénurie de main-d'œuvre dans ces secteurs. Si, au contraire, les porfesseurs de faculté se retiraient au même âge, quantité de jeunes se presseraient pour occuper les chaires libérées. On ne peut donc prendre une mesure uniforme ni du point de vue de l'individu, ni de celui de l'économie. C'est pourquoi il est envisagé ici une retraite à la carte avec incitation à poursuivre le travail pour les secteurs à faible demande, et une retraite obligatoire et relativement jeune pour les secteurs encombrés. Il n'est donc pas contradictoire de vouloir dans certains cas prolonger la vie professionnelle et de la raccourcir dans d'autres. En tout état de cause, pense Paul Paillat : « Dans mon esprit, il n'est pas question de forcer les gens à travailler plus longtemps. Je suis même tout prêt à admettre que, pour beaucoup d'entre eux, ce serait un progrès de partir plus tôt que soixante ans ou cinquante-cinq ans. Mais vouloir imposer le même âge à tout le monde, ne pas tenir compte des différences de vie professionnelle antérieures, ou des circonstances personnelles, me paraît la marque d'un simplisme qui est finalement une régression sociale. »

Effectivement, l'on constate que, dans certains pays, la tendance est à l'allongement de la vie professionnelle par le système de la retraite à la carte permettant d'améliorer sa pension en prolongeant son activité. C'est notamment le cas aux Etats-Unis.

Comme le souligne le diplomate américain Robert Thomas : « De plus en plus, les ouvriers qui ont dû faire un métier difficile en usine exigent une retraite à soixante-cinq ans et même avant. Mais, dans le même temps, les gens qui ont une tâche moins pénible veulent continuer à travailler. Cela pour plusieurs raisons : la nature du travail a changé, les pensions sont insuffisantes. Beaucoup de gens qui, il y a cinquante ans, avaient une tâche pénible, ont maintenant un travail moins dur. Ils préfèrent donc continuer à toucher un salaire pour mener une vie plus confortable, plutôt que rester chez eux à ne rien faire. »

Voilà même que certains Américains s'interrogent sur la constitutionnalité de la retraite. Interdire à un homme de travailler en invoquant son âge, n'est-ce pas une forme de discrimination ?

On le voit, si la tendance actuelle en France est bien à l'avancement du départ en retraite, il existe également dans le monde une tendance inverse. Toutefois, il faut se méfier de la gérontocratie. L'on sait qu'aux postes de responsabilités les hommes tendent à s'incruster jusqu'à un âge très avancé, barrant ainsi la route aux jeunes générations. A ce niveau, une retraite obligatoire est sans doute nécessaire.

Le schéma évoqué dans ce scénario, qui rompt avec nombre de nos habitudes, n'est sans doute pas invraisemblable si l'on songe aux problèmes considérables que devra affronter la France vieillissante de l'an 2000.

COMMENTAIRE
GENERAL

Lorsqu'on envisage le futur, il faut toujours situer l'horizon. Si l'on envisage une révolution de palais dans un régime politique instable, le futur peut jaillir en six mois. Si, au contraire, on considère l'état de la forêt française, il est clair que le présent ne sera pas substantiellement modifié avant un certain nombre d'années. C'est dire également qu'en ce cas le futur est déjà engagé par le présent. Quelque action que nous entreprenions aujourd'hui dans le domaine sylvicole, notre futur immédiat n'en sera pas infléchi, c'est seulement à moyen ou long terme que nous conservons une certaine emprise sur notre destin.

Il en va de même pour la démographie. Ici, l'homme ne peut jouer que sur le long terme car le présent détermine le court et moyen terme. La baisse de natalité des dernières années ne fera pas pleinement sentir ses effets avant le prochain siècle. En revanche, il n'est plus en notre pouvoir d'éviter que ces effets se produisent. Tout ce que l'on peut c'est organiser la société pour que cette situation démographique n'ait pas des conséquences sociales trop fâcheuses. Ce n'est pas pour autant que l'on doit céder au fatalisme et laisser se faire les choses. En effet, les difficultés qui nous attendent peuvent être considérablement aggravées si, d'une part, les adaptations sociales ne sont pas réalisées à temps et, d'autre part, si la chute de la natalité se poursuit à un rythme trop brutal. Il faut donc s'interroger tout à la fois sur les conséquences de l'inévitable et sur les actions possibles pour éviter une dégradation accentuée de la pyramide démographique en France.

Sur le premier point, les démographes sont assez pessimistes. On ne s'étonnera pas que Pierre Chaunu, dont on connaît les grandes imprécations contre « le refus de la vie » en Occident, considère que la chute actuelle de la natalité a d'ores et déjà bien compromis notre avenir. « Je trouve, estime-t-il, que vos deux scénarios sont encore bien optimistes, car les conflits que vous évoquez ne sont pas excessivement violents. Par exemple, vous ne vous interrogez pas sur l'afflux des immigrés qui, dans ces histoires, ne semblent pas poser de problèmes. Pensez que, sur les projections actuelles, l'Allemagne, pour simplement maintenir sa population, devrait faire venir 20 millions d'immigrés dans les trois décennies à venir. D'autre part, vous évoquez des sociétés qui ont conservé la capacité d'innover, d'inventer, où la technologie a conservé sa place. Cela me paraît très optimiste avec la pyramide des âges qu'annoncent les tendances actuelles. »

Fait significatif, Paul Paillat n'est guère plus optimiste : « Dans la situation du premier scénario, je vois mal, en effet, comment il pourrait ne pas y avoir de conflits étant donné que la baisse de la natalité jointe aux revendications sociales aboutit à un ensemble de demandes incompatibles entres elles, et qui ouvre la voie aux conflits de générations. Cela sera d'autant plus vrai que les anciennes générations rejetées se retrouveront plus nombreuses et plus fortes pour mener leur action. En un certain sens, ce dynamisme des vieux peut inciter à l'optimisme pour ce qui concerne l'amélioration de leur condition, mais, en un autre sens, c'est aussi le gage de rudes affrontements. Voilà pourquoi, au total, je pense effectivement que de tels conflits ne sont pas à écarter.»

Ne peut-on, à tout le moins, escompter un retournement de la situation démographique qui éviterait une aggravation de la situation pour les années suivantes ? Là encore Pierre Chaunu fait preuve d'une grande sévérité en dressant le diagnostic de la situation présente : « Lorsqu'on interroge les couples sur la taille de la famille idéale, les réponses sont tout à fait satisfaisantes. La famille idéale est passée de 3 enfants à 2,4 et elle tend maintenant à remonter vers 2,5 ou 2,6. Mais regardez les faits. En France, vous avez, à l'heure actuelle, 1,8 enfant par femme. L'Allemagne en a 1,4 et même 1,35. Voici un fait encore plus grave. Il y a une vingtaine d'années, lorsque vous aviez 2,8 enfants par ménage, si vous demandiez à une jeune accouchée : « cet enfant a-t-il été désiré ? », les réponses indiquaient environ 50 % de naissances non désirées. Et cela vous donne très précisément le chiffre actuel d'enfants en Allemagne où le contrôle des naissances, donc l'élimination des naissances indésirées, a fait passer le nombre d'enfants de 2,8 à 1,4. Or on constate qu'en France les réponses font toujours état de ces naissances indésirées. Vous voyez donc qu'on est en présence d'un phénomène implosif qui n'a pas de raisons de s'arrêter spontanément. »

Faut-il en conclure que notre avenir nous échappe, que nous glissons irrémédiablement vers l'enfant unique et la dépopulation radicale ? Pierre Chaunu ne le pense pas, mais il ne croit à un retournement de tendance qu'au prix d'une politique fortement volontariste. « La première phase de la révolution contraceptive a entraîné dans l'ensemble du monde industrialisé une chute de la fécondité, il faudrait maintenant un ensemble de mesures massives pour faire cesser ce glissement, faute de quoi nous ne nous arrêterons pas à mi-pente, nous irons véritablement au cataclysme. Finalement, le choix de la liberté et des moyens efficaces pour refuser la vie dont nous disposons aujourd'hui, qui est tout à fait normal, doit tout naturellement entraîner la mise en œuvre de nouveaux moyens pour accueillir la vie. Cela suppose autre chose qu'une politique de la retraite : une véritable politique de la vie. Songez qu'en France le volume des transferts en faveur de l'enfant est passé de 22 % du P.N.B. *per capita* vers 1946-1950 à 5,4 % en 1976. C'est une véritable spoliation des jeunes. Il faut que le corps social comprenne que les enfants ne seront pas produits gratuitement par les familles, que le désir d'enfant ne devra pas entraîner une dégradation des carrières féminines, une sorte de dévalorisation ou de paupérisation des familles. Il faut organiser tout de suite une véritable politique d'accueil et d'accès à la vie. »

Effectivement, une politique qui gommerait les divers handicaps matériels, professionnels et autres que subissent les familles de 3, 4 ou 5 enfants supposerait un effort massif, donc des sacrifices considérables. Ceux-ci sont justifiés dans la mesure où l'on tend à substituer la solidarité nationale à la solidarité familiale. Jadis, l'enfant était un investissement personnel car c'était en pratique lui qui assurait la retraite de ses parents. Aujourd'hui, le paiement des retraites se fait dans le cadre collectif. Ainsi ceux qui n'ont pas assumé personnellement l'éducation de jeunes bénéficieront dans leur vieillesse de retraites payées sur le travail que fourniront les enfants des autres. Il y a là une situation choquante. Mais il reste à savoir si les Français sont disposés à consentir cet effort en ces temps où tant de catégories prétendent obtenir des transferts sociaux en leur faveur. Donnera-t-on plus d'argent aux familles alors qu'on ne peut plus payer les indemnités de chômage et les retraites ? Le problème est d'autant plus compliqué que les ayants droit éventuels n'existent pas. Si les familles ne sont pas aidées, elles ne feront pas ce troisième enfant. Par conséquent ce Français non né ne sera pas là aux côtés du chômeur et du retraité pour revendiquer sa part dans la solidarité nationale. Il est plus facile pour un gouvernement d'oublier une voix qui ne s'est pas encore fait entendre que des voix qui clament vers lui et, éventuellement, votent contre lui. On peut comprendre, dans ces conditions, le pessimisme de Paul Paillat : « Je ne crois malheureusement pas que les Français seront capables de faire un tel effort à temps. Je ne le crois pas parce qu'en dépit de leurs prétentions ils ne sont pas rationnels. Chacun, en fait, voit midi à sa porte et réclame des mesures qui, au total, sont contradictoires et inconciliables. D'ores et déjà, les revendications sont en contradiction avec la structure démographique de notre pays. Tout le monde semble ignorer que nous sommes une des populations les plus vieilles du monde. Nous ne tenons pas compte de ce fait. Dans ces conditions, je ne vois pas comment pourrait être acceptée la politique volontariste dont vous parlez. L'histoire nous montre, malheureusement, que les Français ne comprennent ces choses-là qu'après. Je le déplore. »

Comprendre les phénomènes démographiques « après », c'est évidemment grave puisqu'ils possèdent une inertie colossale et ne permettent aucune correction immédiate ou même à moyen terme. Une population, c'est comme un pétrolier géant. Elle n'infléchit sa trajectoire que sur un très long temps.

Aujourd'hui, la naissance volontaire devient une réalité. Très rapidement tous les enfants de France seront désirés. C'est un fait irréversible et sur lequel on ne reviendra pas. Il faut en mesurer toutes les conséquences. La première est que le taux de fécondité est largement lié au climat moral de la société. Lorsque le choix de la procréation est libre, l'optimisme incite à désirer des enfants, le pessimisme à les refuser. Quoi de plus naturel ? La procréation est toujours un pari sur l'avenir et, selon que cet avenir paraît rose ou gris, les individus prennent ou non le pari. De ce point de vue, il paraît peu probable que nous retrouvions rapidement un climat général de sérénité, voire d'optimisme, qui créerait les conditions morales d'un renouveau démographique. Il faut le savoir.

La procréation n'est plus ressentie comme une obligation sociale ou un devoir moral. C'est un acte entièrement libre sur lequel la société a peu de prise. Si le désir de l'enfant existe toujours, celui de profiter de la vie est désormais très fort. Toutes ces raisons combinées donnent à penser que la tendance actuelle ne saurait s'infléchir sans une véritable prise en compte sociale de l'enfant. Qu'on le déplore ou qu'on s'en réjouisse, les parents ne veulent plus payer seuls leurs enfants, c'est un fait. Les conditions matérielles favorables ne suffisent pas à modifier une courbe démographique, mais les conditions difficiles peuvent désormais empêcher un éventuel redressement. Une revalorisation culturelle de la famille serait également indispensable, mais peut-on l'espérer de notre élite ?

Cela posé, on ne saurait accorder à la croissance démographique une valeur en soi. « Faire de l'homme » n'est pas un objectif, et rien n'est si odieux que la recherche de la puissance à travers le nombre. Il s'agit simplement de maintenir un certain équilibre à l'intérieur d'une population, de trouver un régime qui évite les « coups d'accordéon » démographiques. Une croissance, même faible, de la population ne saurait se maintenir indéfiniment. C'est d'ores et déjà évident pour de nombreux pays d'Europe, notamment la Hollande, où la densité de population est près de quatre fois ce qu'elle est en France.

De tels pays doivent bien envisager une stabilisation de leur population. Si la France, en raison de son vaste territoire, peut augmenter très sensiblement sa population, ce n'est pas pour autant qu'elle le doive. Le problème n'est pas là.

Il s'agit d'éviter des effets de vieillissement et de réduction d'une population, phénomènes régressifs qui n'ont aucune chance d'être bénéfiques. Cela implique aujourd'hui que des actions soient entreprises pour favoriser la natalité, non dans une perspective nataliste, mais dans une simple optique de santé démographique et d'équilibre social, et, finalement, de survie pour notre peuple.

7. L'ÉDUCATION — LA FORMATION

Invité : BERTRAND GIROD DE L'AIN, directeur du Centre de recherche sur les systèmes universitaires, à l'université de Paris IX Dauphine.

L'école pour tous, c'est assurément une des grandes réussites du monde moderne. L'une des moins contestables. Et, pourtant, n'est-elle pas en train de se transformer en piège ?

Aujourd'hui, l'enseignement doit donner un métier, voire un emploi, bien plus qu'une culture. L'idéal de démocratisation voudrait qu'à chaque enfant on donne la formation la plus élevée qu'il peut recevoir. Mais l'école ne peut fournir les emplois correspondant aux formations qu'elle donne. La voilà donc transformée en système de sélection pour répartir les enfants sur les échelons de la hiérarchie sociale. Elle devient lieu d'affrontement, jeu de dupes. De la majorité des enfants qu'elle accueille, elle fera des recalés ou des diplômés chômeurs. Combien de temps un système peut-il fonctionner avec un tel rendement ?

La situation actuelle n'incite guère à l'optimisme, c'est pourquoi il n'est pas possible d'opposer scénarios rose et noir. Il n'est pas non plus possible de se reporter à l'an 2000, car c'est bien avant que se produiront les ruptures. Celles-ci interviendront à deux niveaux : celui de l'enseignement proprement dit, celui de la chasse aux emplois. Ce seront les deux axes de nos scénarios.

Le premier : « PLUS D'ÉCOLE OBLIGATOIRE APRÈS DOUZE ANS », *montre l'évolution de l'enseignement.*

Le second : « UN POLYTECHNICIEN, C'EST TRÈS GÊNANT », *retrace l'évolution des emplois.*

Intervenants : HÉLÈNE AHRWEILER, professeur d'histoire à la Sorbonne, présidente de l'université Paris I

ÉTIENNE VERNE, chargé d'enseignement à l'Institut supérieur de pédagogie, auteur de *l'Ecole à perpétuité* (Editions du Seuil).

PLUS D'ÉCOLE OBLIGATOIRE
APRÈS DOUZE ANS

Le visage en sang, le côté droit endolori par les coups de pied, mais, plus que tout, hébété par la brutalité de l'agression et la soudaineté de l'événement, Francis Libert se releva à moitié et regarda les trois silhouettes qui s'enfuyaient au bout de la rue. La douleur physique n'était rien, c'est le choc moral qui le laissait assommé, pétrifié, comme il l'avait laissé sans défense face à ses agresseurs. Dix années d'enseignement, de passion pour son métier, pour ses élèves et en arriver là ! Il tentait vainement de reprendre ses esprits. Ses pensées s'entremêlaient en un tumulte chaotique. Que dire, que faire, que penser ?

La correction de cette dernière composition lui avait déjà causé bien des tourments. Il savait que son jugement risquait de fermer l'accès aux terminales de promotion.

Pour certains, une mauvaise note signifiait qu'ils ne pourraient faire que des terminales complémentaires les orientant vers des formations sans avenir. Depuis plusieurs années déjà, il se sentait paralysé au moment de noter les copies. En évaluant un exercice de mathématiques, il déterminait l'avenir d'un adolescent. Cette pensée le révoltait. Avec un 13, il donnait une chance d'accéder aux meilleures formations et, demain, aux emplois. Avec un 7, il condamnait aux filières sans avenir. Au chômage. Système injuste, absurde, mais que pouvait-il faire ? Distribuer à tous les bonnes notes ne ferait que reculer l'élimination. La rendre plus pénible. Il s'efforçait de personnaliser les notes en tenant compte des situations familiales, des caractères, des aptitudes, mais, en dernier ressort, il fallait bien dire si les exercices étaient justes ou faux. Cas sociaux ou pas, 2 et 2 font toujours 4 et pas 5.

Les copies de Forcheaux et Miranes n'étaient pas bonnes. Et ce n'était pas les premières d'aussi médiocre qualité. Mais on arrivait en fin d'année, et ces mauvaises notes s'ajoutant aux précédentes étaient pratiquement éliminatoires. Il le savait. Qu'y pouvait-il ? En classe, ils avaient eu un geste de rage et de défi en entendant leurs résultats. Francis l'avait remarqué avec tristesse.

Ce soir, lorsqu'il les avait vus surgir devant lui en compagnie de Bertrand Tiremanne, il avait bien tenté de les raisonner, mais il n'avait rien pu contre ce déferlement de haine.

Il rentrait chez lui en marchant lentement, péniblement, comme un vieil homme, et sa démarche, lourde, cassée, traduisait bien plus l'accablement de son esprit que les meurtrissures de son corps. L'Education nationale, l'instruction publique, la culture pour tous quelle foutaise ! Depuis des années, il sentait le désespoir l'emporter en lui sur le découragement. Grand dommage que sa nature lui interdise le refuge du cynisme. Mais, non, il croyait en son métier. En sa mission. Il faisait siens l'échec et le désarroi des enfants.

Quinze jours auparavant, Francis avait reçu un premier choc. Il avait appris par la presse l'arrestation d'un gang qui avait six rapts à son actif. Les journalistes avaient parlé du « gang des diplômés », car quatre membres de la bande étaient des chômeurs titulaires de diplômes universitaires. Parmi eux se trouvait Félix Laurique, un de ses anciens élèves. Il se souvenait tout particulièrement de ce garçon brun aux joues creuses qui réussissait dans toutes les matières sauf en mathématiques. Francis lui avait donné des leçons particulières. Gratuitement car les parents n'avaient pas les moyens de le payer. Ce coup de main n'avait pas été inutile. Félix avait pu poursuivre ses

études et passer à l'université. Il y a trois ans, il avait
envoyé une lettre à son ancien professeur pour lui
annoncer son succès au doctorat de sciences économiques. Francis l'avait conservée. Sans doute était-ce
ridicule, mais, pour lui, l'Education nationale était
encore l'instruction publique du XIXe siècle : un apos-
tolat laïque au service du peuple. Il aimait à répéter
qu'il était « un enseignant socialiste ».

Il avait rencontré Félix six mois auparavant. Dans
une rue, par hasard. Le garçon était complètement
désemparé. En dépit de son diplôme, il ne trouvait pas
de travail. Francis l'avait adressé à un de ses cousins,
mais cela n'avait rien donné. Depuis il n'avait plus eu
de nouvelles... jusqu'à cet article dans le journal.

Tout était devenu fou dans cette Education nationale.
On avait prétendu engager tous les enfants de France
sur l'autoroute royale de l'instruction. Mais la voie se
rétrécissait à mesure qu'on avançait, et l'on perdait en
chemin un nombre toujours plus grand d'adolescents
à la dérive. Seuls réussissaient ceux qui étaient sou-
tenus par leur famille ou exceptionnellement doués.
En dépit d'une sélection impitoyable, le nombre des
gagnants dépassait encore celui des places offertes.
Les fils de la bourgeoisie étaient encore les mieux
placés pour valoriser leurs diplômes. Certains avaient
appelé ça la démocratisation de l'enseignement et l'éga-
lisation des chances. Quelle blague !

Chaque parent, chaque famille se battait avec tous
les moyens disponibles pour assurer l'avenir de ses
enfants. Francis, lui-même, en dépit de ses idées, avait
mis sa fille Claude dans une école privée. C'était
contraire à tous ses principes, mais il ne se sentait pas
le droit de la laisser dans l'école de son quartier qui
était de mauvaise qualité. Se le pardonnerait-il si,
demain, elle échouait dans la vie faute d'avoir reçu
une bonne préparation ? Devait-il la mettre à égalité
de malchances avec les plus démunis ou à égalité de
chances avec les mieux armés ? Il s'interrogeait bien
souvent.

Un mois après cette agression, Francis Libert
demanda son affectation dans un collège de la ban-

lieue nord. Sa demande parut insolite, presque insen-
sée. Les enseignants se battaient pour fuir les écoles
des quartiers populaires. Ils recherchaient les banlieues bourgeoises dans lesquelles les élèves restaient
fortement motivés. Francis avait eu la chance d'être
affecté à un bon établissement dès le début de sa
carrière. Il n'eut aucun mal à obtenir sa mutation. Deux
mois plus tard, il prenait son nouveau poste.

L'indifférence qu'il rencontra au collège Berlinguer
le dérouta plus encore que la compétition féroce dont
il sortait. Il avait décidé de commencer son enseignement en projetant des films pédagogiques qu'il ferait
suivre de discussions ouvertes. La projection venait
tout juste de commencer lorsqu'un garçon se leva et
ralluma la lumière, afin de continuer une partie de
poker. La classe éclata de rire en découvrant deux
couples surpris en pleines effusions par le retour de la
lumière. Tandis que le film se déroulait, la classe, parfaitement étrangère à la projection, discutait pour
savoir s'il convenait de laisser la lumière allumée ou
de rester dans la pénombre. En définitive, une bonne
moitié de la classe sortit, sans autre explication, en
cours de projection.

Lorsque le film fut terminé Francis tenta vainement
de lancer la discussion « Pourquoi vous voulez faire
des cours ? » demanda un élève. Décontenancé, Francis
répondit comme il put. A sa grande stupéfaction, il
découvrit que ses prédécesseurs avaient renoncé à
enseigner. Devant le refus des élèves, ils se contentaient de les garder. « Mais, vous, vous n'avez pas envie
de comprendre des choses ? » demanda-t-il à une grosse
fille noiraude.

Elle éclata de rire : « Pour ce que j'en ai à foutre.
Dans trois jours, je me tire.

— Mais pourquoi cela ? » demanda-t-il stupéfait.

« Parce que j'aurai mes dix-sept ans, tiens. Vous
n'imaginez pas que je vais aller à l'école après mon
anniversaire. »

Pendant trois mois, Francis Libert s'efforça de
conquérir sa classe. En vain. Alors, comme ses prédé-

cesseurs, il renonça. Pendant ce qui aurait dû être ses heures d'enseignement, il entama la rédaction d'un essai sur l'enseignement. Il l'intitulerait : « Plus d'école obligatoire après douze ans. »

Des professeurs désemparés, des élèves qui se battent pour réussir, ou bien, au contraire, qui refusent tout enseignement, voilà qui, fort heureusement, ne traduit pas l'état général dans l'Education nationale aujourd'hui. C'est vrai. En revanche, toutes les situations décrites dans ce scénario se rencontrent déjà, ici ou là. Qui plus est, elles tendent à se multiplier. En ce sens, on peut estimer avec Bertrand Girod de l'Ain que ce scénario « se déroule déjà sous nos yeux, mais que nous ne voulons pas le voir ». Comment en est-on arrivé là ? Quelle est cette dynamique qui risque de nous entraîner encore plus loin dans l'indésirable ?

« Pendant les années de l'expansion, l'école a été une extraordinaire pompe aspirante. Les sociétés modernes, aussi bien capitalistes que socialistes, avaient un besoin dévorant en cadres, après les destructions de la guerre, pour bâtir les économies modernes. Il y avait beaucoup de place, il y avait du vide au sommet, et dans les échelons supérieurs de la hiérarchie. L'école poussait tout le monde vers le haut, dans tous les pays, et on disait aux jeunes : " Allez-y, il y a de la place. " Il y avait place à la fois pour les enfants de la bourgeoisie et pour les meilleurs enfants du peuple. La conjoncture s'est totalement renversée. Partout. Maintenant, l'école devient une épouvantable pompe refoulante. Il faut qu'elle trie, il faut qu'elle sélectionne. Les élèves le sentent bien. Donc, les deux situations que vous avez dites me semblent exactes.

« Il y a, en fait, deux formes d'agressivité, car la deuxième attitude que vous décrivez n'est pas que de passivité. La première agressivité, c'est la lutte pour les " bonnes notes " qui permettent de monter. Dans plusieurs pays, on assiste désormais à de véritables agressions à l'intérieur des établissements d'élite. En Allemagne, par exemple, où la sélection est très forte à l'entrée des études de médecine, des lycéens de classes terminales du secondaire déchirent les pages des bouquins ou même carrément les copies des autres élèves pour éliminer des concurrents dangereux. On arrive à une tension insoutenable entre élèves dans les lycées qui doivent sélectionner les meilleurs.

« La deuxième agressivité se perçoit maintenant dès le

primaire. Elle vient de ces enfants qui, très vite, ont le sentiment qu'ils sont catalogués " mauvais élèves ". On a voulu que l'école trie, on a estimé que c'était une sélection démocratique. Mais il est clair qu'apprendre n'a plus aucun sens pour l'élève dès lors qu'il est clairement entendu qu'il est mauvais et qu'il finira O.S. ou petit employé. Au mieux, ces enfants ne veulent rien faire comme vous le montrez dans le scénario, mais c'est, si j'ose dire, la situation rose. Souvent ils traduisent en violence leur désarroi. Il y a eu tout de même récemment un meurtre de professeur en France, il y a des professeurs, toujours en France, frappés ou assommés par des élèves et des parents. C'est encore plus vrai en Italie. Le cas de New York est connu depuis des années. Dans certains quartiers populaires, les enseignants n'acceptent de faire la classe qu'avec un policier en uniforme dans le couloir. Là, le refus est toujours proche de la révolte. »

Le fait est que la situation actuelle en France peut se dégrader rapidement. Il n'est pour s'en convaincre que de voir ce qui se passe en Italie. Là-bas, les étudiants ont adopté le slogan : « Un étudiant recalé, un professeur massacré. » De fait, c'est la confusion et l'anarchie totale. Pascal Delanoy, envoyé permanent de France-Inter à Rome rapporte que « les élèves, surtout ceux d'extrême-gauche, estiment que, si l'enseignement est obligatoire, les diplômes doivent être décernés à tous. Certains enseignants qui s'opposent à cette formule subissent sévices et brimades ; autos incendiées, brutalités, etc. En fait parents, enseignants, élèves, tout le monde se défie de tout le monde... ».

Oui, un système de formation peut s'effondrer lorsqu'une société méritocratique en fait le seul distributeur des places. S'il n'est pas rapidement corrigé, notre système risque de ne pas tenir jusqu'en l'an 2000.

UN POLYTECHNICIEN, C'EST TRÈS GÊNANT

Quémander : c'est ce que n'aimait pas Bertrand Lambert, le père Bertrand, si vous voulez. Et ce n'est pas à soixante-seize ans qu'on le changerait. Il avait toujours cultivé ses plantes sans rien devoir à personne. Même le crédit, il s'en méfiait. Pourtant il se retrouvait, un peu raide dans son fauteuil, serrant nerveusement sa casquette et cherchant maladroitement ses phrases comme tous ceux qui, pour la première fois, viennent solliciter une faveur en faisant taire leur fierté naturelle. Oui, il venait demander un service. Pas pour lui, bien sûr. Pour Jean-Paul, son petit-fils, et c'était bien le plus déroutant de l'affaire.

Pendant vingt ans, l'horticulteur avait suivi les exploits scolaires de Jean-Paul. Bonheur de voir un Lambert, issu de son sang, caracoler en tête de toutes les classes ! Bonheur de le voir décrocher la timbale tout au sommet du mât de cocagne méritocratique ! Et quel étonnement, quelle stupéfaction, quelle tristesse, lorsque le jeune homme, nanti de ce prestigieux parchemin, avait dû s'inscrire au chômage, faute de trouver un premier emploi ! Le vieil homme, si respectueux du savoir, si fier de son petit-fils, ne comprenait plus. Il s'était résigné à venir voir Georges Rousselier, un monsieur, ancien ministre même, qui possédait une résidence secondaire dans le village. Dans ce monde à l'envers, il demandait une intervention en faveur « du petit », comme s'il était le père d'un cancre ou d'un propre à rien. « C'est qu'il a fait Polytechnique n'est-ce pas, expliquait-il. Il paraît que ça complique les choses. Il dit que les portes se ferment lorsqu'il montre son diplôme. Enfin, monsieur, est-ce qu'il faut être analphabète pour avoir du travail ! »

Oui, il était pathétique le père Bertrand, et, plus que tout autre, Georges Rousselier devait ressentir la tristesse de cette situation. N'était-il pas le père de cette loi de 91, la loi Rousselier, qui portait en germe la condamnation de tous les Jean-Paul Lambert de France ? Il n'était pas certain de pouvoir décrocher l'emploi recherché, du moins se devait-il d'essayer. Par tous les moyens. Il prit les renseignements afin de préparer son intervention.

Cette visite le toucha bien plus qu'il ne voulut le reconnaître. Quelque habitude de l'irresponsabilité que forge l'exercice du pouvoir, il arrive encore à l'homme politique de s'interroger lorsque, par exception, il tombe, le nez en avant, sur les conséquences réelles de ses décisions. Georges Rousselier resta une bonne demi-heure dans son grand fauteuil d'osier, regardant sans la voir la campagne avoisinante, remâchant le passé pour y trouver la justification de ses actes.

C'était en 91, au printemps. La rentrée sociale s'annonçait difficile. Dramatique peut-être. Les syndicats réclamaient de fortes augmentations de salaires. Le ministre de l'Economie, Louis Volable, avait prévenu qu'il ne pouvait être question de les satisfaire. La France, pour obtenir un nouveau prêt du Fonds monétaire international, avait dû s'engager à mettre en application un plan d'austérité. Une relance de la consommation lui couperait le crédit et ferait dégringoler le franc. D'autre part, le gouvernement ne pouvait arriver les mains vides à la grande négociation d'automne sans risquer l'explosion. Il fallait nécessairement proposer quelque chose, mais quoi ? C'est alors que le président de la République avait chargé Rousselier, en tant que ministre du Travail, de proposer des réformes sociales « substantielles », mais non « coûteuses ».

L'homme de la réforme avait été Claude Bellicourt,

un énarque « socio-catho », qui assurait les liaisons entre Rousselier et les milieux syndicaux. Bellicourt ne s'était pas contenté de consulter les états-majors, il avait rencontré ces « travailleurs de base » qu'un technocrate ne voit pratiquement jamais. Il avait scrupuleusement noté les doléances. Une découverte : le pouvoir d'achat, mis en tête des revendications par les syndicats, n'était pas la principale inquiétude des intéressés.

« Les syndicats », exposa Bellicourt, graphiques et schémas à l'appui lors d'une réunion de cabinet, « mettent en avant les revendications salariales parce qu'elles font l'unanimité et sont les plus faciles à formuler. En réalité, les soucis d'emplois et de carrières sont tout aussi importants sinon davantage. Partout les travailleurs m'ont parlé de leurs craintes pour leur job, leur promotion et également pour l'emploi de leurs proches. Chacun a un fils, un gendre, un cousin qui cherche du travail. Naturellement, tous ces désirs convergent vers les postes d'encadrement au sens large. En ce domaine, la demande est dix fois supérieure à l'offre et nul ne se fait d'illusions sur les créations d'emplois. Il est clair pour tous qu'il faudra se partager les bonnes places disponibles. Chaque catégorie désire se garder pour elle celles qu'elle contrôle. Mais cette revendication ne peut se formuler car elle irait à l'encontre d'autres catégories.

— En somme, vous laissez entendre que la masse des travailleurs est hostile aux cadres et aux jeunes diplômés qui menacent les emplois et bloquent les promotions », avait résumé Rousselier.

« C'est un peu plus complexe que cela », avait fait remarquer Bellicourt en déployant un nouveau schéma. « A l'horizontale, j'ai représenté les trois grandes catégories d'emplois. Manœuvres, ouvriers, employés, en bas ; contremaîtres, techniciens supérieurs, chefs de bureau, disons la maîtrise, au milieu ; encadrement et direction en haut. Cela forme évidemment un triangle, puisque le nombre de postes diminue à mesure qu'on monte. Dans l'autre sens, vous avez les catégories de postulants. Schématiquement, j'en distingue trois. Les hommes sortis du rang, les jeunes diplômés venus de l'extérieur et une catégorie occulte, c'est pourquoi je l'ai représentée en pointillés : celle des parents ou amis des gens de l'entreprise. Tel est le système, or il est complètement bloqué.

« Autrefois la maîtrise était surtout formée de travailleurs âgés qui étaient montés par promotion interne. Les meilleurs finissaient même ici, à la base de l'encadrement. Mais cette catégorie supérieure était surtout alimentée par les jeunes diplômés engagés de l'extérieur. Chacun avait donc son espoir de promotion. Or tout cela a changé.

« Les jeunes visent désormais des formations courtes et sûres, seuls les fils de bourgeois prennent encore le risque d'entreprendre de longues études. Ainsi le niveau de la maîtrise s'est peu à peu garni de jeunes diplômés et non d'anciens promus. Ces jeunes sont bloqués vers le haut par les titulaires de grands diplômes et bloquent en bas les autodidactes. Bref, c'est le blocage généralisé, donc explosif. »

Il était subtil le petit Bellicourt, il savait qu'en matière sociale certaines choses peuvent se faire à condition de ne pas se dire. Il n'était pas question d'écrire dans une loi que les emplois et les promotions disponibles dans une entreprise seraient réservés au personnel. Pas question d'interdire le recrutement des jeunes diplômés, d'exiger l'avancement à l'ancienneté ou de donner un droit de préférence aux parents des gens en place. Mais les partenaires sociaux se comprenaient à demi-mot. Lorsqu'en 1991 Rousselier déposa son projet de loi donnant aux comités d'entreprise la haute main sur l'embauche et la promotion, bref sur toute la politique du personnel, les syndicats feignirent de ne pas comprendre le vrai sens de la réforme, mais l'explosion sociale redoutée ne se produisit pas.

Rétrospectivement, Rousselier mesurait l'énorme hypocrisie qui avait dominé toutes ces négociations. Oh ! il ne s'était jamais fait beaucoup d'illusions sur les conséquences de sa loi. Elle instaurait purement et simplement le corporatisme d'entreprise. Mais n'était-ce pas le moins mauvais système dans une économie languissante et incapable de créer des emplois ?

Il avala en gorgée de whisky et remit en marche son petit cinéma intérieur. En l'espace de cinq ans le nombre des licenciements dans les grandes entreprises était devenu négligeable. Quant au recrutement, il était devenu familial et subalterne. N'entraient que les fils, frères, gendres ou cousins, encore devaient-ils accepter un premier poste à un niveau très inférieur à leur qualification. Le reste de la carrière se faisait par promotion interne, surtout à l'ancienneté. Les techniciens débutaient comme ouvriers, les ingénieurs comme techniciens. Seuls les cadres supérieurs et de direction accédaient directement aux échelons élevés. Par népotisme évidemment.

« L'économie française ne survivra pas au corporatisme », avaient pronostiqué les économistes libéraux. Il n'en avait rien été. Elle avait continué à se mal porter. Sans plus. Les conflits sociaux avaient même perdu de leur âpreté. L'on venait de l'étranger observer le système français auquel certains trouvaient de curieuses analogies avec l'organisation japonaise. Seul point inquiétant : la durée du chômage avait considérablement augmenté. Les demandeurs d'emplois n'étaient pas sensiblement plus nombreux, mais ils se transformaient en exclus du travail. De ce fait, le désarroi des jeunes s'aggravait avec ses manifestations habituelles : drogue, délinquance, terrorisme.

Car la sécurité de ceux qui pénétraient dans la forteresse s'obtenait au détriment de ceux qui restaient au-dehors. Lorsqu'ils n'avaient aucune formation, ces isolés parvenaient encore à trouver des places tout en bas de la hiérarchie. En revanche, les jeunes diplômés auxquels ni père, ni frère ne tendait la main de l'intérieur étaient partout rejetés. Jean-Paul Lambert, étant donné son titre, aurait dû être engagé comme cadre moyen, mais nul directeur ne voulait irriter son personnel par une telle embauche. Seul un lien de parenté aurait justifié l'occupation d'un tel poste par une personne de l'extérieur. En désespoir de cause, Jean-Paul aurait bien accepté un emploi de technicien, mais cette situation bâtarde faisait également peur. Bref avec un diplôme prestigieux et sans aucune introduction, il n'avait de place nulle part.

Un mois plus tard, lorsque Georges Rousselier rencontra le jeune homme, il le trouva fort abattu. « J'aurais mieux fait d'apprendre à planter les choux comme mon grand-père », soupira-t-il.

La solution que l'ancien ministre lui proposa était pour le moins bancale : « Votre diplôme, c'est-à-dire votre qualification, constitue un acquis, expliqua l'ancien ministre. Cela vous permettra de grimper plus vite dans une hiérarchie. Encore faut-il entrer dans une entreprise. C'est à ce stade que votre parchemin vous gêne. Il faut donc le cacher. Comprenez-moi bien, vous seriez répréhensible de vous inventer un diplôme que vous n'avez pas. A l'inverse, on ne saurait vous reprocher de masquer, disons par modestie, celui que vous possédez. Par chance, votre nom de Lambert est fort courant, nul ne fera le rapprochement avec celui qui figure dans la liste de Polytechnique. Il vous faut donc entrer comme simple bachelier dans une entreprise qui offre des chances de promotion rapide aux plus compétents. Il me semble que l'Union française des assurances répond bien à ce critère. Mon ami Pierre Bladar, le directeur général, serait d'accord pour vous engager comme employé. Il assure qu'en moins de dix ans vous pourriez accéder à l'encadrement. A condition, évidemment, d'oublier votre bicorne. Lui seul sera au courant. Vous comprenez, un polytechnicien employé aux écritures, ce serait vraiment très gênant. »

Pendant combien de temps encore pourra-t-on promettre le bâton de maréchal à tous les enfants de France et décerner plus de diplômes qu'il n'existe de places disponibles ? C'est tout le fond de notre histoire. Entre une Education nationale qui a recruté massivement des enseignants au cours des vingt dernières années, des entreprises qui s'efforcent de réduire leur encadrement, le nombre d'emplois offerts aux jeunes diplômés va au mieux stagner au pire diminuer. Dans le même temps, et en dépit de toutes les sélections avouées ou cachées, le nombre des titulaires de diplômes va augmenter. Cet écart croissant entre la demande et l'offre, entre les prétentions et les propositions, risque de devenir rapidement explosif.

Dans le scénario précédent nous évoquions les réactions violentes des diplômés chômeurs, ou leur comportement de résignation et de désespoir. Dans la pratique, les deux risquent de se combiner.

Mais, on ne peut s'en tenir à ce constat global et quantitatif d'un écart croissant entre le rythme de formation des hommes et les possibilités de création d'emplois. Il faut distinguer selon les différentes catégories de la population, selon le niveau de formation. Il faut surtout tenir compte des modifications de comportements qui apparaîtront en réaction face à cette situation.

Ces tendances, on les voit déjà se dessiner et c'est à partir d'elles que l'on peut essayer de prévoir la suite. Premier point, on constate que les jeunes, notamment ceux qui n'appartiennent pas à la bourgeoisie, préfèrent les formations « supérieures courtes » aux filières universitaires plus longues et plus ambitieuses. « Dans les années 60, remarque Bertrand Girod de l'Ain, un fils d'ouvrier bachelier visait volontiers la faculté de lettres ou de sciences. Il était presque assuré par cette filière de devenir professeur dans un lycée, voire en faculté. » Aujourd'hui les perspectives ont changé et les adolescents ou leurs familles en sont conscients.

D'une part, une filière longue est, par définition, plus difficile à mener à terme. Le risque est plus grand d'échouer en chemin et de se retrouver avec une sorte de certificat d'échec pour tout bilan de ses études. Mais, à supposer même que l'étudiant décroche son parchemin, il n'est plus assuré de rien pour la suite, comme l'explique Jean Vincens, directeur de l'institut de l'emploi de Toulouse : « Un pourcentage croissant de jeunes diplômés n'obtiennent pas à l'entrée dans la vie active l'emploi correspondant à leur qualification. Cela pour trois raisons. D'une part le nombre toujours plus élevé des diplômés avive la concurrence et dévalorise le diplôme ; deuxième raison : bien des jeunes titulaires d'un diplôme ne savent pas très bien ce qu'ils veulent faire ; enfin le passage à l'université de masse a rendu plus hétérogène la population des diplômés. »

Ainsi les filières universitaires longues paraissent, pour les enfants du peuple à tout le moins, très difficiles et très incertaines. Résultat : « Le même garçon avec le même quotient intellectuel ne prend plus le risque aujourd'hui », constate Bertrand Girod de l'Ain. Il va s'orienter vers les formations courtes que donnent les instituts universitaires de technologie, les écoles professionnelles, etc. Il vise un résultat moins ambitieux, mais plus assuré et à plus court terme. On voit donc, et on verra de plus en plus, arriver sur le marché du travail des jeunes ayant une solide formation professionnelle qui les situe à l'échelon intermédiaire entre l'employé et l'ouvrier d'une part, le cadre de l'autre. Cela risque de changer complètement le marché de l'emploi, non pas seulement cette bourse de l'offre et de la demande pour trouver un job, mais également toute la politique du personnel à l'intérieur des entreprises.

« Autrefois, explique Bertrand Girod de l'Ain, on devenait contremaître, agent de maîtrise ou cadre moyen par promotion interne. Ces postes étaient donc attribués à des travailleurs d'un certain âge. Comme le niveau de formation correspondant n'existait quasiment pas dans l'enseignement, les jeunes entraient selon leur origine sociale soit tout en bas avec ces niveaux comme perspectives de carrière, soit à la base de l'encadrement en visant des postes de direction. Les perspectives de promotion étaient, certes, très limitées, mais il y en avait. Aujourd'hui, tout le système est bloqué.

« L'emploi de technicien qui était un poste de promotion, devient un poste de début de carrière. Le niveau intellectuel des jeunes qui entrent à ce niveau s'élève sans cesse. Ils viennent généralement de milieu modeste et n'ont fait ces études supérieures courtes que parce que les longues leur paraissaient trop risquées. Ils entendent ne pas rester au même niveau tout au long de leur carrière. »

Cette pénurie d'emplois intéressants provoque un blocage généralisé. Les ouvriers et employés ont leur espoir de promotion bloqué par les jeunes techniciens diplômés. Les jeunes ingénieurs et diplômés supérieurs bloquent les nouveaux techniciens dans leur promotion. Finalement on se bouscule pour entrer dans l'entreprise et on se bouscule dans l'entreprise pour grimper. C'est la foire d'empoigne, le durcissement de la compétition que l'on constate déjà dans les conflits sociaux comme le note Jean Vincens : « Il est certain que le problème devient de plus en plus grave. Un exemple récent : les banques. Elles avaient l'habitude de former leur personnel et d'organiser une promotion interne très importante. Les nécessités d'une croissance rapide les ont conduites à recruter un grand nombre de jeunes diplômés et, de ce fait, tout leur système de promotion interne a été bloqué. Lors des grandes grèves qui ont affecté le secteur bancaire, ce blocage a durci et prolongé certains conflits. Comme, en outre, beaucoup de diplômés ne trouvent que des emplois subalternes en début de vie active, ils font une concurrence sévère pour la promotion à ceux qui n'ont pas de diplômes. Si cette évolution continue, le pourcentage des promus sans diplômes devrait décroître considérablement au cours des prochaines années, en dépit de la politique consistant à préserver ce mode d'accès aux postes de direction. »

Une telle situation incite chaque groupe à se refermer sur lui-même pour préserver les avantages acquis : c'est le corporatisme. Dans ce cas, il se traduit par le recrutement familial. L'évolution est déjà fort avancée dans de nombreuses entreprises publiques ou semi-publiques. Dans les banques, à l'E.D.F., à Air France et dans les grandes entreprises privées, ce mode de recrutement est de plus en plus fréquent. C'est une situation que, d'un accord tacite, tout le monde garde secrète ou, du moins, discrète. Mais l'évolution paraît inévitable.

« Je pense que l'on s'achemine vers un système mixte, dit Bertrand Girod de l'Ain. D'une part un recrutement avec des relations familiales. L'ouvrier ayant des relations dans le milieu ouvrier, le technicien dans le milieu technicien, le cadre dans la couche d'au-dessus, chacun s'efforce de faire entrer dans l'entreprise ses enfants ou ses proches. Le parent ouvrier ou technicien vise à faire acquérir à ses enfants au moins le diplôme qui sera monnayable auprès de son réseau de relations. Comme la compétition sera très forte pour les promotions, l'ancienneté devra de plus en plus être « confirmée » par des procédures de diplômes sélectifs de formation permanente. » Un tel système sonne le glas de la démocratisation. De plus en plus, chaque groupe social tend à se reproduire à son niveau de la hiérarchie. Même le mérite individuel et exceptionnel n'assure plus l'ascension d'un échelon à l'autre. C'est le drame que vit dans le scénario le petit-fils du père Bertrand. Le mérite individuel, même sanctionné par un diplôme, ne sert à rien sans la solidarité corporatiste. Comment la société, les jeunes en particulier, supportera-t-elle cette désillusion après avoir été si longtemps entretenue dans le rêve de la démocratisation méritocratique ?

COMMENTAIRE
GENERAL

Voilà donc un système qui se bloque progressivement et qui nous conduit vers des futurs hautement indésirables, des futurs dépressifs sinon explosifs. D'une part, une société fortement hiérarchisée, très inégalitaire avec de très bonnes places, de moins bonnes et de franchement mauvaises. D'autant qu'un système cumulatif tend à rassembler tous les avantages sur certains postes, tous les inconvénients sur d'autres. D'autre part, ceux qui ont les moindres avantages matériels ont aussi la moindre considération, le moins de sécurité, le moins de promotion possible, le plus pénible travail, et inversement les belles situations matérielles correspondent à un travail agréable, une bonne considération sociale, etc.

Comment la société va-t-elle répartir les individus dans cette structure hiérarchique ? Elle peut miser sur la simple reproduction des différentes classes. Chacun, *grosso modo,* occupe la même place que son père. Elle peut, au contraire, se vouloir démocratique et méritocratique. Le système est également ouvert à tous. Aux plus doués de faire leurs preuves pour occuper les meilleures places. Ce principe gouverne notre société. En théorie du moins.

C'est dans l'Education nationale que doit se faire cette répartition des places. Là, les enfants sont « élevés », c'est-à-dire instruits, enrichis, épanouis. Mais ils sont aussi évalués, jugés, comparés, triés, sélectionnés. En sortant de l'école ou de l'université, le devenir social est pratiquement joué. L'Education nationale se trouve investie d'un double rôle : distribuer la culture, certes, mais aussi répartir les tickets d'entrée dans la société : premier rang d'orchestre, loge réservée, deuxième galerie, poulailler, etc.

Une évolution irrésistible fait qu'il y a de plus en plus de candidats pour les bonnes ou très bonnes places. Toutes les barrières socio-culturelles, qui bloquaient dans leurs conditions les enfants du peuple, tendent à céder. Aux niveaux inférieurs, on se résigne de moins en moins, on veut que les enfants s'élèvent dans la hiérarchie par rapport aux parents. Il se fait donc une pression plus forte par la multiplication des candidats.

Cette pression s'amplifie dangereusement lorsque le nombre des places mises en jeu n'augmente plus. Alors l'Education nationale devient un lieu de désespoir, d'affrontements, de désarroi ou de révolte. Pour relâcher un peu la pression et éviter que la tension atteigne le point critique, elle fait de l'inflation, c'est-à-dire qu'elle distribue plus de tickets qu'il n'y a de places, transférant ainsi dans la vie professionnelle une partie de la pression qu'elle ne peut plus contenir. Le subterfuge n'a qu'un temps. Les étudiants se rendent compte qu'ils sont payés en diplômes dévalués, qu'on ne leur offre qu'un bon d'entrée au chômage, et le désespoir, un instant évacué du système, tend à y revenir.

Tel est, outrageusement schématisé, le mécanisme dangereux qui s'enclenche. C'est lui qui met notre avenir en question. Une société excessivement inégalitaire ne libère-t-elle pas des tensions trop violentes en adoptant un système méritocratique et compétitif ? La compétition démocratique garde-t-elle un sens lorsque l'inévitable reproduction des classes dirigeantes ne laisse pratiquement plus aucune place à la promotion populaire ? Est-il possible de concentrer toute cette violence latente dans ce monde si réduit de l'Education nationale au sens étroit du terme, c'est-à-dire dans la période de formation des jeunes ? N'y a-t-il pas là une véritable machine infernale qui pourrait, dans l'avenir, faire sauter la société ? Que pourrait-on faire enfin pour sortir de ce piège ?

Hélène Ahrweiler constate avec nostalgie : « Le terme " éduqué ", dans le sens étymologique, implique " loisirs, vacances ". Tout le monde l'a oublié. Mais, ajoute-t-elle, le même terme veut dire aujourd'hui, en grec moderne " châtier et punir ". Voilà une évolution assez étrange. Un véritable procès du système éducatif. Il est vrai qu'à l'heure actuelle presque tous les professeurs, dans l'université, ont le sentiment de produire des chômeurs, des gens malheureux. Cela devient intenable. »

De fait l'Education nationale commence à prendre conscience du piège dans lequel elle est tombée. Pour Etienne Verne, approuvé en cela par Hélène Ahrweiler : « Ce n'est peut-être plus la mission du système scolaire , en tout cas de l'université, de garantir un emploi à tous les étudiants. » Seulement voilà, dans un système méritocratique, il est logique que l'école tout à la fois forme et évalue les enfants. Dans cette période de tension sur l'emploi, la deuxième mission tend à l'emporter sur la première. L'essentiel n'est plus l'épanouissement de tous, mais la sélection des meilleurs, donc l'élimination du plus grand nombre. Ainsi, constate Bertrand Girod de l'Ain : « L'école tend à jeter des regards d'effroi sur ce qu'on lui a demandé. Elle est condamnée à punir et à châtier. »

Pour diminuer cette tension dans l'école, le premier point serait sans doute de la diminuer dans la société même, c'est-à-dire réduire l'inégalité entre les différentes catégories. En effet, la sélection n'a pas du tout le même sens selon qu'elle sépare les gagnants des perdants, les maîtres des serviteurs, les nantis des exclus ou qu'elle répartit les individus en fonction de leurs goûts et de leurs aptitudes dans des catégories différentes, mais plus ou moins équivalentes. L'orientation scolaire est supportée entre des carrières à inégalité relative. On accepte de faire les Arts et Métiers plutôt que Polytechnique, Science Po plutôt que H.E.C. Le drame commence lorsque la sélection change du tout au tout les perspectives d'avenir. De moindres écarts entre les positions offertes par la société « dédramatiseraient » les choix scolaires, éviteraient que les déceptions se transforment en désespoir.

Le deuxième point serait de ne plus jouer tout le devenir de l'individu sur sa seule période scolaire, de ne plus lier indissolublement l'emploi et même la carrière au diplôme universitaire. Il paraît normal aujourd'hui que toute une vie dépende de ces quelques années. Faire en sorte que l'école ne soit plus ce tribunal qui juge sans appel l'épreuve de vérité, c'est également indispensable.

Mais, dans un monde de compétence, de concurrence, d'efficacité et de rendement, on ne peut brutalement déconnecter enseignement et emploi. En l'an 2000, les Français utiliseront toujours dans leur vie professionnelle des connaissances qui leur auront été enseignées. Il s'agit donc de faire cohabiter les deux missions : « Une université, si l'on parle d'université, qui assure cette culture, je dirais ce supplément d'âme, mais une université aussi qui s'inscrit dans un système social à l'intérieur duquel elle a des fonctions socio-économiques tout à fait déterminées. Je crois, conclut Etienne Verne, que c'est cette utilité-là qu'il faudrait essayer de remettre en question. »

On peut la remettre en question radicalement dans l'optique d'un Ivan Illich que reprend Etienne Verne en affirmant que : « Depuis qu'ils se sont massifiés et qu'ils sont devenus obligatoires, les systèmes scolaires sont devenus précisément des lieux qui empêchent d'apprendre. » C'est alors le principe même d'une scolarisation obligatoire, c'est-à-dire d'une formation donnée dans des lieux spécialisés, à une période déterminée de la vie, par des professionnels de l'enseignement, qui se trouve contestée. C'est l'option pour l'apprentissage de la vie, dans la vie, de l'école ouverte comme lieu d'enrichissement personnel. C'est aussi l'option pour une société radicalement différente de la nôtre. Une société qui, il faut le dire, a bien peu de chances d'apparaître d'ici vingt ans. Notre monde a des racines beaucoup trop profondes pour qu'on puisse ainsi le transformer au niveau même de ses principes.

Il faut donc chercher un scénario d'évolution plus que de mutation, de réforme plus que de révolution pour désamorcer le piège de l'école. Etant entendu que les réformes nécessaires seraient qualifiées de révolution par la plupart des intéressés.

Au niveau de la formation même, comment concilier un enseignement culturel et un enseignement professionnel ? « Le problème qui importe, estime Hélène Ahrweiler, ce n'est pas seulement de rendre les jeunes polyvalents face au marché du travail, mais également en ce qui concerne la maîtrise de leur vie. Pour y parvenir, il faut pouvoir instaurer, entre enseignants et enseignés, un dialogue de fraternité, de solidarité, de liberté. »

Comment lier cette formation plus large, plus personnelle avec le monde du travail ? « Il me semble fondamental de déconnecter le diplôme d'une qualification, estime Bertrand Girod de l'Ain. Prenez par exemple un mécanicien de garage et un pompiste. Le second exerce un métier répétitif peu enrichissant. Le premier doit être capable de faire un diagnostic avant de réparer. Et cette capacité s'affirme dans et par la pratique. Il existe donc des « métiers à diagnostic ». Il y a quelque chose de commun entre le mécanicien de garage et le médecin. Tous deux doivent être capables de faire un diagnostic. Si l'on définit les qualifications professionnelles en formes non scolaires, on pourra prévoir des voies d'accès fort différentes. C'est, à mon avis, la seule solution d'éviter l'enfer. »

Trouver des modes de qualification différents de la scolarité stricte, c'est assurément le grand espoir pour relâcher la tension dans le système. Concrètement, cela implique la possibilité pour chacun de se qualifier tout au long de sa vie et à travers des filières diverses. Si de telles procédures existaient, elles relâcheraient la tension dans l'Education nationale, puisque les jugements cesseraient d'y avoir ce caractère irrémédiable et définitif, puisqu'ils ne seraient plus que des épreuves parmi d'autres ouvertes à tout âge ; dans la vie professionnelle ensuite, puisque les blocages de carrière se feraient plus rares et les tensions qu'ils engendrent moins fortes.

Pour Hélène Ahrweiler, il s'agit d'avoir une formation qui ne suive pas systématiquement des programmes stéréotypés, mais qui s'adapte aux évolutions de la vie et de la personne. « Comment peut-on multiplier les régimes accélérés, instaurer dans les faits la polyvalence ? C'est, me semble-t-il, la question à laquelle il faut répondre. »

Pour ouvrir de telles possibilités, Bertrand Girod de l'Ain évoque la technique du « chèque-éducation ».

« C'est une méthode qui fait déjà l'objet de quelques expérimentations aux Etats-Unis. Elle consiste à remplacer l'obligation scolaire classique par une espèce de carnet de chèques qui vous permet « d'acheter » de la formation à n'importe quel moment de votre vie. Mais, à mon avis, cela n'a de sens que si les qualifications ne sont pas définies uniquement à l'école, si les entreprises, les comités d'entreprise interviennent comme dans votre scénario.

« Imaginons maintenant comment cela pourrait se passer. Prenez, par exemple, une petite ville de 1 000 habitants en l'an 2000. Tout le monde, jeunes ou moins jeunes, dispose d'un certain nombre de chèques-éducation donnés par l'Etat, mais tout le monde n'a pas également envie de grimper dans la hiérarchie sociale. Il me semble qu'en l'an 2000 il sera beaucoup plus pénible d'être chef, car une main-d'œuvre de plus en plus cultivée acceptera de moins en moins facilement le commandement. « Tirer un chèque » ne signifiera donc pas obligatoirement faire un effort pour grimper un échelon. Certains voudront conserver le même emploi, mais élargir leur horizon culturel, ils apprendront le violon ou Dieu sait quoi, d'autres, au contraire, qui veulent grimper, s'initieront à la comptabilité. L'important est que, dans chaque cas, c'est l'intéressé qui décidera. C'est en cela que papa Illich, en dépit du caractère un peu péremptoire de ses livres, a vu juste. L'important c'est que l'étudiant soit demandeur. Paradoxalement, cela nous ramène à l'université du Moyen Age, dans laquelle les étudiants recrutaient et payaient les professeurs.

« Evidemment cela choquera beaucoup de gens. Mais il me paraît souhaitable de dépasser même la notion de formation continue, pour arriver à celle de « temps de liberté », un temps qui se situe comme une interruption dans la vie professionnelle et que l'intéressé remplit à sa guise en apprenant le violon, la comptabilité... ou en allant pêcher à la ligne. »

Passer en vingt ans de notre société et de notre Education nationale à des systèmes aussi différents, cela semble impossible quand on considère l'inertie des hommes et des organisations. De fait, de tels changements n'ont aucune chance de s'opérer spontanément. Mais il faut tenir compte de la terrible pression des faits. C'est elle qui condamne à brève échéance le système actuel, c'est elle qui imposera autre chose, c'est pourquoi il nous reste bien peu de temps pour imaginer un avenir qui risque de nous sauter au visage bien plus vite que nous ne pensons.

8. LE STYLE DE VIE DES FRANÇAIS

Invité : BERNARD CATHELAT, psychosociologue, directeur du Centre de communication avancée, chargé de cours à l'université Paris-Sorbonne. Auteur de l'ouvrage *les Styles de vie des Français 78-98*, paru chez Stanké. *Le style de vie ou la « prospective de vie » c'est une notion nouvelle, mais une réalité éternelle. Toute société se définit au niveau de l'expérience individuelle par des comportements, des valeurs, des réactions, bref une façon d'être et de vivre particulière. Traditionnellement, on le subodorait de façon empirique à travers la simple observation. C'était « l'étude de mœurs » comme on disait. Aujourd'hui des techniques nouvelles permettent de mieux cerner cette réalité complexe et mouvante. L'outil de base est l'enquête ; non pas le sondage d'actualité portant sur deux ou trois questions, mais un questionnaire approfondi, comportant des centaines de questions, et réalisé auprès d'un échantillon représentatif de la population. Une telle enquête permet de réunir une masse énorme de documents, des centaines de milliers de réponses dans les enquêtes les plus approfondies. Que faire d'une matière aussi abondante ? L'exploitation serait presque impossible « à la main » ; il y a l'ordinateur qui peut aider à croiser, recouper, regrouper, comparer, mesurer, bref dégager des grandes tendances, élaborer une typologie. On obtient ainsi une image beaucoup plus précise, beaucoup plus sûre d'une société et beaucoup plus nuancée, diversifiée, fidèle.*

Ces enquêtes sur les Styles de Vie ont d'abord été effectuées par des entreprises, de grandes agences de publicité mais aussi des administrations et services publics qui voulaient mieux connaître non pas une clientèle pour un produit, mais de façon plus large tous les publics, leurs psychologies et leurs comportements généraux. Elles ont permis de dégager de grandes familles de Français, portés par les grands courants qui traversent notre société. C'est une base de travail précieuse pour s'interroger sur le Français de l'an 2000, sur ce qu'il sera, ce qu'il désirera. L'invité de ce chapitre est Bernard Cathelat qui, à la tête du C.C.A. du groupe Havas, a dirigé l'une de ces grandes enquêtes et qui peut fonder sa réflexion prospective sur cette connaissance précieuse du présent et de ses déséquilibres moteurs.

Deux Styles de Vie largement opposés qui pourraient exister, voire coexister, à la fin du siècle se dégagent de ses études.

Le premier serait l'aboutissement des tendances actuelles à l'éclatement, au changement, au dynamisme entreprenant, à la mobilité, à l'éphémère, à la compétition, à l'individualisme, ce que Bernard Cathelat appelle la « Mentalité d'Aventure » et sa « Perspective sybarite ». C'est le thème du premier scénario : « OU EST DONC MON PÈRE ? »

Le second traduirait un renversement de tendance, une orientation vers un monde plus replié, prudent, paisible, enraciné, à plus petite échelle, proche de la nature, avide de sécurité et de solidarité. C'est la mentalité de Recentrage « et sa Perspective harmonique ». C'est le thème du deuxième scénario : « Bernard a choisi les " DIFF ". »

Intervenants : MICHEL DRANCOURT, vice-président délégué de l'Institut de l'entreprise.

JACQUES DELORS, professeur à l'université Paris-Dauphine, fondateur du groupe Echanges et Projets.

OU EST DONC MON PÈRE ?

« Wonderful ! Muy bien ! Si, si, vraiment merveilleux ! Mais ce n'est qu'un début, tu dois être le premier.
C'est un challenge, penses-y toujours ! Tu sais, j'ai un
break de cinq jours, rendez-vous jeudi à Barhein et on
se mixe un relax aux Seychelles... O.K. ? Keep cool
Bert. Asta la vista ! »

Claude Martikowitz regarda s'effacer sur l'écran du
vidéophone l'image de son fils. Un grand sourire
imposa la mi-temps à quelques tics qui jouaient à chat
perché sur les lignes aiguës et les angles brusques de son
visage. Quelques mèches blanches s'inscrivaient élégam-
ment dans une coiffure « coup de vent » dynamique et
fonctionnelle. Comme chaque fois qu'il voyait son fils,
fût-ce à distance, il oubliait ses quarante ans qui
d'ailleurs ne le gênaient pas encore aux entournures
d'un corps sec et musclé. Et, comme chaque fois qu'il
désirait savourer un instant heureux, il alluma une
cigarette de marijuana : Bertrand, admis à la First
School de Stanford en Californie, c'était bien. Machi-
nalement, il avait utilisé pour parler à son fils ce
jargon cosmopolite utilisé aux quatre coins du monde
des affaires. Bertrand s'y ferait. Il s'y faisait déjà
d'ailleurs. Le « training center » d'où il venait d'appeler son père se trouvait dans le nord de l'Ecosse :
120 jours d'entraînement intensif, de révisions sous
hypnose, de simulations sur ordinateur, dans une
ambiance de monastère avec un objectif, un seul :

le concours de Stanford que l'on passe sans même se déplacer, par liaison T.V. avec le jury.

Et, enfin, le succès. Succès de son fils qui était le sien. Sa réussite serait la sienne. Et Claude Martikowitz l'avait bien mérité. Ce fils, il l'avait voulu. Après trois mariages de courte durée, il avait eu son fils avec une mathématicienne mexicaine qui, d'ailleurs, était vite retournée à ses recherches fondamentales. Bertrand avait été confié à une mère-hôtesse en Finlande pendant cinq ans. Depuis, il avait suivi son père du Brésil à l'Australie en passant par l'Argentine, de job en job, de télé-enseignement en vidéotraining, mais toujours les meilleurs. Ça coûtait une fortune. Mais le père était aujourd'hui récompensé...

Claude Martikowitz promena un regard de gourmande satisfaction sur le luxueux duplex qu'Europa Electronic Communication, son entreprise, mettait à sa disposition. Moquette blanche où l'on se noyait jusqu'aux chevilles, meubles qui mariaient avec bonheur les formes fonctionnelles et les matériaux précieux, tissus que l'on aimerait savoir choisir et mille détails ou gadgets faisant de la faim, de la soif ou de la simple curiosité, un jeu toujours renouvelé. Le tout était directement payé par E.E.C. Tout un panneau était occupé par un complexe électrovisuel, console de communication, écrans, télex, chaîne stéréophonique, caméras vidéo, terminal informatique. Autant d'instruments familiers qui mettaient le monde entier à sa portée, et qui, de son appartement faisaient aussi son bureau.

Un bon niveau de vie, pensa-t-il avec fierté. Pas exceptionnel mais honorable quand on est parti de rien. En 1980, pour un petit-fils d'ouvriers polonais, un diplôme de Normale supérieure, ce n'était pas un passeport pour la réussite. Les ingénieurs et plus encore les littéraires couverts de diplômes s'écrasaient par milliers sur le marché de l'emploi. C'est à la force du poignet, en se battant, qu'il s'en était sorti, de recyclage en recyclage, de sélection en concours. Pour percer, il avait misé sur le risque alors que les jeunes Français rêvaient de sécurité, il avait choisi de s'expatrier alors qu'ils ne voulaient que s'enraciner. Ainsi, en une dizaine d'années, il était devenu un spécialiste reconnu des réseaux télématiques et, surtout, de leur management. Il n'était, en titre, que « conseiller de la direction ». En pratique il avait le luxe et le pouvoir. Il appartenait à ces commandos de l'industrie, ces experts itinérants, que l'on qualifie parfois de « pompiers volants » ou d' « étoiles filantes » et que la direction dépêche à travers le monde pour trancher une difficulté, négocier un contrat, redresser une filiale. « Etoile filante », le terme ne lui déplaisait pas ; quand on le lui appliquait, il répondait ordinairement que les étoiles fixes devaient tellement s'embêter dans le ciel qu'il valait certainement mieux bouger, quitte à se consumer, comme les étoiles filantes. Nomade supersonique faisant halte un jour au Japon, le lendemain au Proche-Orient, il n'avait droit ni au culte de l'amitié, ni à l'amour du pays. Pas d'attache. Une exception, une seule : son fils. En contrepartie, il gagnait bien sa vie. Il se faisait une douce obligation de vivre dans le luxe pour maintenir le standing de sa compagnie. Sans doute ne serait-il jamais un patron, un de ces hommes aussi puissants que des chefs d'Etats, mais son fils... peut-être...

Aujourd'hui, Martikowitz trouvait normal de payer avec la carte de crédit de sa firme ; normal de bénéficier d'un hélico personnel et de ce luxueux duplex au 48e étage d'une tour en bord de Seine, normal de confier son confort à tous ces gadgets. Normal aussi de travailler quatorze heures par jour, de jouer à saute-mouton avec les fuseaux horaires et de partir huit jours au Kenya ou aux Seychelles pour se relaxer entre deux opérations...

Sa vie était une cavalcade où se télescopaient les aventures, les amitiés et les amours. Il vivait avec son temps, c'est dire qu'il manquait de temps pour vivre. Mais Claude Martikowitz avait bien trop à faire pour se gâcher le bonheur de l'action par les mélancolies de la réflexion.

Agir pour agir, être le plus fort. A quarante ans plus que jamais ! Montrer à ces jeunes loups aux dents

longues, tout juste sortis des usines à génies qu'à
quarante ans on n'est pas un *has been,* un fossile, un
vieux. Jamais Claude ne l'aurait avoué, mais il avait
parfois l'angoisse au ventre de se voir moins rapide,
moins créatif, moins agressif, bref vieillissant.

Sa période de recyclage approchait. Tous les deux
ans, trois mois de tests et de formation dans un campus
pour se remettre à l'heure, pour suivre la technique.
En plus du recyclage, le check-up de santé obligatoire,
imposé par l'Europa Electronic Communication à tous
ses cadres. La sélection des meilleurs... « Bah, pensa-t-il
en faisant faire un brusque quart de tour, sur son
socle d'acier mat, au siège capitonné de son fauteuil, ils
m'ont bien imposé une espèce de psychanalyse avant
de m'engager. Je suis en pleine forme, je m'en sortirai
encore. »

A Stanford, dans son « usine à cerveaux », Bertrand
était heureux. 80 % d'études, 15 % de sport et 5 % de
flirt : son emploi du temps ne lui laissait aucun répit.
Plus encore que son temps, son attention et sa volonté
étaient accaparées par le travail. Il voulait réussir,
sortir dans les dix premiers, afin d'entrer dans ces
pépinières de managers, niveau suprême dans le raf-
finage de la matière grise qui s'organisait à l'échelle
mondiale. Il avait déjà décidé de son avenir. Un stage
dans une grande banque américaine, poste idéal pour
choisir sa cible. Et plonger. Où ? La question ne se
posait pas. Il se sentait à l'étroit dans les frontières,
celles de la vieille Europe en particulier. Son monde
ne pouvait être que planétaire. C'est en comparant la
carrière qu'il se préparait à celle qu'avait suivie son
père, en éprouvant pour lui une sympathie condescen-
dante, qu'il s'interrogea à son sujet. Depuis trois mois,
il n'avait plus de nouvelles.

Où pouvait-il être, que devenait-il, et comment le
savoir ? Pas de famille à interroger. Il savait que
Martikówitz vivait actuellement avec une Hongroise,
une traductrice, mais il avait oublié son nom... Pendant trois jours Bertrand téléphona à Paris, à Madrid,
à Londres sans résultat. Il finit par obtenir enfin un
renseignement : le bureau d'orientation de l'Europa

Electronic Communication à Rome, après avoir vérifié son identité, lui envoya par télex la copie d'une fiche d'ordinateur.

Ce qu'il lut le frappa de stupeur : Claude Martikowitz n'avait pas été reconnu apte après son check-up. La contre-expertise lui avait été défavorable et il avait été déchargé de toutes ses fonctions à l'Europa Electronic Communication. Une confortable indemnité lui avait été versée pour services rendus. La fiche n'en disait pas plus long. Dossier classé.

Bertrand tenta pendant des semaines d'avoir des nouvelles de son père. Mais la compagnie avait installé un nouveau cadre dans l'appartement, les sociétés de location avaient récupéré toutes les affaires ; et la banque avait fermé le crédit professionnel.

Bertrand Martikowitz se fit à plusieurs reprises sèchement rappeler à l'ordre : l'Europa Electronic Communication n'était pas responsable de ses anciens employés. Il cessa de relancer la compagnie. Un oncle, ingénieur à Londres, et une ancienne épouse de son père, professeur à San Francisco, n'en savaient pas plus.

Il fut tenté de rentrer en Europe. Il pourrait suivre les cours sur vidéo-cassettes et faire des travaux pratiques dans les clubs Stanford. Il envisagea de prendre un avocat pour attaquer les employeurs de son père...

Mais ses entraîneurs lui firent comprendre qu'il avait un avenir et que cet avenir dépendait de sa concentration au travail. A Stanford les places sont rares et chères...

Six mois plus tard, un matin d'examen, un message laconique, retransmis par satellite, lui apprit que son père était porté disparu en mer Baltique où il tentait, avec quelques associés, de monter une base de télécommunications pirates sur une plate-forme pétrolière désaffectée.

Au signal rouge, Bertrand s'assit devant le pupitre de l'ordinateur et se concentra sur un problème ardu de prévisions économiques... Il serait le meilleur.

Comment peut-on bâtir un tel scénario, donner une telle image du Français de l'an 2000 ? Là encore il s'agit de tout sauf d'une spéculation gratuite, les tendances qui sont ici développées jusqu'à un certain paroxysme existent bien dans la société française de 1979. L'enquête de base du Centre de communication avancé, aboutissement de sept années de recherches, a été menée auprès de 4 500 Français et le questionnaire comprenait quelque 300 questions. C'est un travail en profondeur qui a été méticuleusement analysé avec l'aide d'ordinateurs. Il s'agit, comme l'indique Bernard Cathelat « de voir comment se regroupent les réponses, c'est-à-dire, finalement, quelles grandes familles se dessinent, quelles grandes tribus se forment autour des principaux modes de vie. Ces divisions se retrouvent aussi bien dans les petits détails de la vie quotidienne, que dans les idéaux philosophiques, les idées politiques ou religieuses ». A la limite, on pourrait dire qu'il s'agit presque de cultures différentes qui coexistent dans la société française. De deux cultures à tout le moins.

Ce scénario illustre une première culture dans le plein épanouissement qu'elle pourrait connaître à la fin du siècle si elle se développait sur une vingtaine d'années, si elle s'imposait comme le modèle dominant. « C'est, explique Bernard Cathelat, un " scénario d'Aventure ", c'est celui qui est aujourd'hui le plus simple, le plus évident, le plus populaire. C'est celui que les futurologues ont popularisé, par exemple Toffler dans *Le Choc du futur ;* c'est celui que la bande dessinée de science-fiction a rendu public ; c'est celui dont on parle le plus souvent dans les journaux. Pourquoi ? D'abord je crois, parce que c'est l'incarnation du rêve américain qui est un peu notre modèle depuis la guerre. C'est en effet le monde des cadres supérieurs, des sociétés multinationales qui — et c'est vrai — vivent beaucoup en avion, qui — et c'est vrai — mènent une vie excitante, bien payée, luxueuse, mais dangereuse. Ce modèle, c'est encore celui des business school américaines où tout brillant sujet rêve de passer au sortir de nos grandes écoles. C'est un monde unifié par la science et la technique, par l'anglais, par le progrès des transports et des communications. C'est une culture universelle. »

Dans notre scénario, tout cela se remarque à mille détails. Claude Martikowitz vit à l'échelle du monde, il n'a plus de racines et quasiment plus d'attaches géographiques. Ni même linguistiques puisqu'il parle un jargon universel à dominante américaine. Son cadre de vie est complètement éclaté par le développement des télécommunications. Que son fils soit en Ecosse, en Californie ou dans la rue voisine n'a aucune importance : la distance ne compte plus. Les liens familiaux se sont profondément distendus au profit de relations plus nombreuses, plus épisodiques, plus éphémères. Claude Martikowitz a eu des mariages à durée limitée, car on n'envisage plus de se lier pour la vie, la naissance de l'enfant n'a nullement scellé la famille. La relation à trois de la famille nucléaire actuelle est remplacée par une relation à deux. Cette dernière relation ne résiste guère mieux puisque Claude et Bertrand finiront par se perdre dans ce monde-village.

Les valeurs dominantes sont liées à la jouissance individuelle, jouissance active et non passive. C'est dans l'action, à travers le dynamisme, par l'exercice de la puissance, que l'on « prend son pied » et non dans le contentement d'un sybarite repus, d'un roi fainéant. Au reste, ce monde est plus que jamais celui de la concurrence ouverte, de l'épreuve de force tous azimuts, d'une jungle à peine policée. C'est drôle et cruel, passionnant et épuisant, riche et frustrant, dynamique mais impitoyable, plein de monde et tragiquement solitaire.

I'm a poor lonesone cowboy !

Si nous regardons la France d'aujourd'hui, nous ne voyons pas beaucoup de gens qui vivent comme cela. C'est vrai. Mais il s'agit d'une bourgeoisie dynamique : celle des cadres supérieurs, des entrepreneurs ambitieux, des innovateurs, des publicitaires, bref d'une catégorie sociale pilote. Si nous regardons l'évolution de la société française au cours des dernières décennies, nous voyons que le mode de vie adopté par cette classe préfigure, généralement avec cinq, dix ou vingt ans de décalage, celui de toute la classe moyenne. De fait, « ce style de vie fut dominant dans la société française en tant que modèle de référence à partir des années 50 et jusqu'aux années 70-72» estime Bernard Cathelat. Il a débarqué en France au lendemain de la guerre avec les G.I., les cigarettes blondes, le whisky, les ordinateurs il s'est développé depuis et s'épanouit dans la France de la Défense et du nouveau Lyon, du R.E.R. et de

Concorde, des ordinateurs et des centrales nucléaires, des magnétoscopes et de la télématique qu'on nous promet. Cette France dynamique, d'acier et de béton, d'images et de vitesse que la publicité ne cesse de promouvoir comme mythe porteur, c'est ce que Bernard Cathelat appelle « la France d'Aventure » et qui, précise-t-il, a regroupé jusqu'à 42 % des Français, c'est-à-dire près de la moitié et surtout ceux qui ont le pouvoir, qui font la mode, qui façonnent le monde et forment les idées ». Il est donc logique d'envisager, par simple extrapolation de la situation et des tendances actuelles, la réalisation d'un tel mode de vie pour cette même élite économique, tandis que l'ensemble des classes moyennes vivraient un peu comme ces cadres supérieurs ou « de pointe » aujourd'hui.

En définitive, tout cela est vraisemblable dans la simple continuation du présent, dans une prospective « à la Toffler », mais ce Style de Vie est loin d'être le seul que l'on puisse entrevoir pour les Français de l'an 2000.

BERNARD A CHOISI LES « DIFF »

Bernard à la Régie ! En regardant, par les grandes baies vitrées, l'animation de la rue piétonne, Pierre Fayer se laissait aller à ce vieux rêve. Il soupesait ses vingt années passées à la Régie autonome des énergies... oui, elles lui permettraient de faire entrer son deuxième fils. Ce serait une place sûre, ainsi Bernard serait stabilisé... encore faudrait-il qu'il daigne faire ses stages d'entreprise.

Il laissa échapper un soupir et replongea le nez sur les courbes de consommation électrique dans les différentes régions de France. Il jouait les « comptables de l'énergie ». Un travail intéressant, utile à la collectivité et dont il était fier. Vingt ans auparavant, jeune ingénieur, il avait eu peur lorsque l'E.D.F. avait éclaté en régies décentralisées, mais il avait quitté Paris sans trop de regrets. Heureux de se rapprocher de la nature, de s'installer dans une ville plus calme. Il s'était passionné pour une carrière sans histoire, consacrée à l'énergie solaire. Aujourd'hui, il était directeur régional de la consommation. C'était lui — et il aimait le rappeler — qui avait mis en place un système de contrôle permettant à chaque usager, chaque immeuble, chaque entreprise de contrôler ses dépenses d'énergie. Et l'Ouest n'était pas mal placé dans la compétition des régions pour les économies d'énergie.

16 h 30. Pierre Fayer quitte son bureau. De toute façon l'électricité était coupée et les locaux fermaient

à 17 heures. Depuis que la durée du travail avait été réduite pour lutter contre le chômage, il n'était pas très bien vu de faire des heures supplémentaires. C'était signe d'un manque d'organisation ou d'une ambition personnelle.

Il prit sa petite voiture électrique. Un privilège ! La plupart des employés de la Régie (comme on disait à Quimper) se dirigeaient vers la flottille de mini-bus qui partaient sans cesse dans toutes les directions et qui les déposeraient devant leur porte. Pierre Fayer habitait à dix minutes de là, dans une banlieue calme et plaisante. Sa maison, colorée, pimpante en dépit du chauffage solaire, se trouvait dans un nouveau village qui regroupait des habitations individuelles à un seul étage autour d'équipements collectifs très importants. Le tout avait été construit par la Régie autonome des énergies pour son personnel.

Bien sûr, il n'avait pas le train de vie de ses homologues allemands qu'il rencontrait dans les colloques internationaux, et récemment encore à Dortmund au symposium européen sur la géothermie. Eux possédaient de grosses voitures, des appartements luxueux, passaient fréquemment leurs vacances à l'étranger. Pourtant Pierre Fayer regagnait toujours Quimper sans l'ombre d'une frustration. Le niveau de vie n'est pas tout, il y a aussi le mode de vie. A Quimper il avait choisi la qualité. Certes, son salaire n'était pas extraordinaire, mais la Régie lui fournissait son logement, sa carte de transports, des bons d'achat, ainsi que l'allocation vacances qui avait remplacé le treizième mois. Le médecin et les médicaments étaient gratuits, tout comme les études des enfants... ou des adultes. Fayer savait bien que nombre de ses collègues américains enviaient secrètement ces avantages sociaux. Malgré leurs dollars et leurs promotions fulgurantes.

Pierre Fayer conduisait avec prudence. Appartenant à cette génération qui avait connu l'agitation, les embouteillages et la violence de Paris, il appréciait doublement le calme et la sécurité retrouvés. Il en ressentait un sentiment de sérénité. N'était-il pas garanti ? Contre tout. Non seulement son emploi était assuré, mais, en outre, il resterait autant qu'il le souhaiterait dans cette région. Quant aux coups du sort, ils étaient bien amortis. Lorsqu'il avait été cloué à la chambre pendant un an à la suite de son accident, la Régie avait versé l'intégralité du salaire. Primes comprises. A son retour, il avait retrouvé son poste. Sans la moindre difficulté. Il avait mis à profit sa convalescence pour participer au Comité de gestion du village et au Conseil éducatif des écoles. Installé depuis douze ans dans cette banlieue de Quimper, il connaissait tout le monde et trouvait normal de mettre son expérience au service de cette petite communauté.

Il restait au fond un homme de statistiques, souvent on le plaisantait sur ce sujet. C'est vrai qu'il n'était ni poète ni romantique. Il se promit cependant de faire un effort pour participer de plus près au Comité de surveillance écologique du quartier qui contrôlait les essences d'arbres replantés par les particuliers.

Une fois Bernard entré à la Régie, il pourrait profiter de ses week-ends de trois jours et s'intéresser davantage à la collectivité. « Peut-être même accepterais-je de devenir délégué municipal », pensait Pierre Fayer en traversant la grande pelouse.

17 h 30. Pierre Fayer regarde paisiblement à la télévision locale l'inauguration d'un centre de loisirs manuels. Il laisse le téléphone sonner quatre, cinq fois puis se lève pour répondre. Chaleureuse, amicale — peut-être un peu trop devait-il penser par la suite —, il reconnaît la voix de Pierre Maurel, le recteur du collège polyvalent. Maurel voudrait lui parler de son fils. Il a l'air sincèrement ennuyé. Fayer peut-il passer chez lui dans la soirée ?

Ce n'était pas la première fois que Pierre Fayer avait des problèmes avec Bernard. Depuis plusieurs années déjà, son fils s'obstinait à contester les décisions d'orientation. Compte tenu de ses aptitudes et des besoins de la région, on le dirigeait vers l'informatique. Il réussissait les épreuves théoriques, mais ne s'intéressait pas aux travaux pratiques et faisait preuve d'une exceptionnelle mauvaise volonté dans les stages d'entreprises.

La nouvelle réforme de l'enseignement avait mis

l'accent sur la formation pratique. Désormais, les mauvaises notes de stage industriel étaient éliminatoires et vous privaient du diplôme professionnel. « Si Maurel veut me voir, pensa Fayer tout en roulant vers le centre ville, c'est certainement... » Mais il tentait encore de ne pas y croire, car il tenait plus que tout à son objectif : faire entrer Bernard à la Régie afin qu'il se stabilise.

Le recteur du collège savait tout cela... « Il s'agit des notes de stage de Bernard », dit-il à Fayer, l'air peiné, en lui ouvrant la porte de son bureau. Il les lui présenta : « Forte personnalité mais trop individualiste, ne sait pas s'adapter au travail d'équipe », « esprit fort et critique », « rêveur et fantaisiste, prend des risques irrationnels en proposant trop d'idées nouvelles », « stagiaire ambitieux et contestataire ». Voilà. Pierre Fayer fixait, au-dessus de la tête du directeur, un « Coucher de soleil sur Benodet » d'une pâte grisâtre où se levait curieusement une lune des tropiques. C'était la catastrophe. Après l'échec de ce stage de repêchage, le troisième, le directeur ne pouvait accorder son diplôme à Bernard... « Et je le regrette pour vous » dit-il à Pierre en rangeant la fiche.

Bernard ne reparut à la maison que le surlendemain. Il n'y eut pas de discussion orageuse : le père et le fils n'avaient plus rien à se dire.

Bernard annonça à Pierre qu'il quittait la maison pour faire « de l'animation culturelle avec des amis ». « Tu es libre » lui répondit seulement son père. Il hésita une seconde, mais ne sentit pas le courage de proposer à Bernard d'entrer quand même à la Régie autonome des énergies. Il était sûr de son refus.

« Régie, régie ! Je ne veux pas être en régie... menté. J'ai d'autres choses à essayer », avait dit Bernard en partant. Il s'aperçut vite de quel prix il lui faudrait payer son originalité. La vie coûtait horriblement cher quand on n'avait pas droit aux cartes de transport, aux carnets d'achats, au logement de fonction, au dispensaire ; sans emploi fixe, il lui était impossible d'obtenir un prêt ou un logement.

Bien sûr il avait droit, comme tout chômeur, à l'aide

sociale de première nécessité. Mais était-il un vrai chômeur ?

Le chômeur était devenu, plus encore qu'auparavant, un marginal, pour la bonne raison qu'il n'y en avait presque plus. Le droit au travail était une réalité, depuis les grandes émeutes contre le chômage. Tout le monde pouvait obtenir un emploi. Les entreprises se trouvaient encombrées de travailleurs en surnombre, cela coûtait cher. Du moins avait-on guéri la société de cette lèpre.

Les derniers chômeurs étaient les « cas sociaux » qui, pour une raison ou pour une autre, ne pouvaient pas travailler. Mais un jeune homme de vingt-deux ans en pleine santé et sans travail, cela choquait. D'autant que les communes, devenues largement autonomes, supportaient seules le poids des allocations. Chacun semblait reprocher à Bernard les très maigres indemnités qu'il touchait.

A plusieurs reprises, il en était arrivé à échanger des injures avec des fonctionnaires : ceux du Logement, ceux de l'Université qui ne voulaient pas lui accorder un présalaire, ceux du bureau du Travail qui prétendaient lui faire passer des tests. Au café même, il y avait eu un début de bagarre à cause d'une allusion aux « parasites ».

Un jour Bernard disparut. On apprit qu'il était parti pour Paris. On disait qu'il avait rejoint une secte mystique qui vivait pour moitié de mendicité et pour moitié de la vente de brevets technologiques. On les appelait les « Diff » car ils se voulaient en tout différents des autres.

Pendant quelque temps Pierre Fayer se sentit gêné devant ses collègues de la Régie, au village, dans sa famille même. Son fils était chez les « Diff » ! Il était secrètement fier de l'intelligence et de l'énergie de Bernard, mais il avait honte de sa conduite, de ses idées. Lentement le calme et la paix revinrent. Bernard fut oublié, Pierre songea sérieusement à présider cette commission de Contrôle des initiatives écologiques, pour remettre un peu d'ordre dans la fantaisie horticole de ses concitoyens.

Ce scénario traduit un retournement complet par rapport aux tendances des années 50-70. « Dans les enquêtes que nous effectuons régulièrement, nous avons vu apparaître ces aspirations nouvelles à partir de 1972. Mais l'évolution a sans doute commencé dès les lendemains de mai 1968 », estime Bernard Cathelat.

Quelles sont les caractéristiques de cette nouvelle culture, telles qu'elles transparaissent à travers l'histoire ? Premier point : il s'agit d'un monde sécurisé. Le chômage a disparu, chacun est assuré d'un emploi, fût-ce un emploi inutile. Deuxième point : les valeurs de compétition, d'agressivité, d'ambition, de changement sont complètement déconsidérées. Troisième point : la société s'organise toujours à la plus petite échelle possible. A tous les niveaux, on décentralise le pouvoir et les responsabilités. Quatrième point : un intérêt particulier est apporté à la « qualité de la vie », c'est-à-dire à l'agrément de l'environnement, l'aménité des relations sociales, la détente, la sérénité. Cinquième point : ce refus d'une contrainte centralisée ou d'une agressivité latente s'accompagne d'une certaine normalisation, d'un conformisme de groupe. Bernard est finalement rejeté parce qu'il refuse d'entrer dans le système. Il n'est pas opprimé par une force policière, mais exclu par la réprobation sociale et une mise hors tutelle qui lui rend l'existence très difficile. En effet « la société-providence » dispose d'un pouvoir considérable sur l'individu : celui de retirer une assistance sans laquelle la vie est devenue presque impossible. C'est la normalisation par le service et non par le sévice ; elle est plus douce, elle se passe des polices et des camps, elle n'en est pas moins efficace, voire oppressante si le système est poussé trop loin. Sixième point enfin : cette société ne vit pas en permanence sur l'innovation, le changement, l'obsolescence, elle a atteint un certain équilibre à partir duquel elle n'évolue que lentement. C'est le contraire du monde turbulent, en mutation permanente, du capitalisme sauvage dans sa phase innovatrice.

On ne saurait ramener ce scénario à un schéma régressif. Il comporte des innovations sociales considérables et l'on peut tout aussi bien soutenir que le maintien d'une situation dépassée, c'est-à-dire la réaction au sens le plus vrai, se trouve dans « le monde de l'Aventure » qui se contente de poursuivre les tendances héritées du passé. Cela posé, ce scénario n'est pas non plus antitechnique et passéiste. Il suppose, tout au contraire, un dépassement du niveau technologique actuel. Simplement ce perfectionnement se ferait dans un sens différent de l'évolution précédente. Jusqu'à présent, le progrès s'entendait toujours comme une course à la performance, à la puissance, à la taille, à la vitesse. Mieux signifiait plus grand, plus fort, plus rapide. Cette logique a guidé le développement de l'automobile, de l'aéronautique, de l'informatique, de l'urbanisme, de la production énergétique, etc. Or il ne s'agit nullement d'une fatalité, mais d'un choix. Les potentialités de la technique permettent d'imaginer un progrès qui, tout au contraire, nous donnerait des machines plus petites, plus simples, plus proches de l'homme et favorisant une décentralisation générale des pouvoirs et des moyens, comme le souligne Bernard Cathelat : « On peut penser que la mise en place d'ordinateurs de petite taille, très maniables, la possibilité de communications audio-visuelles à l'échelle locale, la disponibilité d'énergies douces, décentralisées, permettront de rendre vie aux régions, aux communes, et même aux communautés plus réduites, bref de recréer cet esprit de groupe ou de clocher évoqué dans ce scénario. »

Ambivalence de la technique qui peut, selon notre choix, nous préparer un monde ou l'autre. Or Bernard Cathelat, lorsqu'il observe ses contemporains, trouve que ce « monde du Recentrage » comme il dit, possède déjà des racines sociologiques profondes qui rendent son avènement fort possible.

« Effectivement, dit-il, je crois plus pour l'an 2000 à ce Style de Vie qu'au monde d'Aventure des cadres dynamiques et agressifs chaussés de bottes de sept lieues. Et cela pour plusieurs raisons.

« Tout d'abord ce scénario représente le souhaitable. Selon nos plus récentes études, plus de 40 % des Français aspirent à plus de calme, de prudence, de paix sociale, de solidarité, d'aménité, fût-ce au prix d'une certaine discipline de vie, d'une rigueur collective, d'un ordre ou d'une sagesse rompant avec la jouissance anarchique actuelle. On les voit prêts à sacrifier un peu de fantaisie, de gaspillage ou de consommation, un peu même de cette liberté anarchisante des mœurs, pour gagner cette nouvelle qualité de vie.

« Ce scénario est aussi possible en raison d'événements qui pourraient contrarier le développement de l'actuel style de vie dominant. Je pense à la fragilité de nos économies et au chômage qui accentuent le besoin de sécurité, à la montée des idées de gauche sur les thèmes de garanties sociales, à des crises notamment dans l'approvisionnement en énergie... Enfin le simple développement de nouvelles techniques, notamment dans la télématique et les media locaux pourront renforcer cette vie communautaire recentrée et cette mentalité d'assisté.

« Ce scénario est enfin probable dans la mesure où plus du tiers des Français vivent déjà avec ces valeurs et ces attitudes. (Nous les rappelons " les Styles de Vie du Recentrage " et ils sont 42 %. Ils sont très sensibles à la sécurité, à la qualité de la vie, ils préfèrent un bon sens réformiste sans excès aux aventures de la révolution ou du progrès trop rapide, ils souhaitent une société plus solidaire, plus ordonnée, plus coopérative. D'un certain point de vue, on peut dire que 'ce scénario est déjà en marche. Or il n'est pas à la mode " rétro " ni rétrograde comme on tend parfois à le penser, mais profondément moderne. En effet, il intègre les grands courants nouveaux : courant écologiste, courant autogestionnaire, courant consumeriste, courant régionaliste, courant communautaire, etc. Il peut également mêler dans ses eaux les apports des courants mystiques (voyez le succès des sectes) ou imaginaires, qu'illustre le succès de la science-fiction. Il ne faut donc pas le voir comme un repli face au modernisme, un retour à la France rurale et villageoise mais, peut-être, comme un nouveau modèle de société. »

Il reste que les promoteurs de ce courant en mesurent parfois mal les inconvénients, ce qui est tout à fait naturel. On ne peut ignorer que ce regain de la vie communautaire, cet appel renforcé à la solidarité et la cohérence sociale comportent un certain risque de normalisation et de conformisme qui est souligné dans le scénario. Par exemple, la disparition du chômage a pour contrecoup l'apparition d'une certaine obligation de travail, non pas du travail qui plaît, mais, éventuellement, du travail utile à la collectivité. C'est la rançon de la sécurité. D'une façon générale, l'Etat ou la communauté-providence n'est pas gratuit, alors même qu'il ne fait pas payer ses services. Ce fait a été souligné à propos de la Suède dans un livre stimulant, quoique discutable, par le journaliste britannique Roland Huntford. Celui-ci souligne dans *le Nouveau Totalitarisme* que les sociaux-démocrates suédois, en quarante années de règne, ont instauré un système qui, par certains aspects, évoque *le Meilleur des mondes* d'Aldous Huxley. Huntford dénonce la bureaucratie pesante, la puissance étouffante des syndicats (95 % de syndiqués), la primauté partout donnée aux valeurs collectives sur les valeurs individuelles, le manque d'originalité culturelle, d'innovation sociale, bref une normalisation dont il prétend retrouver la marque jusque dans la fameuse libéralisation sexuelle. On peut contester le diagnostic de Huntford sur la social-démocratie suédoise, le fait est que l'adoption d'un tel système comporte un risque évident pour l'individualité et la liberté, un risque qui n'est généralement pas perçu.

COMMENTAIRE
GENERAL

Nous voyons toujours notre avenir avec les lunettes teintées du présent. C'est évident si nous considérons la façon dont le monde a basculé du triomphalisme au catastrophisme en changeant de décennies. C'est le présent qui a été modifié par la crise, mais le futur s'en est trouvé profondément altéré. Il en va de même pour l'évolution générale de la société et du style de vie. Jusqu'aux élections de mars 78, le courant de « Recentrage», celui du deuxième scénario, ne cessait de s'amplifier au point que le premier courant « d'Aventure » ne s'exprimait quasiment plus. « Plus de sécurité, plus de sérénité », c'était la seule revendication que l'on entendait. Aujourd'hui, le courant libéral a repris de la voix et du pouvoir « plus de liberté, plus d'entreprise, plus de risques, plus de dynamisme vers le 3ᵉ millénaire ». Un slogan ne chasse pas l'autre, mais s'y oppose. Les aspirations du premier type sont, en réalité, toujours aussi fortes, elles ont simplement cessé d'être les seules à se manifester.

Ce rééquilibrage entre les pôles contraires est favorable à une réflexion prospective. Il est difficile d'apprécier correctement l'avenir à partir d'une situation présente fortement déséquilibrée, car la tendance, presque irrépressible, à projeter le présent dans l'avenir fausse toutes les évaluations. L'affrontement de deux Styles de Vie qui s'est instauré dans la vie publique française, l'opposition Maunory-Maire ou Barre-Séguy, plus généralement encore l'affirmation d'un courant économique libéral voire « libertarien » s'opposant aux économistes marxistes ou socialistes, tout cela contribue à rappeler l'alternative devant laquelle nous nous trouvons. C'est bien deux styles de vie et non un seul qui sont proposés et qui sont projetés pour l'an 2000. Il importe de les juger en prenant une certaine distance par rapport aux péripéties de la pensée et des forces contemporaines. C'est, en fait, le jeu combiné des multiples contraintes s'exerçant sur la société française, de l'aspiration profonde à plus de sécurité, du renouveau libéral, de la poussée socialiste, etc., qui vont façonner notre avenir. Aucun de ces éléments n'est, à lui seul, déterminant, mais tous doivent être pris en compte.

Comme le remarque Michel Drancourt : « Il est évident que le scénario de recentrage est *a priori* le plus séduisant, parce qu'un plus grand nombre de gens peuvent s'y retrouver. » Effectivement, la sécurité est un bien très largement apprécié et les aventuriers cultivant le goût du risque sont nécessairement minoritaires. Toutefois cette aspiration est lourde d'ambiguïté et de malentendus. Tout d'abord la sécurisation s'étend à de multiples domaines et chacun demande la protection contre le danger particulier qui le menace. L'ouvrier est principalement soumis à des menaces matérielles et professionnelles. Il redoute le chômage, la maladie, et, plus généralement, « le manque », manque de logement, d'argent, etc. Il aspire donc à une sécurisation particulière qui lui assure la garantie d'emploi, la prise en charge en cas de maladie, l'assurance d'un minimum vital, etc. La classe moyenne, elle, est particulièrement sensibilisée aux problèmes de sécurité. Elle voudrait que soit mis fin aux agressions contre les personnes et les biens. Les travailleurs indépendants : agriculteurs, commerçants, industriels, veulent d'autres sécurités économiques que les salariés. Ainsi ce désir, très largement ressenti de sécurisation, recouvre, en fait, des revendications fort diverses. Et parfois contradictoires.

D'autre part, les gens sont rarement conscients du coût de la sécurité. Celle-ci est ressentie comme un bien naturel dont la mauvaise organisation de la société les prive. En réalité, c'est un bien coûteux. Qu'il s'agisse de sécurité face au chômage, à la maladie, au banditisme ou à la misère, on ne peut jamais l'acquérir sans en payer le prix. La disparition du vol ne pourrait se faire qu'au prix de mesures préventives et répressives contraignantes pour tous ; de même la suppression du chômage se paierait en niveau de vie et en liberté de travail. Plus généralement, le deuxième scénario insiste sur la normalisation qu'implique la sécurisation. Or cette contrepartie n'est pas perçue. Pourtant elle devrait effectivement être payée si l'on prétendait satisfaire pleinement ces revendications. C'est alors qu'il risque de se produire des chocs en retour qui modifient les comportements. L'exemple le plus typique est le financement de

la solidarité. En un premier temps l'aspiration à plus de
justice et de sécurité pousse au lancement de grands programmes : assurance maladie, vieillesse, chômage, prise en
charge de tous les risques : maladie, éducation, lutte contre
la pauvreté, etc. C'est la grande politique sociale. Pour la
financer, il faut alourdir les prélèvements de toute nature
sur les revenus des particuliers. A un certain seuil, se
manifeste une réaction contre le poids de ces charges fiscales ou parafiscales et l'Etat-providence doit cesser d'étendre
ses bienfaits bien avant d'avoir rempli pleinement sa mission.
C'est un scénario classique et qui se joue dans de nombreux
pays. Il montre que, dans l'évaluation de l'avenir, il faut,
tout à la fois, tenir compte de cette aspiration profonde, mais
également considérer les limites fixées par le coût de ces
revendications.

Sur les raisons profondes de ce nouveau courant, les
diagnostics de Bernard Cathelat et Michel Drancourt convergent pour une part. « Cette soif de Recentrage, explique
le premier, traduit une gigantesque fatigue devant les efforts
et les bouleversements qui ont marqué la vie des Français
depuis trente ans, et surtout devant le bilan de cet effort :
la machine prime sur le travailleur, les monuments de béton
sur l'habitat, la vitesse sur la qualité de vie. Beaucoup
de Français ont l'impression qu'ils ne sont plus que les
objets d'un projet technocratique qui les oublie ; et que
le jeu n'en vaut pas la chandelle. » Et Michel Drancourt
estime de son côté que « cette envie de souffler des Français se comprend fort bien en raison des extraordinaires
transformations qu'ils ont vécues au cour des dernières
décennies ».

Mais, comme le souligne Cathelat, il ne s'agit pas seulement d'une réaction négative, d'une simple répulsion. « C'est
aussi, dit-il, une aspiration vers quelque chose de positif
qui, je crois, s'incarne dans cette notion encore floue de
" qualité de la vie ". Cela posé, dans toute période
où naît une nouvelle aspiration se développe également
une certaine part d'utopie. Il est clair, à travers les sondages, que cette France du Recentrage est surtout sensible
aux aspects positifs de cette nouvelle société et en mesure
mal les éventuels inconvénients. C'est précisément le rôle des
hommes qui réfléchissent à ces évolutions d'en souligner tout

à la fois les aspects positifs et négatifs. Et c'est le rôle des politiques de les transformer en projets viables de société. » C'est aussi l'opinion affichée par Michel Drancourt : « Une telle évolution n'est concevable et ne peut être réussie que si, au niveau des responsables, on cesse, je dirais, de dorer la pilule aux gens. Quel que soit le système économique ou social dont on rêve, il faut des efforts pour le réaliser. Le progrès technique peut aider, mais il ne peut remplacer cet effort faute duquel toute tentative de cet ordre est vouée à l'échec. »

La première contrainte que souligne Drancourt, c'est l'extérieur. « Nous pouvons effectivement souhaiter une société douce, mais elle devrait rester ouverte sur le monde, faute de quoi elle deviendrait effroyablement triste. Si donc il s'agit d'une société ouverte, cette ouverture fixe certaines limites à la « douceur ». Dès aujourd'hui les deux cinquièmes de notre production industrielle sont liés à l'extérieur, c'est dire qu'on ne peut réfléchir à la France de l'an 2000 sans se soucier de ce qui se passera ailleurs. Or, il faut savoir que ce monde dans lequel la France est et sera plongée est d'abord un lieu de compétition. Si nous ne voulons plus travailler avec efficacité, d'autres le feront à notre place. Allez dans n'importe quel pays sous-développé et vous verrez les hommes et les femmes prêts à faire les efforts nécessaires pour nous rattraper et même nous dépasser. Il existe donc un risque à vouloir aller trop loin dans le relâchement. Il est un pays qui nous a précédés dans cette direction, c'est la Grande-Bretagne. On connaît le résultat : avant la guerre, les Anglais avaient un niveau de vie par tête double du nôtre, aujourd'hui c'est l'inverse. Les Français veulent-ils devenir les Anglais du prochain siècle ? Il ne peut donc pas s'agir, conclut Drancourt, d'un triste scénario de repli et de répartition. »

Effectivement, la réalisation d'une telle société implique tout autant la promotion de valeurs nouvelles, d'une organisation originale que le refus ou l'inflexion des tendances précédentes. « Il s'agit, souligne Cathelat, d'une aspiration à des valeurs nouvelles, c'est en cela que cette volonté est positive et même éminemment moderne et appelle une véritable innovation sociale, dont on ne voit guère trace aujourd'hui, quels que soient les programmes politiques. »

De ces valeurs nouvelles, on peut voir l'amorce à travers les courants nouveaux, à l'inverse les valeurs dominantes de la dernière période sont appelées à décliner. « Au cours des vingt dernières années, souligne Jacques Delors, on a vu deux grandes valeurs pénétrer notre société : la permissivité et l'hédonisme. Il me paraît évident que, dans les quinze années à venir, il se fera une réaction contre elles. Ces réactions pourraient venir d'un renouveau spiritualiste, mais on ne peut ignorer qu'elles auraient des répercussions politiques, jusqu'à mettre en jeu la démocratie. Toutefois, souligne Jacques Delors, ce scénario ne pourra s'accomplir heureusement que par un dépassement des actuelles politiques de " Wellfare ", politiques qui comportent leurs propres contradictions. En se contentant de les développer, de poursuivre à l'infini le rêve de la société sécurisante, on commettrait une erreur grave qui ferait avorter ce scénario. Pour qu'il s'agisse d'un véritable scénario de Recentrage, il faudra s'appuyer sur de nouveaux modes de production, sur de nouvelles technologies, sur des structures décentralisées. Mais il faut que dans ce nouvel espace et cet environnement transformé l'individu trouve de nouvelles responsabilités et de nouveaux enjeux. Il ne faut surtout pas que ces sociétés deviennent à irresponsabilité illimitée, car alors elles mourront. »

Aucune des deux sociétés en balance n'est viable si on la pousse à l'extrême. Ainsi, Jacques Delors souligne que le premier scénario « paraît lié à une croissance forte et continue permettant d'entretenir l'espoir que le modèle pourra se diffuser, se populariser. Des analyses de Tocqueville aux messages publicitaires, en passant par les films et les romans, l'idée est entretenue que tout le monde accédera à ce mode de vie. Toutefois cette diffusion du bien-être ne saurait s'accompagner d'une égale diffusion du pouvoir et des capacités d'accomplissement personnel. De ce point de vue, le système reste très sélectionniste. Si vous admettez que les conditions d'une forte croissance ne seront plus réunies dans l'avenir et que l'aspiration à une prise de responsabilité individuelle ira s'amplifiant, vous voyez que ce système n'a pas d'avenir en tant que modèle dominant ».

« Toutefois, comme l'a souligné Michel Drancourt, il ne peut être question de nous fermer à l'extérieur. Il subsistera donc un modèle minoritaire très lié à l'internationalisation des activités économiques dont les multinationales seront l'archéype. Je souligne même, et sans appréciation particulière de valeur, que, dans ce système internationalisé ne se traiteront pas seulement des biens matériels, mais également des valeurs immatérielles ; des idées, des innovations. »

On paraît donc s'orienter non pas vers le basculement d'un modèle à un autre, mais vers l'inversion des situations entre les deux Styles de Vie. Le modèle « d'Aventure », hier dominant, deviendrait minoritaire, le modèle de Recentrage, hier passif et petit-bourgeois, deviendrait majoritaire, dynamique et prestigieux. Au reste n'est-ce pas le sens de l'évolution actuelle ?

« N'oubliez pas, fait remarquer Michel Drancourt, que notre société est déjà en profonde transformation. Il y a vingt ans, 63 % des Français étaient salariés. Aujourd'hui, ils sont 83 %. Il y a donc bien de ce point de vue une étendue de la garantie qu'apporte le salariat. Mais, en outre, la société occidentale, disons de type capitaliste, éprouve l'impérieux besoin de décentraliser le pouvoir, de diffuser les responsabilités. De ce point de vue il n'existe peut-être pas une différence aussi grande qu'on croit entre l'aspiration autogestionnaire socialiste et le sens des réformes indispensables en régime capitaliste. En définitive, il faut toujours que, dans une société, il y ait des locomotives et des wagons. L'avenir est en balance entre une situation dans laquelle les locomotives peuvent entraîner les wagons et une autre où le poids des wagons immobilise les locomotives. Mais je ne pense pas que les ambitions diffèrent beaucoup de l'une à l'autre. Il s'agit toujours de créer une société dans laquelle les gens se sentent plus responsables, aient plus de possibilités de se réaliser. » Effectivement, pour Jacques Delors, « l'enjeu du deuxième scénario c'est celui de la responsabilité, de la personnalisation de chacun ».

En définitive, il faut sans doute parler *des* Styles de Vie des Français, ce qui est d'ailleurs le titre retenu pour son étude par Bernard Cathelat. Fort heureusement, la France de l'an 2000 ne sera pas monolithique, et les Français ne seront pas uniformes. « Les plus récentes études de l'équipe du Centre de Communication avancé sur les 12/25 ans laissent présager une explosion de plus en plus grande en une mosaïque de Styles de Vie de plus en plus différents, qui est déjà en marche chez les jeunes. » A elle seule, aucune des deux solutions n'est viable. Aventure pour tous ou sécurisation totale conduisent également à d'intolérables contradictions. Mais on sait déjà que des contraintes s'exerceront pour limiter le développement de ces deux tendances. L'indispensable ouverture sur l'extérieur obligera à maintenir le Style de Vie d'Aventure, les difficultés économiques jointes aux aspirations populaires rendront nécessaire une extension du modèle de Recentrage. C'est entre ces deux styles de vie que les Français s'efforceront de trouver leur équilibre, un difficile équilibre, et ces nécessités-là sont relativement indépendantes du jeu proprement politicien.

9. LES LOISIRS

Invité : JOFFRE DUMAZEDIER, professeur à l'université René-Descartes, spécialiste de la sociologie des loisirs, auteur de divers ouvrages : *Vers une civilisation des loisirs ?*, *Sociologie empirique des loisirs*, etc.

Civilisation des loisirs, l'expression lancée par Joffre Dumazedier a fait fortune. Son succès prouve que, de cette réalité nouvelle, le temps libre, naît une interrogation : les loisirs pour quoi faire ? Il est bien des façons de concevoir une société dans laquelle les gens disposent de loisirs importants. Mais on découvre peu à peu que cette vacuité des vacances est en réalité fort pleine. Il naît, dans ce monde à part du non-travail, un nouveau système de valeurs qui envahit progressivement notre vie ; qui, à la limite, domine notre société. Que seront donc nos loisirs en l'an 2000 ?

On peut poser l'alternative suivante : ou bien l'on continue à diviser la vie entre temps du travail et temps du loisir et l'on demande à l'un de payer l'autre. Ce qui implique un divorce permanent entre ces deux mondes, c'est le thème de : « PARTIR C'EST VIVRE BEAUCOUP. »

Ou bien, au contraire, l'on s'efforce d'intégrer dans la vie quotidienne ces valeurs de loisirs, d'insérer la fête dans le travail, c'est notre deuxième scénario : « LA VIE COMME UNE FÊTE. »

Intervenants : GILBERT TRIGANO, P.-D.G. du Club Méditerranée.

FRANÇOIS CAMUZET, conseiller technique à la délégation de la Qualité de la Vie.

PARTIR, C'EST VIVRE BEAUCOUP

Maquettes et base-livres s'étalaient sur le bureau — une planche de verre reposant sur un X d'acier chromé — de Martine Legendre. Ces publicitaires ! Qu'ils étaient lourds à remuer avec leur bonne grosse artillerie tirant les slogans par rafales. Pourtant elle leur avait bien expliqué ce qu'était le « produit » — son programme de « vies parallèles ».

L'agence qu'elle avait créée il y a un an, et qu'elle voulait faire mieux connaître, était une sorte de sas de décompression sociale pour tous ceux qui ne savaient plus que faire de leur temps libre. Ils entraient chez elle cadre, médecin, agriculteur et en sortaient, pour trois jours ou un mois, journaliste, pêcheur, maçon. Elle offrait le droit à plusieurs existences, la possibilité pour chacun d'être le Mr. Hyde, pacifique et créatif, dont il portait en soi la nostalgie. Et ces « vies parallèles » les publicitaires voulaient les vendre à la criée comme un vulgaire club d'échangisme ou une croisière sur le Nil !

Elle avait un air à brader en douce de l'exotisme ! Ancienne championne de brasse papillon, Martine était claire comme l'eau d'une piscine olympique. Bleu des yeux, blond de la peau, rouge-roux des cheveux, elle était carrée comme le drapeau de la persuasion, l'oriflamme des causes à gagner et elle ne détestait rien tant que le clinquant de la fausse publicité, de la « réclame » comme elle disait.

L'évasion, Martine était bien placée pour le savoir, n'était plus ce qu'elle avait été autrefois. Encore une idée qui avait fait son temps — après avoir fait un sacré bout de chemin. Elle était née avec les congés payés, s'était épanouie avec l'extension des vacances et avait fait les choux gras des clubs de loisir. « Laissez vos soucis au vestiaire et prenez votre pied », disaient les affiches et les prospectus en technicolor. Week-end à la campagne, ski en hiver, sports à la carte, tour du monde en trois semaines, tranches de désert, rondelles de palmiers, louches de mers du Sud : le système s'était mis en place dans les années 60-80. A la fin des années 80, tout le monde partait et tout le monde partait en même temps, ce qui mettait la France en état de thrombose circulatoire. Pour éviter les gigantesques encombrements qui paralysaient routes et aéroports, on avait décalé les périodes de repos des grands secteurs d'activités.

Les Français ne vivaient plus que pour partir et partaient dans l'espoir d'enfin vivre. Quel poète avait pu dire : « Partir, c'est mourir un peu ! » Travailler n'était qu'un intermède, une pose, entre deux évasions. En ville, on campait avec les valises toutes prêtes dans le vestibule, on se droguait à la poudre d'escampette. Les pourvoyeurs de cette drogue, hôteliers, transporteurs, industriels et artisans du secteur « vacances » n'étaient pas à plaindre. Paradoxalement, avait-on calculé, le loisir créait le plus de travail et rapportait le plus d'argent.

Mais le système avait pris du plomb dans ses ailes trop largement déployées. Martine Legendre avait été une des premières à s'en rendre compte au cours des dix années passées à diriger les clubs d'aventure d'Aurillac, puis de Chevreuse. Ces clubs avaient été créés par « Liberté 2000 », la plus grosse entreprise de loisirs organisés. Après avoir fait sa fortune avec l'étranger, elle s'était intéressée à la France, à partir de 1985, lorsque le week-end de trois jours avait commencé à se généraliser. Les clubs répondaient à ce nouveau marché. Ils offraient le dépaysement sans l'exotisme pour de brefs séjours pendant lesquels les participants

s'amusaient à changer de peau. Martine avait eu le
temps de les observer ces fuyards du week-end qui
s'escrimaient à jouer les Don Juan, les marins, les
pilotes ou les cavaliers. Ils étaient heureux, c'est vrai,
de s'évader du quotidien, mais l'évasion qu'on leur
proposait n'était qu'un rêve, une parenthèse. Martine
Legendre était certaine qu'il existait un marché pour
un loisir d'accomplissement comme elle disait. Ses
contacts quotidiens avec les membres du club, qui
valaient bien un sondage de marketing, révélaient que
presque tous rêvaient de mener plusieurs vies en paral-
lèle, non pas des vies d'opérette, mais de vraies existences centrées sur un métier. Un ingénieur regrettait
de n'être pas agriculteur, un professeur femme aurait
voulu être journaliste, un dessinateur industriel ne
parlait que d'ébénisterie. Pratiquer deux métiers, souvent opposés, n'était-ce pas ce qui leur tenait le plus
à cœur ? Mais comment y parvenir seul ?

Elle avait suggéré à « Liberté 2000 » d'offrir un
tel service. Il lui avait fallu deux ans pour convaincre les dirigeants. En 96, elle avait commencé à mettre
sur pied son réseau. Il fallait trouver des agriculteurs,
des pêcheurs, des artisans, des journaux... qui accepteraient, moyennant une rétribution convenable, d'accueillir, pour de brefs séjours, ces apprentis d'un genre
nouveau. Le rodage du système avait été laborieux.
Il y avait les dilettantes qui paralysaient le travail de
leurs hôtes et les profiteurs qui ne s'occupaient pas de
leurs stagiaires. Elle avait dû faire une sélection impitoyable. Aujourd'hui elle disposait d'un bon réseau :
elle offrait une vingtaine de séjours différents permettant de participer aussi bien à la vie d'une station de
télévision qu'à celle d'une communauté religieuse.
L'expérience était souvent sans lendemain, pour les
hôtes ou pour ses clients qui se retiraient du jeu. Mais
il s'était formé peu à peu un noyau de fidèles passion-
nés par ces expériences. Certains papillonnaient d'un
séjour à un autre. D'autres se fixaient sur un type
d'activité et réalisaient une passion secrète. Pierre,
cadre dans une banque, avait découvert avec ravissement les secrets de l'horticulture. « Avant, lui avait-il

confié, je faisais comme tout le monde, je voyageais, je me découpais des fuseaux horaires, je jouais aux quilles avec les saisons ; aujourd'hui, j'ai appris à connaître les secrets de leur rythme et le plaisir de tailler un rosier. » Et Anne, la dentiste devenue spécialiste d'aquaculture ; Paul, le physicien, qui passait du choc des molécules au heurt mesuré du marteau dans un atelier de ferronnerie. Les fans de cette formule mettaient un point d'honneur à devenir de véritables professionnels. Et ils y arrivaient : un directeur administratif d'un groupe pétrolier avait récemment investi une partie de son argent dans la ferme qui l'accueillait régulièrement depuis un an. « Mais quel travail ! », se dit Martine en rangeant les projets de « pub » qui encombraient son bureau. « Même mes collaborateurs, parfois, ne comprennent pas très bien le principe des " vies parallèles ". A qui laisser l'agence s'il me prenait, à moi aussi, l'envie de faire autre chose ? »

S'il y avait quelqu'un dont la formule mise sur pied par Martine ne pouvait qu'accroître les problèmes, c'était bien Bertrand, son mari. Il était directeur du personnel dans une entreprise d'électronique. Concilier les exigences de la productivité avec les loisirs ou les rêves multiexistentiels de chacun était devenu un véritable casse-tête. Les jeunes voulaient faire du mi-temps, les quinquagénaires prenaient des semaines supplémentaires et les uns et les autres multipliaient les congés pour convenance personnelle. Il fallait s'en accommoder, car les travailleurs ne supportaient plus la discipline de la production et l'on multipliait ces ruptures qui étaient autant de soupapes de sûreté.

Le plus frustrant, pour Bertrand, était qu'en raison même de ses responsabilités il devait s'astreindre à une discipline dont il dispensait les autres. En ce jeudi après-midi, il se sentait abruti de travail. La perspective de passer un week-end familial ne le réjouissait pas. Non qu'il s'entendît mal avec Martine ou avec ses enfants. Bien au contraire. Mais, pour ces trois jours, il avait envie d'une véritable rupture. Il l'avait dit hier à Martine qu'il avait trouvée dans le même état d'esprit. Ils auraient tout le temps d'être ensemble pendant leur voyage en Turquie, dans trois semaines. Quant aux enfants, ils étaient adorables, mais ils vivaient leur vie. Gabriel l'aîné n'avait pas voulu faire tout de suite ses études. Il avait conservé pour plus tard son crédit-information. En attendant, il gagnait sa vie, et la gagnait bien, en travaillant quatre mois par an dans les services de nettoiement municipaux. Le reste de l'année, il allait étudier la faune africaine, ou parcourir le monde. Claude faisait des études « alimentaires », comme elle disait, des études de biochimie en l'occurrence, mais elle pensait surtout à s'amuser avec les amis de son âge. Bref, les enfants, on les aimait bien, mais on ne les voyait pas beaucoup.

Sur son terminal, Bertrand appela « Liberté 2000 », dont il était évidemment un membre actif, et s'annonça avec son numéro d'identification. Il expliqua qu'il souhaitait un séjour à la fois reposant et dépaysant. La machine le pria de préciser davantage ses intentions : séjour en France ou à l'étranger, dans un village de couples en échanges ou de célibataires, avec activités sportives, culturelles ou professionnelles. La gamme des options était vaste, de la *dolce vita* à la vie rustique en passant par les stages d'équitation et les séjours en montagne : la machine devait sortir le choix de l'embarras.

Finalement Bertrand opta pour trois jours en Méditerranée à bord d'un grand voilier de trente mètres, très confortable. Une croisière réservée aux célibataires. Cela aussi ferait partie du dépaysement.

Il se retrouva dans sa cabine le vendredi à 9 heures. L'appareillage était prévu pour 10 heures. Il se mit en short, monta sur le pont. Ces pins, au large, c'était Saint-Jean-Cap-Ferrat. Il aspira une bonne gorgée d'air marin pour chasser les soucis de la semaine, tourna la tête pour découvrir ses compagnons, et ses compagnes, de croisière.

« Un couple à bord. Mais c'est très irrégulier mon cher Bernard, dit Martine qui venait de l'apercevoir. Serai-je l'inconnue que tu tenteras de séduire en mer ?» Ils se regardèrent et éclatèrent de rire.

Le premier point à souligner dans ce scénario c'est... le travail. Bien des auteurs de science-fiction ont décrit un monde dans lequel les machines produiraient tout ; même et y compris les machines. Les hommes, eux, n'auraient plus rien à faire. Ce serait la société du loisir intégral. Rien de tel ici. Le temps de travail est un peu moins long qu'aujourd'hui ; c'est tout. Cela peut surprendre : « Les futurologues des années passées, notamment Kahn et Wiener dans leur livre sur l'an 2000, prévoyaient que la semaine de vingt-quatre heures serait une réalité dans vingt ans. Ils envisageaient les week-ends de quatre jours et probablement treize semaines de congés pour tous. On en est encore très loin, constate Joffre Dumazedier. On a gagné depuis quinze ans environ cinq heures de temps libre par semaine, une semaine de plus de vacances. On est en train de gagner cinq ans de moins de vie au travail. Il s'agit de savoir si l'on continuera à ce rythme pendant les vingt années à venir. »

Le problème prend une acuité particulière avec la montée du chômage. Tout naturellement le public voit dans la diminution de la durée du travail un remède au sous-emploi. La semaine de trente-cinq heures est aujourd'hui couramment préconisée pour réduire le chômage. La tentation restera grande de diminuer fortement le temps de travail. Toutefois, l'exemple des pays qui travaillent sensiblement moins que nous, comme les Etats-Unis ou la Belgique, prouve que cela n'exerce aucune influence sur le taux de chômage. Ainsi, et en dépit des tentatives qui ne manqueront pas d'être faites en ce sens, il est probable que la durée du travail ne sera pas massivement réduite d'ici à l'an 2000.

Dans cette société, le travail ainsi que tout son environnement sont globalement déconsidérés. La vraie vie commence à l'instant où l'on peut échapper à ce système « métro-boulot-dodo ». Il s'agit fondamentalement d'une civilisation de la fuite. Plus on part, plus on est heureux. Tendance déjà très forte dans la société française actuelle, où les individus exerçant un métier intéressant sont des privilégiés : « Disons que, sur 100 personnes qui travaillent, il y en a environ 20 ou 25 % qui ont des responsabilités de création ou de commandement leur permettant une certaine réalisation personnelle. Mais les Autres ?... » estime Joffre Dumazedier.

Les Autres tentent de se rattraper sur ce temps du non-travail qui, en un siècle et demi, s'est accru environ de 2 000 heures par an pour un ouvrier urbain. Ils souhaitent, et souhaiteront de plus en plus partir, échapper à l'univers sans joie et sans intérêt de l'usine, du bureau.

On débouche alors sur une première contradiction ; ces départs, ces loisirs de dépaysement coûtent cher et l'on doit travailler plus pour se les payer. Il existe une hiérarchie des consommations-loisirs qui va de zéro à l'infini et exige de l'individu, quel que soit son niveau de fortune, une part importante de son revenu, donc de son travail. « Il est vrai, reconnaît Joffre Dumazedier, que, dans certains milieux, on travaille dur pour se payer des loisirs très chers. C'est qu'en ce domaine les besoins sont pratiquement illimités. On prend d'abord un bateau de cinq mètres, puis de dix, puis de vingt, etc., et il faut travailler pour suivre l'escalade. Les philosophes du XIXᵉ siècle pensaient qu'il existait des besoins à satisfaire et que, lorsqu'ils seraient satisfaits, cela irait bien, mais, en matière de loisir, ces besoins sont carrément illimités et une civilisation du loisir qui ne commencerait pas par critiquer ses propres besoins deviendrait une civilisation folle. Or, dans un certain environnement économique et social, les forces commerciales peuvent effectivement pousser à l'extension absurde du marché, donc des besoins. »

Dès lors que les loisirs ne sont plus du simple temps libre, mais une consommation : voyages, séjours à l'étranger, équipements sportifs, etc., il faut travailler pour se les payer. Bref, travailler pour ne pas travailler, ce qui limite singulièrement l'extension du temps libre. Dès aujourd'hui, l'on voit bien des ménages économiser tout au long de l'année, chercher des occasions supplémentaires de gains pour s'offrir des vacances améliorées. Le travail pour les loisirs est une réalité vécue de 1979.

Dans une telle situation, les valeurs de loisir l'emportent le plus souvent sur celles de travail et du quotidien, comme le constate Joffre Dumazedier : « On est obligé aujourd'hui de séparer la fonction économique du travail qui donne les moyens de vivre et la fonction d'épanouissement personnel Il existe une multitude d'activités hors travail qui n'existaient pas il y a quelques années, et qui font que, désormais, on ne se réalise pas forcément par le travail. C'est un premier point : le temps libre a pris une consistance au-delà du simple repos, c'est un temps fort de la vie. D'autre part, cette production de temps libéré a provoqué la libération de valeurs nouvelles, je dirais des valeurs de nomadisme, qui ont pris une importance extrême depuis une cinquantaine d'années. Pendant 9 000 ans, nous avons surtout été une nation de paysans. Le voyage était réservé aux marins, aux militaires, aux croisés... Vint ensuite la période d'entassement urbain. Il semble que, maintenant, nous entrions dans une troisième phase correspondant au développement d'une sorte de nomadisme de plaisance dans toutes les plages de temps libre, notamment en vacances. »

Voilà donc la dissociation complète du temps entre l'utile et l'agréable, dissociation qui, libérant le second des contraintes matérielles, le rend libre pour l'aventure, le changement, l'ailleurs. Et cette seconde partie de la vie doit être constamment enrichie. Dans cette perspective, il est logique de penser que distractions et évasions ne suffiront plus, mais que les hommes rechercheront des loisirs plus forts, plus nourris, ce qui conduirait logiquement à la création de systèmes comme ceux que nous évoquons dans ce scénario. On voit se développer constamment de nouveaux « produits de loisirs », il existe là un « marché » potentiel extrêmement vaste, tout donne à penser qu'il sera exploité. Sous cette forme ou sous une autre.

Dans l'hypothèse où l'on accentuerait encore cette dichotomie, le travail serait de plus en plus dévalorisé, de plus en plus mal supporté, il faudrait l'adapter toujours davantage aux exigences du loisir. Modifier les horaires, permettre à chacun d'organiser son temps, etc. C'est l'autre aspect de ce monde dédoublé, aspect évoqué à travers les préoccupations de Bertrand qui font très justement pendant aux entreprises de son épouse Martine.

LA VIE COMME UNE FETE

Marcel Courteau était un petit homme replet, aux yeux perpétuellement étonnés derrière des lunettes à verres ronds finement cerclés d'or. Depuis dix ans qu'on lui donnait cinquante ans, sans doute avait-il fini par les avoir. Sa fortune, il ne la devait pas à un trèfle à quatre feuilles trouvé dans sa jeunesse pour la bonne raison que, sujet au rhume des foins depuis l'âge de quatre ans, il détestait et fuyait la campagne. Il la devait à une idée qui, comme toutes les idées révolutionnaires, n'allait pas de soi. Une fois encore il allait devoir la défendre pied à pied pour la vendre à un nouveau client. Et, en homme qui avait autant d'intuition que de méthode, avant chacune de ces entrevues, il affinait ses arguments au magnétophone. Il écouta ce qu'il venait d'enregistrer :

« Vous me dites que la productivité va baisser ? Sans doute, si vous ne considérez que le rendement des périodes de travail. Je pourrais vous organiser des rencontres avec des chefs d'entreprise qui se sont engagés dans cette voie ou même vous faire faire des visites à l'étranger en Suède et en Allemagne notamment, vous jugerez sur pièce des expériences beaucoup plus avancées. L'enseignement que j'en ai tiré, c'est qu'effectivement le rythme de travail est sensiblement moins intense. Toutefois cela ne se traduit pas par une perte globale de productivité. On constate généralement une baisse du taux d'absentéisme, une diminution du

nombre des journées de grève et une moindre revendication pour réduire la durée du travail. Au total, les
entreprises estiment que leur productivité a baissé par
rapport aux années 60, par exemple, mais qu'elle est
plus élevée que celle des concurrents qui ont refusé la
personnalisation du temps. »

Oui, c'était bien. Exactement ce qu'il fallait dire. Il
ne faudrait pas effacer ce passage. Il pourrait resservir.
Tous ceux qui venaient le consulter manifestaient les
mêmes craintes et avançaient les mêmes arguments :
« Il est tellement plus simple, plaidaient-ils, de faire
travailler les gens au maximum lorsqu'on les tient, puis,
ensuite, de les laisser se distraire. » L'introduction des
loisirs, de la « personnalisation du temps » comme
disait Courteau, au sein de l'entreprise leur paraissait
éminemment subversive. « Il y a un temps pour travailler et un temps pour s'amuser », pensaient encore bien
des dirigeants. Ainsi l'installation de tables de ping-
pong dans un atelier, d'une salle de sports dans un
hangar désaffecté, la transformation d'un bureau en
pièce de lecture ou la liberté donnée à chacun de se
détendre lorsqu'il le désirait, semblaient presque un
affront à la dignité du travail.

Marcel Courteau s'était fait connaître par ses recherches et ses écrits sur le temps de vivre. Allant à
l'encontre de toutes les idées à la mode qui présentaient la réduction de la durée du travail comme la
seule voie du progrès, il avait défendu l'idée inverse
que le temps de travail ne devait pas être réduit, mais
reconquis par l'homme. Au lieu d'en faire une corvée
qui trouvait sa récompense dans les loisirs, il fallait
qu'il devienne une phase de la vie, comme toutes les
autres, une phase qu'il s'agissait de personnaliser au gré
de chacun et non de subir comme une aliénation.

Les patrons avaient vu là une remise en cause de
l'autorité et un encouragement à la paresse. Les syndicats, eux, redoutaient la démobilisation des travailleurs,
un émiettement de leur combativité. Bref Marcel Courteau, au début des années 90, avait fait une belle
unanimité contre lui. Plus que jamais les patrons
avaient mis l'accent sur la productivité, et les syndicats

sur la retraite pour tous à cinquante-cinq ans et la semaine de 30 heures.

C'est à l'étranger que les idées de Courteau avaient d'abord connu le succès, car le dégoût du productivisme à tout va s'y était manifesté plus tôt qu'en France. Avec son groupe de travail, Courteau avait mis au point les nouveaux systèmes d'organisation sur la « réappropriation du travail » comme il disait dans son manifeste. Il s'agissait de confier aux petits groupes : ateliers, équipes, bureaux, services, le soin d'organiser librement le travail. C'était le meilleur moyen d'éviter les tire-au-flanc. En outre, cette autogestion du temps et du travail facilitait la suppression des postes les plus pénibles ou les moins intéressants.

Depuis 1995, le succès de ses méthodes était tel, que Courteau et ses collaborateurs étaient sans cesse appelés en consultation. Ils avaient fini par constituer un véritable cabinet de « conseil en organisation ». Lorsque l'opération réussissait, ce qui était loin d'être toujours le cas, on constatait que les revendications portaient moins sur la durée du travail que sur la qualité de la vie dans l'entreprise.

Mais l'organisation des entreprises n'intéressait déjà plus Marcel Courteau. Il voulait appliquer le même principe à l'ensemble de la vie. Pourquoi fallait-il que le temps consacré à la religion soit différent du temps consacré au sport, à la politique, à la famille ou aux voyages ? Ce morcellement finissait par isoler les individus et débouchait sur un éclatement de la société. C'est en permanence que les individus avaient envie de vivre à leur rythme, de trouver simultanément la culture, le repos, la communication, le plaisir. « Il n'y a pas un temps pour chaque chose, répétait-il, il y a seulement le temps de vivre. » Puisque l'homme recherche d'abord cet épanouissement dans ses loisirs, il faut qu'il puisse retrouver partout un parfum de loisirs.

Là encore le message avait été long à passer. Longtemps les partis politiques avaient continué à faire des réunions politiques, les agences de tourisme à faire des voyages touristiques, les écoles à faire de l'enseigne-

ment, les églises à faire des offices et les familles à
laver leur linge sale. Restait les temps libres, un temps
vide, que l'on tuait faute de savoir lui donner vie.

Timidement d'abord, plus franchement ensuite, ces
différentes institutions vinrent le consulter. Partis politiques, municipalités, églises, universités se plaignaient
d'une désaffection grandissante. « Que faire pour intéresser les gens ? », demandaient les dirigeants ? Et ils
ajoutaient bien souvent : « Pourtant ils ont le temps,
maintenant.»

Au cours des quatre dernières années, les initiatives
s'étaient multipliées pour briser le cadre des occupations traditionnelles. On programmait des chanteurs,
des films dans les églises qui devenaient lieux de
rencontres, bibliothèques, salles de spectacles, clubs
d'amateurs et aussi lieux de culte. Les partis créaient
des organismes de tourisme et de vacances et, bien
souvent, les participants oubliaient les arrière-pensées
des organisateurs. Toute université, toute école même,
avait son club où l'on pouvait se rencontrer, prendre un
pot, danser ou monter un orchestre. Les cours se faisaient le plus souvent en dehors même des établissements scolaires chez les uns, chez les autres, dans les
parcs, à la campagne ou au cours de voyages. D'un
commun accord, le travail se terminait par une fête.
Les exercices les plus rebutants étaient limités au minimum et se faisaient avec l'assistance d'un ordinateur.

Courteau était devenu pour la presse « le prophète de
la fête » ou plus simplement le « pro-fête ». Tel était, en
définitive, l'idéal qu'il proposait : vivre sa vie comme
une fête. Un idéal qui devint une idée fixe : ainsi
naquit la « fêtomanie ». Syndicats, entreprises, municipalités, partis politiques, églises, chacun voulait organiser ses fêtes et surpasser celles de ses concurrents.
Toutes, hélas ! n'étaient pas également réussies. Partout
on voyait les grandes organisations traditionnelles s'effacer derrière des institutions dont le but affiché était
de plaire et de divertir. Ceux qui assuraient les plus
agréables loisirs étaient aussi ceux qui tenaient le
mieux leur monde. Le parti socialiste était réputé pour
avoir les meilleurs clubs culturels ; le parti commu-

niste les meilleurs centres sportifs. En revanche, on allait chercher chez les partis modérés les meilleurs clubs de voyages, encore que l'Eglise catholique, utilisant sa remarquable infrastructure internationale, réussissait très bien dans ce domaine. On appréciait beaucoup les conseils gastronomiques données par la Confédération des cadres, et plusieurs universités s'étaient fait une réputation avec leurs festivals d'art dramatique.

Ainsi, au hasard de ses goûts ou de ses préférences, chacun organisait ses loisirs sous l'égide de telle ou telle institution et, par voie de conséquence, de telle ou telle idéologie.

Le mot d'ordre était partout le même : « Plaire et séduire. » Il fallait bannir l'ennui. Les critiques n'avaient pas tardé à se manifester. Marcel Courteau, à partir de 1998, fit de nouveau l'unanimité contre lui. Tout le monde l'attaquait. Les conservateurs condamnaient ce qu'ils considéraient comme la « dictature de l'hédonisme et de l'égoïsme ». Robert Falcourt, à l'Académie des sciences morales et politiques, avait flétri « l'homme de divertissement » qui semblait devenir l'idéal de la société. D'autres, au contraire, dénonçaient les risques de manipulation que comportait un tel système. On accusait certaines grandes organisations de pratiquer l'embrigadement. « On n'a pas à prendre sa carte du parti avec son bon de vacances », clamaient les censeurs. Courteau s'épuisait à répondre aux critiques des uns et des autres. Il prêchait inlassablement pour son système. Au fond de lui-même, il n'était plus très sûr des positions qu'il défendait, et souvent il avait besoin des arguments de son magnétophone pour lui redonner foi en sa croisade. Parti de l'idée que l'individu devait refuser le découpage de sa vie par la société, il voyait arriver le temps où la société reprendrait le contrôle du temps par l'organisation des loisirs. Demain il devrait dénoncer le système qu'il avait si largement contribué à mettre en place. Cette perspective l'accablait. Quand donc aurait-il le loisir de se reposer ?

Le culte du travail, de l'efficacité, de la production, la culpabilisation ou la déconsidération des activités ludiques, des occupations inutiles sont à la base de la révolution industrielle. Cette hiérarchie de valeurs paraissait jusqu'à une date très récente « naturelle ». Tout ce qui se rattachait à la notion de production « travailleur efficace, sérieux, laborieux, vaillant... » était valorisant, tout ce qui s'y opposait « feignant, flemmard, oisif, dilettante, fantaisiste... » était dévalorisant. Cette hiérarchie est profondément culturelle et spécifique à la civilisation industrielle. Pour ne prendre qu'un exemple, les tâches de production ont toujours été considérées comme dévalorisantes. Dans toutes les sociétés traditionnelles ou dans les autres civilisations, la classe supérieure ne produit pas. L'exemple classique est monsieur Jourdain, le Bourgeois gentilhomme, qui, pour accéder à la noblesse, doit faire oublier que son père travaillait.

C'est le capitalisme qui impose cette véritable révolution industrielle, élimine les classes oisives et lance le développement économique. Désormais le travail est au centre de la vie. Or il perd de l'intérêt dans la mesure même où il gagne de l'importance. La division du travail fondée par l'organisation scientifique de la production parcellise les tâches, plonge l'individu dans des ensembles productifs gigantesques, bref fait naître « le boulot ». La contradiction est évidente entre la valorisation sociale et la dévalorisation technique. Qui plus est, ce labeur dégradé sur le plan qualitatif devient envahissant sur le plan quantitatif. L'avènement de l'ère industrielle correspond à la disparition des nombreuses périodes de congés et de repos qui existaient auparavant. Les pauses, les fêtes, les temps de semi-repos, presque tout cela disparaît. L'ouvrier travaille toute la journée, toute l'année, au rythme maximum.

La première revendication sera, tout naturellement, le temps de repos qui se réalise d'abord avec la réduction du temps de travail, puis avec les congés payés. Depuis lors la tendance s'est encore accentuée. Les travailleurs veulent que la punition du travail soit récompensée par un temps libre de plus en plus long : semaine de quarante heures, cinquième semaine de congés, retraite à soixante ans, etc. Cela c'est la tendance lourde qui se poursuit depuis un siècle et demi, qui se poursuivra encore dans l'avenir. Mais on voit maintenant naître une deuxième évolution qui remet en cause la hiérarchie même des valeurs.

Dans ce temps libre de nouvelles valeurs, un nouveau goût de vivre s'est progressivement imposé. En un premier temps la réalisation n'en est recherchée que dans les périodes libres. C'est la division de la vie décrite dans le précédent scénario. Mais on voit déjà l'évolution dépasser ce stade. Certains se disent que les vraies valeurs se trouvent là, dans le temps rose des loisirs, et non dans le temps gris du travail. Un pas de plus et ils se disent que ce temps gris est une anomalie, que l'esprit de fête, de bonheur devrait imprégner toute la vie et pas seulement le temps libre.

« C'est, reconnaît Joffre Dumazedier, une tendance dans le vent. A son propos, on a parlé successivement de joie de vivre, style de vie, qualité de la vie, peu importe. Elle ne fait que croître et embellir. Elle est au centre de ce qu'on appelle la contre-culture. Il s'agit, à la limite, d'organiser, de concevoir toute la vie comme une fête.

« Vouloir ainsi que les normes de la fête régentent toute la vie sociale, cela me paraît un peu utopique. Surtout dans le travail. Parce que chaque institution a ses règles. Les temps sociaux ne sont pas les mêmes. Le temps de la famille n'est pas le temps de l'entreprise, ni le temps de la religion ou de l'engagement politique. Alors rêver d'introduire dans toutes ces normes la fête en tant qu'expression de l'individu, c'est peut-être souhaitable pour vous, pour moi, pour beaucoup, mais il reste à savoir si ce mélange, cet oubli de la différence des temps sociaux apportera des satisfactions ou des cascades de désillusions. »

S'il est bien improbable que se réalise un monde dans lequel tous les aspects de la vie prendraient une dimension ludique, il est en revanche certain que l'on n'acceptera plus des temps de vie uniquement pénibles et rébarbatifs. Sans prétendre vivre la fête à tout instant, les gens ne veulent pas non plus la punition. Concrètement, cela se traduira par des changements importants dans les conditions de vie et, notamment, de travail. « Entre le progrès de la productivité et la pression des jeunes, la tendance va s'accentuer, prévoit Joffre Dumazedier. On voit déjà apparaître les grèves qui ne concernent pas les salaires, mais les conditions de travail. »

Dans de nombreuses entreprises les directions savent qu'elles doivent modifier les conditions de vie et de travail si elles veulent préserver une certaine paix sociale. Les exemples cités dans le scénario : tables de ping-pong dans les ateliers, salle de gymnastique, possibilité d'aller se détendre, etc., existent dans des entreprises d'avant-garde. Ils préfigurent l'avenir. Mais les deux tendances actuelles risquent d'entrer en conflit. Faut-il faire jouer à plein les contraintes productivistes pour réduire au maximum le temps de travail, faut-il détendre le rythme du travail, le rendre moins fatigant, quitte à conserver une durée du travail relativement importante ? On tentera évidemment de faire les deux, mais il viendra bien des moments où il faudra choisir. Il est difficile de dire aujourd'hui quelle revendication sera la plus forte, dans quelle mesure l'on voudra moins travailler ou mieux travailler.

L'autre dimension du scénario, c'est la récupération des valeurs du loisir par toutes les institutions sociales. Cela suppose que ces valeurs l'aient emporté sur les autres, ce qui est pratiquement acquis. On a pu constater qu'en cas de crise les Français font tout ce qu'il faut pour ne pas réduire leur budget vacances. On constate de même que la publicité, parfait révélateur de nos aspirations secrètes, utilise de plus en plus les valeurs de loisir, alors même que le produit proposé n'a rien à voir avec les vacances. Il s'agit là de « thèmes porteurs » qui aident à la promotion. D'ores et déjà, bien des organisations : églises, partis, organismes utilisent l'amalgame entre leur propagande et les loisirs. Ce sont les fêtes de *l'Humanité,* du P.S.U. ou de Lutte ouvrière, le cross du *Figaro,* la course de *l'Aurore,* tous les mouvements de jeunes, les clubs sportifs, l'organisation de voyages, etc.

Cette tendance devrait se développer et conduirait facilement aux situations de notre scénario. Le cirque comme moyen de gouvernement est une forme barbare d'appel aux valeurs ludiques, il doit être possible aujourd'hui de faire infiniment mieux, infiniment plus intelligent, dans le même genre.

COMMENTAIRE
GENERAL

L'avènement des loisirs en tant que système culturel et non plus simple période de repos représente un fantastique défi pour la civilisation industrielle. Alors que toutes les autres sociétés se sont d'abord conçues et organisées en fonction d'un destin humaniste, d'un devenir pour l'homme, la civilisation industrielle est fondamentalement, et presque uniquement, un système productif. Au-delà des problèmes matériels, elle n'a pratiquement pas de projet pour l'homme. Elle se veut indifférente aux philosophies, aux religions, elle s'accommode de la foi religieuse, comme de l'athéisme, du nationalisme comme de l'internationalisme : en fait une seule chose compte : s'adapter aux nécessités d'une production croissante et faire face à ses problèmes.

De cette priorité matérialiste, elle a tiré sa prodigieuse efficacité qui lui a permis de dominer toutes les autres civilisations. Dans cette logique, le non-travail n'a de sens qu'en fonction du travail, c'est le temps de repos indispensable au bon fonctionnement de la machine humaine. De fait, la limitation du temps de travail, l'interdiction du travail pour les jeunes enfants, etc., bref toutes les conquêtes du XIXe siècle furent rendues nécessaires pour la préservation du capital humain. Au rythme où le travailleur était exploité, il y a cent cinquante ans, il s'épuisait, faisant baisser, du même coup, sa rentabilité. Bref, on a admis qu'il fallait laisser souffler les hommes tout comme les machines. Mais ces temps morts de la production étaient fondamentalement vides et sans valeur.

Dès lors que l'on inverse les propositions, que cette période pilote l'autre, que les vraies valeurs naissent en dehors du travail, il faut repenser tout notre système de civilisation. Mais il ne peut être question de basculer dans une société totalement différente. En effet, les loisirs n'existent que dans la mesure où la situation économique les rend possibles. Si la machine productiviste s'enraye, les loisirs sont remis en cause. Or cette bonne marche de l'économie nécessite que l'on maintienne certaines valeurs liées au système de production. Si l'on dévalorise complètement les notions d'effort, de compétition, de travail et de création, il s'ensuivra un effondrement économique peu propre à fonder une civilisation du loisir. Il s'agit donc tout à la fois de maintenir à une juste place le travail et les valeurs utilitaires, et de les mettre au service d'un autre projet que l'on a toujours autant de mal à définir.

C'est un tournant de civilisation, mais que nous subissons comme une dérive au lieu de le contrôler comme un virage. « Qui nous a préparé à cette situation ? s'interroge Joffre Dumazedier. En France, l'école a eu la chance d'introduire les loisirs dans son langage. C'était en 1936. Elle l'a éliminé deux années plus tard. Ainsi le loisir fait peur, on ne sait pas quoi en faire. Et qui nous prépare à être nous-même, à entretenir une relation d'amour avec les choses, les êtres, la nature, à autogérer notre temps et notre vie ? Qui nous prépare à tout cela ? »

C'est bien l'interrogation fondamentale qui, faute d'être véritablement posée, nous laisse dans l'incertitude face à l'alternative qu'ouvrent nos scénarios. Le premier point sur lequel se reconnaissent Gilbert Trigano et François Camuzet, c'est la valeur propre des loisirs. « Il faut, estime Gilbert Trigano, tordre le cou à la vieille idée selon laquelle le loisir serait un temps inutile, oisif, une perte sèche pour la production. La réalité est inverse. C'est le loisir qui nous permet d'être producteur. C'est cette période de récupération, de régénérescence qui donne des ressources au travailleur. N'allons pas raconter qu'en prenant des loisirs on appauvrit le monde, en fait on s'enrichit et on l'enrichit. Le deuxième point c'est que le loisir est, par essence, un temps de liberté. C'est dire que, jamais, l'individu n'acceptera d'être pris par la main pour l'organisation de cette part indéterminée de sa vie qu'est le loisir. C'est lui qui décidera de la nourriture qu'il désire, du lieu où il veut aller, du sport qu'il veut pratiquer. L'organisation est un service qui lui facilite le choix entre ce qu'il désire et ce qu'il refuse, jamais l'homme n'acceptera qu'elle soit autre chose. S'il y avait volonté d'utiliser l'organisation du loisir à d'autres fins, je crois profondément qu'il y aurait rejet. »

De son côté, François Camuzet imagine une évolution qui libère l'homme plus qu'elle ne l'emprisonne : « D'ici à l'an 2000, dit-il, les loisirs auront profondément changé de sens. A l'heure actuelle ils se définissent par rapport au travail et se traduisent par la fuite et l'évasion. De ce fait, ils peuvent être plus aisément exploités sur le plan commercial. Mais, à l'échéance 2000, le loisir sera beaucoup plus actif, il correspondra à une réalisation individuelle et, de ce fait, les risques de manipulation seront considérablement réduits. » Résistance à la manipulation idéologique, on peut l'admettre, mais la résistance sera-t-elle aussi efficace. face à la manipulation commerciale ? Est-il assuré que les industriels du loisir pourront rester toujours dans le cadre étroit que définit Gilbert Trigano, qu'ils aideront l'homme à se réaliser sans jamais lui dicter ses choix ? Joffre Dumazedier, pour sa part, en est moins sûr : « Ce temps des loisirs est occupé par des activités qui représentent un énorme marché. Il existe donc bien un danger de voir le temps des loisirs réduit à une consommation pure et simple, un système de comportement standardisé par la programmation des grandes sociétés multinationales. Il y a là un risque qu'on ne peut pas oublier. Je ne dis pas que ce serait forcément l'esclavage, ni même la perte de toute liberté dans le choix, tout dépendrait de l'éventail des possibilités offertes. Mais il y a quand même un danger pour une société de loisirs de dériver vers une immense société de consommation. »

La question reste posée de savoir si l'on s'orientera vers une séparation encore accentuée entre travail et loisir ou vers une interpénétration des deux. Pour Gilbert Trigano, il ne fait pas de doute que les loisirs sont à construire tout à la fois l'intérieur et à l'extérieur du travail : « Je crois, dit-il, qu'on commence à avoir un peu le temps de vivre pendant le travail, c'est la possibilité de fumer tranquillement une cigarette, de parler dix minutes du match de la veille... Cela se voit déjà en pas mal d'endroits et cela doit devenir de plus en plus important. Dans la mesure où la productivité est appelée encore à augmenter, l'homme a une chance considérable à jouer en maintenant des semaines de travail relativement longues, mais en y mêlant le temps de travail et le temps de vie, en trouvant un nouvel art de vivre à l'intérieur d'un métier.

« Et puis il y a le problème du temps libre hors travail. Jadis il n'existait que pour une petite minorité qui le consacrait à des loisirs, à des voyages, à la culture, bref à des plaisirs réservés à quelques-uns.

« Pourtant le désir de ces choses existait chez tous les gens alors même qu'il ne s'exprimait que chez quelques-uns. Or nous entrons dans une période où tout le monde, progressivement, accédera à cette plénitude de vie. Je ne revendique pas autre chose pour notre génération que de vivre à peu près comme vivait George Sand, Musset et Chopin. Ils faisaient de la musique, ils écrivaient, ils se baladaient... Aujourd'hui, nous voulons tous avoir droit à ce genre de vie. A peu près la moitié de la population française connaît ce mode de vie. Avec un peu de chance, dans cinq ou six ans, ce sera les trois quarts et, dans vingt ans, la totalité. Il faut étendre à tous ce qui était le privilège de quelques-uns, il y a cent ou cent cinquante ans. C'est un droit tout à fait naturel. »

Il reste à savoir comment le système économique des prochaines décennies s'accommodera de cette aspiration : « Je pense qu'on ne peut pas faire abstraction des contraintes économiques qui se font de plus en plus pressantes, remarque François Camuzet. Entre le défi énergétique qui nous enserre, la nécessaire modernisation de notre économie, il faudra gérer au mieux nos ressources de main-d'œuvre. Ainsi l'évolution devra se faire sur un plan plus qualitatif que quantitatif. Concrètement, je ne pense pas qu'il y aura une réduction très importante du temps de travail d'ici l'an 2000. En revanche, il sera possible d'aider l'homme à mieux se réaliser dans le travail et hors du travail. »

Aspirations nouvelles, contraintes nouvelles, quelle marge de manœuvre nous sera-t-il laissé ? Pourrons-nous améliorer le travail et le loisir alors que nous ne savons pas simplement assurer à chacun un emploi ? Qui plus est, le problème se pose de savoir comment on peut démocratiser cette qualité de la vie. Elle était facile à trouver lorsqu'elle n'était accessible qu'à une élite. Mais peut-on étendre à tous les satisfactions que connaissent à un moment donné quelques privilégiés ? Lorsque tout le monde pourra voyager, les voyages seront-ils les mêmes ? Le plaisir des vacances se dégrade à mesure qu'il s'étend. Le petit coin tranquille devient un lieu encombré, défiguré, lorsque tout le monde peut y accéder. Gilbert Trigano croit possible d'organiser cette démocratisation du loisir, mais reconnaît « qu'il y a besoin de mettre de l'ordre, de penser à la nécessité de rendre les choses disponibles à tous dans des conditions acceptables ». Cela peut se faire, mais cela ne se fera pas tout seul. Qui plus est, cette évolution est largement dépendante des comportements et des aspirations. Il est des loisirs qui consomment énormément de place, d'énergie, d'assistance technique, d'autres qui font davantage appel aux ressources de la personne humaine et sont plus économes de ces richesses limitées. Là encore une culture est à définir pour que l'aspiration aux loisirs ne débouche pas sur des contradictions insurmontables.

Aujourd'hui le loisir débouche sur une série de questions sans réponses, faut-il s'en étonner ? « Le loisir est une notion jeune, remarque Joffre Dumazedier. Dans les sociétés traditionnelles, il y a un temps libéré du travail, un temps flottant, mais il est géré par les institutions religieuses à travers les fêtes, il est normalisé par la communauté. Il n'existe pas de loisirs au sens moderne. Cette nouvelle notion traduit une remise en cause des rapports entre les devoirs sociaux et les droits de l'individu. C'est pourquoi elle entraîne ce changement de valeurs. Une partie de ce qui avait été couvert par le terme d'égoïsme tend à devenir une recherche de la dignité personnelle, dignité du travailleur, mais également de la femme, de l'enfant. De chacun désirant disposer de son temps à lui, pour vivre pleinement. »

La voilà bien la grande nouveauté : prendre le temps de vivre. A sa guise, selon ses désirs et ses aspirations, en dehors des contraintes productives et des directives sociales. Nos sociétés sont assez développées, assez riches pour s'accommoder de cette revendication. Leur vrai problème est culturel. Elles l'ont esquivé si longtemps que les loisirs se définissaient de façon négative par le temps du non-travail, elles se trouvent contraintes d'y faire face dès lors qu'ils se définissent positivement comme le temps de la vraie vie. Une chose est certaine : l'homme du XXIe siècle ne réussira pas ses loisirs s'il ne parvient pas à se réconcilier avec son travail et ses engagements fondamentaux dans la vie personnelle et sociale.

10. LA NOURRITURE

Invité : GUY FAUCONNEAU, directeur de recherches à l'Institut national de la recherche agronomique.
Que mangerons-nous en l'an 2000 ? Comme en tant d'autres domaines, on peut distinguer deux tendances antagonistes. D'une part, une évolution qui se poursuit depuis des années, qui est dans la ligne générale du développement industriel, celle qui consiste à remplacer l'aliment « préparé chez soi » par le repas préfabriqué. C'est ce que l'on observe avec l'accroissement des conserves, du surgelé et de toutes les préparations culinaires : entremets, laitages, desserts, etc. D'autre part, une tendance récente, en réaction contre la précédente, et qui vise à retrouver le « bon manger » traditionnel. C'est l'amour de la cuisine, la chasse aux bons produits, etc., par opposition à l'acceptation de la nourriture industrielle, fade et standardisée. Deux tendances, donc, débouchant sur deux futurs contraires et sur deux scénarios.
Le premier pousse à l'extrême la logique de la nourriture industrielle, c'est : « LA CUISINE A L'USINE. »
Le second illustre, au contraire, la recherche d'une nouvelle qualité gastronomique, c'est : « LES FINES GUEULES. »
Intervenants : ANDRÉ FRANÇOIS, directeur du Centre national de coordination des recherches sur la nutrition et l'alimentation.

ANDRE ECK, directeur d'études professionnelles à la Fédération nationale des industries laitières.

LA CUISINE A L'USINE

Il y avait longtemps qu'on ne mettait plus « le couvert » chez les Archel. Et qu'on ne se battait plus pour savoir qui écosserait les petits pois, surveillerait le rôti ou ferait la vaisselle. Plats de toutes tailles, casseroles et ustensiles divers avaient été définitivement rangés, et la cuisine, comme celle de la plupart des foyers français, était devenue un coin propre et sans odeur particulière où l'on ne faisait que passer, le temps d'un self-service. De ce fait, les commentaires qui accompagnent traditionnellement la dégustation des repas familiaux avaient bien changé :

« Madame l'administrateur, tu pourras dire à tes gens de l'Alimentaire général que leur blanquette est infecte.

— Mon bonhomme, tu n'as qu'à choisir toi-même tes plats de la semaine. Samedi, lorsque je t'ai demandé ce que tu voulais, tu m'as répondu : « Fais au mieux, je suis débordé. » Tant pis pour toi. Cela dit, il est vrai que ce n'est pas fameux. Je vais noter tout de suite la référence pour protester au prochain Conseil. Regarde l'immatriculation sur le bord de ton plateau, c'est le combien ? A.B.237. Eh bien, ils vont en entendre parler. »

Florence Archel était de ces femmes qui, en d'autres temps, savaient vous obliger à célébrer les petits plats qu'elle vous préparait. Ayant renoncé à cuisiner, par conviction autant que par commodité, devant refréner sa gourmandise, par raison autant que par coquetterie, elle compensait cette double frustration en surveillant ce que l'industrie mettait dans les plateaux des Français en général et de son mari en particulier.

En dix ans, elle était devenue la bête noire des fabricants de repas et, en tout premier lieu, de l'Alimentaire général. Incroyable succès pour cette mère de famille qui, au départ, s'était dressée, presque seule, devant le géant de l'alimentation. Incroyable réussite également que celle de cet empire industriel créé sur la conviction d'un homme contre l'avis de tous les experts.

Car nul n'avait cru au succès de l'entreprise, en 1983, lorsque Pierre Rénant avait créé l'Alimentaire général avec son fameux slogan : « Vous servir chez vous », et son principe révolutionnaire : « Faire la cuisine à l'usine.» Revanche de l'ancien ouvrier, nostalgie de la gamelle chez ce petit homme de quarante-huit ans, à l'aspect anodin, que rien, sinon une courte mèche soigneusement lissée, une fine moustache carrée, des yeux à l'éclat magnétique, ne distinguait de son sosie, monsieur Tout-le-Monde ? La presse l'avait caricaturé en Attila de la petite bouffe. Les viandes qu'il servait, aimait à dire Florence Archel au début, avaient la consistance de celles que les guerriers du chef hun transportaient sous leur selle.

Sa formule était un véritable défi dans la patrie des gastronomes. Le principe était simple. L'Alimentaire général préparait des plateaux surgelés. Pour une somme modique et moyennant un abonnement de quatre ans, la société équipait ses clients avec le congélateur hebdomadaire, le four à micro-ondes pour réchauffer, la grille infrarouge pour rôtir, et le terminal d'ordinateur pour passer les commandes. Les abonnés utilisaient un catalogue électronique pour commander les repas d'une semaine. Tout était livré dans les quarante-huit heures. Il ne restait plus qu'à réchauffer ou griller.

Sociologues et gourmets avaient annoncé que, jamais, les Français et les Françaises ne renonceraient à faire la cuisine à la maison. Mais Pierre Rénant était sûr de son affaire. Chaque jour, ses usines livraient déjà des millions de plateaux-repas aux cantines scolaires et d'entreprises. Il suffisait d'adapter la formule aux besoins domestiques. La gamme des plateaux-repas allait du plus simple au plus cher. Car Rénant s'était assuré la collaboration des plus grands maîtres queux. Il avait également prévu toute une gamme de sauces, de condiments, d'assaisonnements et d'accessoires pour « personnaliser » cette nourriture préfabriquée. Peu à peu, cette nouvelle forme d'alimentation s'était imposée. Dans les nouveaux appartements, la cuisine n'était aménagée que pour servir des plateaux-repas.

Quant à l'Alimentaire général, il était devenu le premier groupe français, avec 30 % du marché, et contrôlait toute la chaîne, des champs et des fermes aux meubles de cuisine en passant par les abattoirs et les usines.

A l'époque, Florence Archel militait à la Ligue féministe. Elle avait adopté le nouveau système car elle se méfiait du mythe de la bonne cuisinière dont le corollaire était bien souvent la « femme aux fourneaux ». Mais très vite, elle avait milité dans les mouvements de consommateurs et, pendant des années, s'était battue contre l'Alimentaire général et ses concurrents. Le Centre des consommateurs avait progressivement imposé de stricts contrôles de qualité, l'élimination des additifs chimiques inutiles, la surveillance des nouveaux aliments, etc.

Les industriels s'étaient pliés à cette discipline, mais ils avaient favorisé les plus mauvaises habitudes alimentaires des Français. Les rations qu'ils distribuaient étaient de plus en plus copieuses, de plus en plus riches en protéines, en sucre et en graisses... Elles étaient aussi de plus en plus chères.

C'est alors qu'avait éclaté l'affaire des enfants obèses. Le Français moyen, suralimenté, gavé même, ne cessait de prendre du poids. Mais on n'y prêtait guère attention. La minceur n'était plus une obsession de la mode. Tout changea lorsque les statistiques prouvèrent que les enfants à leur tour étaient gagnés par l'obésité. Florence Archel, devenue secrétaire générale du Centre de la consommation, décida d'engager la bataille de la quantité et de l'équilibre des repas. L'affaire fut portée devant la Hautre Cour de la Consommation, en 1997.

Les industriels firent valoir qu'ils devaient calculer leurs rations pour les travailleurs de force et les sportifs. Il appartenait aux autres de savoir se limiter. Les experts n'en finissaient pas de se quereller sur le taux de calories idéal des repas. Finalement, la Haute Cour de la Consommation fixa un plafond à ne pas dépasser. Mais la guérilla continua, car les industriels se mirent à vendre les plats au détail et non plus en repas complets. Ils augmentèrent les teneurs en sucre pour séduire les enfants. Finalement, en 1999, la Haute Cour édicta des normes sévères et détaillées. Les producteurs, l'Alimentaire général en tête, attaquèrent cette décision qui, disaient-ils, bridait le commerce et constituait une entrave à la liberté individuelle. De quel droit voulait-on rationner les Français ? Argument imparable : les décisions de la Haute Cour furent cassées.

Pendant que se déroulait cette guerre juridique, l'obésité, notamment celle des enfants, était devenue un fléau national. Les maladies cardiaques ne cessaient d'augmenter. C'est alors que Florence Archel, avec le Centre des consommateurs, décida de porter l'attaque devant le Parlement. Une loi fut finalement votée qui rendait obligatoire la présence d'un quart de représentants des consommateurs dans les conseils d'administration des sociétés alimentaires. C'est ainsi que le 3 avril 2001, Florence Archel siégea pour la première fois au conseil de l'Alimentaire Général. Désormais, les consommateurs se battaient de l'intérieur même du système qui, grâce à sa centralisation, permit de modifier progressivement l'équilibre alimentaire des repas industriels.

Maintenant Florence Archel se préparait pour un nouveau combat : elle voulait faire diminuer la quantité de viande absorbée par les Français. Ce serait excellent pour leur santé et, surtout, cela permettrait de dégager des ressources alimentaires indispensables aux peuples du Tiers Monde. Bref, cela profiterait à tout le monde. En d'autres temps, il aurait fallu des dizaines d'années, ou des siècles pour persuader les

Français. Grâce à la préparation industrielle des repas, cela pourrait se faire plus rapidement. Mais Florence ne se faisait aucune illusion, il faudrait de longues années pour convaincre les uns de ne pas vendre, et les autres de ne pas consommer de la viande à tous les repas.

Qu'il existe une tendance générale à refuser « la corvée de la cuisine » pour les particuliers, à gagner le marché de la cuisine domestique pour les industriels, c'est indiscutable. Quoi de plus logique, de plus rationnel ? L'apothicaire qui, hier, préparait lui-même les médicaments dans son officine, est devenu un pharmacien-distributeur de remèdes tout faits, car il est plus efficace de produire industriellement qu'artisanalement. Première tendance qui condamne la cuisine ménagère. Deuxième tendance, c'est précisément la dévalorisation du travail domestique. Tout un arsenal de robots ménagers a été construit pour le réduire au minimum. De ce point de vue, la cuisine industrielle allège encore la charge de la ménagère. Troisième raison enfin : la déqualification des ménagères. La vraie, la bonne cuisine est difficile à faire, or, de plus en plus, les femmes exercent une profession et n'ont pas le savoir-faire indispensable pour être de bonnes cuisinières. Les hommes ne prenant pas le relais, il n'existe souvent plus, dans le ménage moderne, la qualification nécessaire pour faire sur place l'équivalent des plats offerts en cuisine préparée.

Les raisons sont donc multiples qui poussent dans le sens du scénario. Mais d'autres existent qui s'exercent en sens contraire. C'est la tradition culinaire française, les valeurs attachées à la table familiale, la résistance à « l'américanisation », etc. Ces forces de résistance existent, mais elles ne seront peut-être pas déterminantes. Bien des façons de vivre américaines ont pénétré la France sans grande opposition : du *Coca-Cola* aux majorettes, les exemples ne manquent pas. Face au rayonnement américain, le « protectionnisme » culturel français est très faible. On ne peut donc exclure une forte progression, sinon une invasion de la cuisine toute faite dans les décennies à venir.

Cette acceptation d'une nourriture préfabriquée devrait être facilitée par les habitudes de restauration collective. Les Français sont de plus en plus nombreux à manger en dehors de chez eux, au moins une fois par jour : « C'est un effet d'organisation sociale lié à toutes les perturbations qu'entraîne l'urbanisation, note Pierre Saunier, maître de recherches à l'I.N.R.A. Le phénomène se déroule depuis près d'un siècle

dans toutes les populations urbaines. Une des raisons principales est évidemment l'éloignement du lieu de travail. Une
étude plus fine montre que la consommation à l'extérieur est
plus fréquente chez les célibataires que chez les gens mariés,
chez les hommes que chez les femmes, chez les ménages sans
enfants que chez les ménages avec enfants, chez les cadres que
chez les artisans, etc. » On le voit, la restauration à l'extérieur est portée par les « modèles dominants » de la société,
elle a donc toutes les chances de s'étendre dans l'avenir.

Cette restauration collective appelle la cuisine industrielle.
D'ores et déjà des entreprises fournissent quotidiennement des
milliers de repas préparés dans de véritables usines. Sur le plan
collectif, les Français mangent et mangeront de plus en plus de
cuisine industrielle, c'est presque une certitude. Le tout est de
savoir si le repas domestique cédera à son tour devant le
plateau-repas tout préparé. Sur ce point, l'avenir est ouvert.

Reste le deuxième aspect très important de ce scénario ; les
habitudes alimentaires déplorables de l'homme moderne, en
général, et du Français, en particulier. La règle semble être
que moins on a besoin de manger et plus on mange. Aux
Etats-Unis qui, comme l'on dit, ont de l'avance sur nous,
40 % de la population a un poids excessif, et le quart court
un risque sanitaire en raison de son obésité. Le docteur Marian
Apfelbaum apporte la précision suivante : « A New York,
une enquête récente a porté sur près de 10 000 femmes divisées selon les catégories sociales, la richesse, l'instruction,
etc. Elle a permis de constater que, dans la classe " haute ",
seule une femme sur vingt est obèse alors que plus du tiers
est en dessous du poids habituel. En revanche, dans les classes
les plus " basses ", près de la moitié des femmes sont obèses.
Il va de soi que ce n'est pas un facteur génétique, mais que
cela tient à la pression sociale. » Il existe une surconsommation
généralisée contre laquelle, et pour des raisons esthétiques,
luttent les classes « bourgeoises », notamment les femmes.

Laquelle des deux tendances prédominera d'ici l'an 2000 ?
Celle à surconsommer ou celle à vouloir « conserver la ligne » ?
On peut être inquiet face aux précisions qu'apporte Guy
Fauconneau : « En ce qui concerne toujours les Etats-Unis, je
crois pouvoir dire qu'un rapport de la commission McGovern,
qui avait été mise en place par le Sénat, montrait que, justement,
la consommation des Américains devait pratiquement diminuer

de moitié, en particulier pour les sucres, et devait être considérablement réduite pour les matières grasses. C'est également le
cas des Français qui, actuellement, consomment 40 kilos de
sucre par an et par habitant, presque 50 % de plus qu'il ne
faudrait, et pratiquement 100 kilos de viande, ce qui nous
situe en tête du peloton dans ce domaine. »

LES FINES GUEULES

Accroupis devant le feu qui brûlait dans la cheminée, trois hommes et deux femmes formaient un tableau vivant qui aurait pu s'intituler : « Retour de la chasse de l'homme des cavernes. » Version moderne. Ils n'étaient pas vêtus de peaux de bêtes. Celles-ci, synthétiques sans doute, étaient jetées sur le sol carrelé et sur des canapés d'osier. Mais à la lueur des flammes, le solide appétit, dont la mimique est vieille comme le monde, brillait sur leurs visages. S'ils n'étaient pas chasseurs, ces quatre-là étaient des consommateurs gourmands.

« Tu es sûr qu'elle sera bonne cette dinde ?

— Certain, Eugène est allé la choisir à la ferme des Lasserigues. Rien que du naturel et de la qualité. Attends, je vais faire tomber les bûches, je crois que le feu est un peu fort pour la cuisson.

— Non. Laisse-la dorer davantage. On écartera les bûches plus tard. Crois-moi : « On devient cuisinier, mais on naît rôtisseur. » Moi, je suis né sous le signe de la broche. Et les gendarmes que disent-ils ?

— Du travail de professionnel. Choix judicieux du butin. A l'heure qu'il est, tout est déjà revendu. Autant dire que je ne retrouverai rien. Il n'y a qu'une façon de se venger, c'est de réussir un repas parfait, et je crois qu'elle ne sera pas mal cette petite dinde. »

La peau tendue à craquer sur une farce de truffes, elle tournait régulièrement devant le feu. Depuis une demi-heure ils commentaient devant l'âtre les différentes phases de la cuisson. Fallait-il ajouter des herbes odorantes dans le feu ? accélérer la rotation de la broche ? attendre encore pour saler ? Chaque opération donnait lieu à une savoureuse délibération.

Pierre Noflis et ses invités ne se contentent pas d'aller gueuletonner comme des bourgeois dans un restaurant recommandé par un guide gastronomique, ils font partie de ces « nouveaux gastronomes » qui en savent autant sur l'art culinaire que les plus grands chefs. Je dis Pierre Noflis, mais je ferais mieux de dire « Monsieur Meilleur Prix ». Oui, c'est lui le patron des fameux magasins. Pour son week-end gourmand il a invité Pierre et Suzanne Rousse, ses voisins de campagne, Louis Chevez, le journaliste, la psychiatre Sylvie Coutard et son mari. Une fameuse brochette de fines gueules.

Les menus ont été préparés depuis Paris pendant la semaine. Evidemment le cambriolage de la nuit dernière a sensiblement bouleversé le programme, mais il ne sera pas dit que des voleurs, même raffinés, pourront perturber cette célébration de la gourmandise. Eugène, le jardinier, s'est arrangé pour trouver les produits de qualité dans les fermes voisines. Il connaît les adresses.

Pierre Rousse est venu avec les vins. Des bouteilles soigneusement sélectionnées. Louis Chevez, qui possède une villa près de Biarritz, apporte un foie gras exceptionnel. Quant à Sylvie Coutard, elle a pris en charge les desserts. Ses sorbets sont célèbres et lui valent de nombreuses invitations.

Le mas provençal de Pierre Noflis est un véritable temple de la gastronomie. La petite ferme et le potager fournissent les meilleurs produits frais. Le cadre est chaleureux : la grande cuisine masque toute l'efficacité d'un appareillage moderne sous les boiseries claires d'un décor rustique ; la salle à manger constitue la pièce principale, mais on peut aussi y savourer un alcool, y choisir un livre, un disque ou y projeter un film.

Ce style de vie est largement répandu. Il y a encore une dizaine d'années, un homme se singularisait en faisant la cuisine. Aujourd'hui c'est l'ignorance culinaire qui détonne. Une réaction qui s'est développée à la fin du xxᵉ siècle en réponse à la saturation d'aliments industriels. Progressivement, la bourgeoisie fortunée s'est mise à rechercher des produits de qualité en dehors des circuits de l'agriculture moderne. Cette gastronomie raffinée est devenue le snobisme des riches, puis la mode de tout le monde. Les secteurs entiers de l'agriculture se sont reconvertis pour produire des aliments de qualité. Méthodes artisanales, circuits de distribution très courts, tout cela coûte cher, et ces produits atteignent des prix exorbitants.

Les riches gourmets en sont venus à ne plus vouloir du repas ordinaire. Raffinement suprême, ils remplacent souvent le déjeuner par une ration synthétique et diététique qui, en quelques bouchées et quelques gorgées, fournit les calories nécessaires. La ration a remplacé le sandwich et même le repas. Comme l'écrivait Louis Chevez dans un de ses articles : « Si vous n'avez pas le temps de manger, alimentez-vous, mais n'insultez pas la gastronomie. »

Et les autres, les millions de consommateurs qui n'ont pas de potager autour de leur résidence secondaire, pas de ferme écologique où s'approvisionner, et pas l'argent nécessaire pour se fournir dans les maisons gastronomiques ? Eh bien, ils font comme ils peuvent. Ils achètent de superbes bouteilles de vins médiocres, des produits certifiés « authentiques », « naturels », « d'arrivage direct » ou de « qualité gastronomique » qui, évidemment, sortent des exploitations industrielles ou, simplement, des usines. Le tout est de donner l'apparence du produit naturel, de masquer la production industrielle.

Pierre Noflis n'oublie pas ses affaires en commettant le délicieux péché de gourmandise. Bien au contraire. La fréquentation des gourmets, la dégustation des grands produits sont pour lui des exercices pratiques de marketing. Une partie du budget de sa société est consacrée à la recherche agro-alimentaire afin que ses produits industriels soient aussi proches que possible des produits gastronomiques. Pour les fromages, c'est chose faite. Grâce aux nouvelles techniques, la production industrielle a pratiquement la même qualité que la production artisanale. C'est beaucoup plus difficile pour les légumes, les fruits et, surtout, les viandes. Là, il faut bien souvent se contenter de l'apparence. On ne vend plus les fruits parfaits, calibrés, flatteurs pour l'œil d'autrefois. Tout au contraire, on mélange les tailles, on tache artificiellement certains fruits. Pour les volailles, on essaye différentes espèces, mais rien ne remplace l'élevage au grain à la ferme. Le luxe !

Aujourd'hui même, Noflis a prévenu ses invités qu'il les utilisait comme cobayes pour tester deux nouveaux produits qu'il allait lancer dans les magasins « Meilleurs Prix ». Un nouveau pain préparé industriellement et qui doit avoir même saveur et même conservation que l'ancien pain de campagne et, surtout, un nouveau foie gras apporté par Suzanne Rousse. Celle-ci est chercheur dans un groupe important d'industrie alimentaire, et le foie gras qu'elle va leur faire goûter est une grande innovation. Il a été obtenu par culture de tissus : au lieu de gaver une oie pour obtenir un foie, on place des cellules de foie dans un milieu nutritif pour qu'elles se multiplient. C'est le foie-éprouvette.

De quoi faire la moue. C'est avec la plus grande méfiance que les gourmets virent arriver les tranches de ce pain d'usine recouvertes de ce foie gras de laboratoire, qu'apportait Pierre Noflis. Ils allaient commencer la dégustation lorsqu'on frappa à la porte vitrée. C'étaient les gendarmes qui venaient enquêter sur le cambriolage de la nuit précédente. « On a vu de la lumière, alors on s'est dit autant y aller tout de suite. » Noflis relata toute l'affaire. Eugène s'était absenté. Les cambrioleurs qui devaient guetter depuis plusieurs jours en avaient profité. Aucun désordre, ils savaient où trouver ce qu'ils cherchaient. Le vol n'avait été découvert qu'au matin, lorsqu'ils arrivèrent de Paris. Quant au butin, une vraie razzia qui était signée : « Toutes les volailles de la ferme — on a dû aller chercher une dinde en catastrophe chez Lasserigues —, des légumes du potager et les bouteilles de la cave. » C'est aussi précieux que vos collections et beaucoup plus facile à écouler, conclut le gendarme. En ce moment même, le client il doit se régaler à votre santé. C'est une bande qui sévit par ici, pendant la morte-saison, mais on n'arrive pas à mettre la main dessus. »

Les gendarmes ne se firent pas trop prier pour partager l'apéritif, et encore moins pour goûter les toasts au foie gras qu'on leur offrit avec des clins d'œil complices. Ils les trouvèrent délicieux.

« Toujours gastronome monsieur Noflis », dirent-ils avec une belle unanimité. « Si on fait courir le bruit qu'il vous reste de telles merveilles, vous serez encore visité la semaine prochaine. » Une façon élégante de demander qu'on les resserve.

« Les aliments n'ont plus de goût ! », « On mange n'importe quoi ! », « Tout est chimique. » La mauvaise qualité des aliments est un sujet constant de doléance, presque un lieu commun. A croire ce qui se dit, cette qualité se dégraderait constamment. Tout était bon autrefois, tout est moins bon aujourd'hui... ce qui laisserait prévoir que tout sera fort mauvais demain. Faut-il le croire ?

Il faut tout d'abord se méfier des références au « passé béni ». Nos pères ne mangèrent pas tous les jours des mets succulents. Leur ordinaire, c'était plutôt le pain noir de la misère, en comparaison duquel la pire de nos « baguettes » est encore un régal. Non, on ne mangeait pas bien autrefois et, généralement, on ne mangeait pas assez. Cela dit pour l'ensemble du peuple, car il existait effectivement des privilégiés qui dégustaient des mets de grande saveur, il y avait aussi des circonstances particulières pour lesquelles on faisait de la « vraie cuisine ».

L'ordinaire du Français moyen, généralement fait de mauvais pain, de haricots, de lard ou de fromage, a été extraordinairement amélioré, ce n'est pas discutable. Nul ne voudrait plus manger le repas quotidien de ses ancêtres. Cela posé, on est loin encore de pouvoir démocratiser la qualité gastronomique. Pour régler le problème quantitatif, il a été fait appel à des techniques peu compatibles avec la production des aliments les plus savoureux. Aujourd'hui, le public qui n'a plus de problème quantitatif que par excès se soucie de la qualité. Il ne lui suffit pas d'avoir chaque jour volaille, viande ou poisson, il voudrait encore, comme on le comprend, que tous ces produits soient de premier choix. Et les mêmes désirs sont ressentis vis-à-vis du vin, du pain, des fromages, des légumes ou des fruits...

La technique agro-alimentaire qui a relevé — dans nos pays s'entend — le défi quantitatif se trouve donc, pour l'avenir, face au défi qualitatif. Dans quelle mesure peut-on assurer à tous, c'est-à-dire à bas prix, une production de grande qualité ?

Notre scénario suppose que cette exigence de qualité, que ce renouveau des traditions gastronomiques, l'emportera sur l'acceptation des aliments industriels. Mais il montre bien les limites d'un tel renouveau. Dans quelle mesure pourra-t-on offrir des aliments meilleurs en l'an 2000, c'est toute la question.

Le seul souci esthétique ne suffira pas à renverser de si mauvaises habitudes alimentaires. Faut-il espérer en l'action des consommateurs évoquée dans ce scénario ? Les associations américaines de consommateurs ont attaqué certaines sociétés alimentaires en leur reprochant de trop sucrer leurs produits. Vous voyez qu'ici la réalité est bien proche de notre fiction. En France même, les mouvements de consommateurs estiment qu'il est possible de miser sur une sensibilisation du public à ces problèmes. Marc Chambol, du laboratoire coopératif, rappelant l'exemple des huiles de colza à forte teneur en acide érucique conclut : « Bien que le degré d'éducation de la plupart des consommateurs sur le plan nutritionnel soit encore insuffisant, il existe une sensibilisation certaine en ce domaine. Il est clair que beaucoup de consommateurs se soucient tout à la fois de la quantité et de la qualité des aliments, notamment des graisses qu'ils consomment, soit parce qu'ils ont eu des problèmes personnels, soit parce que leur attention a été attirée par les nombreuses informations qui commencent à circuler sur ces sujets. »

Les consommateurs français n'ont pas encore le « niveau de combativité » de leurs collègues américains, mais il n'est pas impossible que, dans l'avenir, ils interviennent davantage sur le double plan quantitatif et qualitatif. De ce point de vue, la cuisine industrielle a un avantage : elle permet plus facilement une hygiène collective. Pour prendre un exemple évident, il est plus facile de mettre moins de sucre dans un jus de fruit en bouteille que de persuader chaque consommateur de ne mettre qu'une cuillerée de sucre dans son citron pressé. Au terme de telles actions, la nourriture industrielle pourrait être saine, hygiénique. Serait-elle pour autant désirable ?

Guy Fauconneau est relativement optimiste en ce domaine : « Je crois, dit-il, que la prise en compte de la qualité est possible pour une partie de l'alimentation française, en particulier pour l'alimentation de loisir et de plaisir. Il faut donc distinguer, d'une part, la possibilité d'avoir des produits de très grande qualité, notamment pour le goût et la saveur, par des fabrications de type relativement artisanal, mais qui ne peuvent représenter qu'une petite partie de la production car cette qualité ne s'obtient qu'avec beaucoup de travail et, d'autre part, la nécessité de nourrir toute la population avec des produits économiques, sains, mais pour lesquels les critères de goût et de saveur ne seront plus négligés. Or il est tout à fait possible de faire une production industrielle améliorée. »

Effectivement, la mauvaise qualité dont se plaignent les consommateurs est la conséquence de techniques plus efficaces, plus productives qui permettent, tout à la fois, de produire plus et de mieux rémunérer les producteurs. Mais il est bien rare que ces techniques productives assurent la qualité du travail artisanal. C'est évident pour le pain, par exemple. Le bon pain se fait avec beaucoup de savoir, de peine et de temps des artisans boulangers. Si les hommes ne veulent plus travailler toute la nuit, s'ils doivent vendre leur produit à bas prix, alors il faut faire le pain au plus vite... avec les farines les moins chères. Le résultat est ce qu'il est...

Dans notre scénario, la qualité reste chère en l'an 2000. La nourriture quotidienne est produite à haut rendement et n'est guère savoureuse. C'est alors que, renonçant à l'aspect gustatif pour ne retenir que l'aspect fonctionnel, on en vient à la ration synthétique pour l'alimentation ordinaire. Guy Fauconneau estime que « c'est parfaitement possible en l'état actuel de nos connaissances et compte tenu des matières premières fournies par les industries agro-alimentaires. On peut concevoir une ration parfaitement équilibrée dans tous les éléments nutritifs : protéines, matières grasses, vitamines, minéraux, etc. Il reste toutefois que le repas n'est pas seulement l'absorption de nourriture, c'est également une pause, un repos dans la journée. Il faudrait savoir comment serait ressentie cette suppression de ce temps de l'échange et du repos ».

Mais que peut nous promettre la recherche en matière de qualité alimentaire pour les années à venir ?

« Je pense, dit Guy Fauconneau, qu'on peut faire des progrès très importants pour des produits comme les fromages, le pain ou le vin. La technique, utilisant comme référence les meilleurs produits artisanaux, ceux que reconnaissent les jurys de connaisseurs, permettrait d'atteindre des valeurs gustatives très acceptables sur des productions industrielles de quantité. C'est certain pour les fromages, et probable pour les vins. Evidemment, on ne fera pas en qualité l'équivalent de nos grands crus avec des productions de masse, mais on pourrait obtenir des vins originaux de qualité tout à fait acceptable. En ce qui concerne la viande, c'est évidemment plus difficile. Tout d'abord dans un animal comme le bœuf, vous aurez toujours les meilleurs morceaux et les autres, d'autre part les produits de l'élevage purement industriel ne sont pas égaux à ceux d'un élevage traditionnel de qualité. »

En définitive, il n'est nullement écrit que notre alimentation doive se dégrader dans l'avenir. Bien au contraire. Le progrès de la technique permettrait d'améliorer des aliments produits en masse. Pour la production de grande qualité, elle restera exceptionnelle, mais n'est-ce pas sa vocation même ?

COMMENTAIRE
GENERAL

Le problème pour l'an 2000 n'est pas seulement de savoir si nous aurons de meilleurs aliments, mais si nous saurons mieux manger. En effet, une bonne alimentation n'a pas de sens avec de mauvais consommateurs. A quoi bon disposer de mets savoureux si l'on se gâte la santé en mangeant à l'excès ? Comment avoir une viande de qualité si nous voulons en manger 150 kilos par an, etc.? De ce point de vue, des efforts sont à faire tant au niveau de la production qu'à celui de la consommation.

Une alimentation entièrement industrielle avec plateaux-repas pour usage domestique pourrait bien être proposée par des producteurs, mais elle ne s'imposerait que si les consommateurs l'adoptaient. De même, la surconsommation de matières grasses et de sucre ne peut être arrêtée de façon autoritaire. André François, tout en soulignant que « les pénuries que nous avons connues à certains moments étaient certainement beaucoup plus graves que la situation actuelle », estime qu'effectivement « nous sommes sur une mauvaise pente. Il y a un certain coup de frein à donner ».

Parmi ces mauvaises tendances, il note en premier lieu : « L'accroissement de la consommation de matières grasses et de sucre. Nous n'avons pas de preuves expérimentales formelles qu'il y ait une relation de cause à effet entre une surconsommation et une pathologie déterminée. Ce sont des relations statistiques, mais il y a un certain faisceau de concordances qui montre l'intérêt d'éviter ces excès. Il faut vraiment une politique alimentaire incluant une éducation nutritionnelle dès le plus jeune âge, je veux dire dès l'école élémentaire. »

Rendre le mangeur conscient et responsable, c'est une bataille de l'avenir. Il est vrai que, de ce point de vue, l'alimentation industrielle est une commodité. « Je doute, pour ma part, que l'on arrive à la situation extrême décrite dans le premier scénario, estime André Eck, mais je pense, en tout cas, que s'il y a un jour des plateaux-repas surgelés à domicile, et que l'on fait réchauffer dans le four à micro-ondes, ces repas seront conçus de manière à former un ensemble équilibré. » Il est vrai que la prise de conscience qui se développe chez les consommateurs est ici un gage d'optimisme. De ce point de vue, notre scénario n'est sans doute pas trop improbable.

Que l'on fasse appel à la discipline individuelle qui naît de l'éducation ou à la discipline collective que permet l'industrialisation, il est certain qu'une réaction devra s'opérer contre l'actuelle tendance au « trop manger ».

Le deuxième aspect c'est la recherche de la qualité. Celle-ci tend aujourd'hui à s'identifier au « naturel ». C'est le point de vue que défend Bernadette Ragot de l'Association Nature et Progrès. « Je crois qu'il faut voir dans cette recherche des produits naturels la recherche de produits complets, qui maintiennent en bonne santé, la recherche du vrai. Car il est prouvé que les produits qui sont cultivés par l'agriculture biologique conservent les gens en bonne santé. (...) L'alimentation est importante dans la vie, car l'aliment a une valeur au-delà des éléments chimiques que l'on mange. Il y a toute la manière dont l'aliment a été fabriqué, cultivé, qui compte beaucoup. »

Au contraire M. Eck réagit lorsque, dans nos scénarios, nous parlons de produits " certifiés naturels ", " certifiés authentiques ". « Je voudrais rappeler, précise-t-il, que les fabricants de produits alimentaires se sont engagés à ne pas utiliser des mots tels que " naturel " ou " authentique ". Cela parce qu'il n'y a pratiquement pas d'aliments qui mériteraient ce qualificatif. Un aliment n'est pas rigoureusement semblable à ce qui est dans la nature. Si l'on s'en tenait à cette disposition, les aliments naturels pourraient se compter sur les doigts des deux mains. Il y a donc risque d'abus de langage. »

Deux voies s'opposent pour améliorer la qualité dans l'avenir : la voie technique et la voie artisanale. MM. Eck et François sont très optimistes sur les possibilités d'améliorer la production de masse : « Il n'y a aucune raison pour que l'industrie alimentaire ne soit pas en mesure de fournir des produits de bonne qualité », « Nous devrions pouvoir amener des productions de masse vers un niveau qualitatif très élevé. » Si cela est possible, pourquoi n'est-ce pas encore fait ? En vérité, les techniques agro-alimentaires ont d'abord visé la productivité et la quantité. C'est seulement maintenant, en un deuxième stade, qu'elles se concentrent sur la qualité. C'est dire qu'elles sont loin d'être au maximum de leurs possibilités. Mais les techniques ne sont rien sans la volonté de les mettre en œuvre. Qui orientera effectivement la recherche et le progrès dans cette direction ? Nous voilà renvoyés au problème des consommateurs.

La voie artisanale paraît avoir pour André François une vocation de référence plus que de production : « Il faut, dit-il, maintenir la production artisanale peut-être comme étalon. Si l'on veut tirer la qualité vers le haut, il faut savoir ce qu'était cette production artisanale. Si on la supprime, il est bien évident que nous n'aurons plus d'étalon. »

L'incomparable qualité que peut apporter une production artisanale ne justifie-t-elle pas un rôle plus important ? L'artisanat, par sa dispersion, permet le « circuit court » qui, seul, peut assurer la fraîcheur absolue. Bref, même en l'an 2000, il y aura place pour la production exceptionnelle à prix très élevé. Pour le reste, la technique va permettre des progrès en qualité, c'est vrai, mais n'oublions pas qu'un changement dans les mœurs alimentaires des Français aboutissant à consommer moins de viande, de sucre et de graisses permettrait, à budget constant, de payer plus cher les produits que l'on consomme ; donc de payer la qualité. Manger moins, mais mieux, en payant plus cher des aliments de plus grande qualité, ce serait sans doute la solution la plus heureuse, la plus sage... celle qu'on espère sans trop oser l'évoquer.

11. LES MULTINATIONALES

Invité : BERNARD ESAMBERT, ancien conseiller industriel du président Pompidou, président-directeur général de la Compagnie financière. Auteur du *Troisième Conflit mondial*, chez Plon.

Entreprises géantes dont les activités s'étendent sur plusieurs continents, leur chiffre d'affaires se compare au P.N.B. des Etats, les salariés se comptent en centaines de milliers, les sociétés multinationales fascinent et inquiètent tout à la fois. Sont-elles le nouvel ordre des Templiers qui prétend dominer le monde, le stade suprême d'un capitalisme atteint de gigantisme, sont-elles un bien ou sont-elles un mal ?

Le fait est qu'elles ont connu une croissance excessivement rapide au cours des trente dernières années, une croissance plus forte que les Etats ou les petites et moyennes entreprises. L'extrapolation de cette tendance conduit à prévoir pour elles un rôle encore accru à la fin du siècle. Mais rien ne prouve que leur irrésistible ascension se maintiendra pendant les vingt prochaines années. Pourquoi ne connaîtraient-elles pas une période de déclin ? C'est également une hypothèse qui vaut d'être examinée.

Nous aurons donc deux scénarios. Le premier retrace l'apothéose des sociétés multinationales, c'est : « LE RÈGNE DU CONSORTIUM. »

Le second montre, à l'opposé, le déclin des firmes géantes et transnationales, c'est : « UNE USINE A LA MER. »

Intervenants : PHILIPPE THOMAS, président-directeur
général de Péchiney Ugine Kuhlmann.

CHARLES LEVINSON, secrétaire général de la Fédération internationale des travailleurs de la chimie et de
l'énergie. Auteur de *l'Inflation et les multinationales*
et dernièrement *Vodka-Cola* paru chez Stock.

LE RÈGNE DU CONSORTIUM

Le plus sûr moyen de perdre une guerre, c'est encore de ne pas se battre. Ou de se tromper d'ennemi. C'est exactement ce qui est arrivé aux Etats. Ils s'étaient toujours battus entre eux, car ils pensaient être les seules puissances. Et ils n'imaginaient de batailles que militaires. Ainsi se ruinaient-ils en armement : des bombes, toujours plus de bombes leur paraissaient le seul garant de souveraineté. Ils conduisaient ainsi le monde à la catastrophe, un détail auquel ils ne s'arrêtaient pas.

Profitant de cet aveuglement, des adversaires autrement redoutables étaient en train de gagner une guerre qu'ils n'avaient pas eu à déclarer : les sociétés multinationales, qui se développaient tranquillement depuis les années 50. Avec les seules armes des transports et des télécommunications, elles avaient acquis la dimension planétaire, alors que les nations restaient prisonnières de leurs frontières. A ce jeu, elles devinrent vite aussi puissantes que des Etats.

Le tournant décisif se situe au début des années 80 lorsqu'elles commencèrent à s'organiser pour suppléer à l'impuissance des Etats. C'est une loi de la nature économique : lorsqu'une entreprise gère mal ses affaires, le banquier finit toujours par prendre les commandes. Et quand il les a, pourquoi — et sur qui — s'en déchargerait-il ?

Depuis toujours, on accusait ces grandes sociétés

d'aggraver le désordre monétaire avec leurs opérations spéculatives. J'ai beaucoup étudié cette question — elle fut même le thème principal de nombreuses conférences que je fis à travers le monde — et je peux vous dire que, dans les années 60-70, cette accusation n'était pas fondée. Les multinationales ne cherchaient pas délibérément à gagner de l'argent sur les monnaies. Mais chaque filiale nationale était bien obligée de gérer sa trésorerie en fonction du marché monétaire et de ses fluctuations. Ces mouvements de capitaux aggravaient les crises, tout comme, sur un bateau pris dans la tempête, le mouvement des passagers qui se reportent par paquets de tribord à bâbord pour ne pas se faire arroser.

En 1980 donc, ces variations de cours entre les monnaies deviennent si importantes que les « majors » décident d'organiser leur trésorerie au niveau mondial à l'aide de réseaux télé-informatiques et de satellites. Ils veulent se protéger. Ils veulent aussi gagner au change. Ce sont alors des sommes fantastiques, l'équivalent des budgets de plusieurs nations qui se déplacent brutalement du yen au mark, du franc au dollar, du florin à la livre. Les remous monétaires deviennent tempêtes. Comme les trésoreries des sociétés dépassent de loin celles des banques nationales, ces dernières ont beau se coaliser, elles ne peuvent plus soutenir les monnaies en difficulté.

En 81, c'est le franc qui se trouve brusquement au bord du gouffre, six mois plus tard c'est la livre. Le Japon et l'Allemagne font savoir qu'à l'avenir ils ne pourront plus sauver des monnaies qui perdent le quart de leur valeur en trois semaines. Les banques américaines s'inquiètent. Sous leur impulsion, les trente plus importantes sociétés multinationales conviennent de se concerter régulièrement sur leurs opérations de change afin d'éviter un désastre qui ruinerait tout le monde.

Première démission : les Etats, conscients de leur impuissance, approuvent cette initiative. Les pays pétroliers font de même et prennent l'habitude de déposer la masse de leurs pétrodollars entre les mains de ce « Consortium des investisseurs mondiaux ». Cet organisme devient alors le grand distributeur de crédit dans le monde. La croissance des firmes géantes s'en trouve accélérée.

Fortes de leur victoire, les multinationales commencent à faire discrètement la loi dans les Etats. En 84, lorsque l'Italie annonce qu'elle ne peut honorer ses engagements internationaux, le Consortium est appelé à l'aide pour échafauder une solution. Au prix d'un remaniement ministériel. Il fit mieux en Afrique du Sud. Vous vous souvenez que les nations, à peu près unanimes, tentaient depuis vingt ans d'infléchir la politique raciale de ce pays. En vain. Le jeu des multinationales rendait inefficaces les boycotts. Mais, à partir de l'hiver 83-84, la situation internationale se dégrade à ce point, que toute l'économie sud-africaine se trouve menacée. Le pays est en train de sombrer dans le chaos et la guerre raciale. Les investisseurs étrangers lancent un véritable ultimatum aux autorités de Pretoria : ils exigent un changement de politique et annoncent que, désormais, si elles ne renoncent pas à l'apartheid, ils appliqueront le boycott. Après quinze jours de crise politique, un nouveau gouvernement était formé qui entamait des négociations avec les leaders noirs.

Ces interventions restaient secrètes et le public n'en voyait rien transpirer dans ses journaux ni à la télévision. Aucun gouvernement n'aurait pris sur lui d'annoncer qu'il délibérait de sa politique économique et industrielle avec les investisseurs internationaux ! Cette prudence explique qu'on n'ait jamais su très clairement le rôle joué par le *business* international et les *lobbies* américains dans la chute du président Williamson.

Lorsqu'il arrive à la Maison Blanche en 88, Williamson est au mieux avec les grandes sociétés. Rien que de très naturel pour un républicain. Le conflit sera provoqué par sa conception des relations entre l'Est et l'Ouest. Les multinationales ont opté pour la coopération économique et commerciale. Elles trouvent dans le monde communiste des marchés immenses et des partenaires sérieux. Mais cette conquête de l'Est inquiète Williamson. « Nos industriels sont fous, dit le président, ils ont déjà permis aux Européens de rattraper leur retard économique et technique et, maintenant, ils veulent faire de même avec les communistes. » Au début, les managers américains eux-mêmes sont divisés sur cette question. A partir de 90, Williamson met ses idées en pratique. Désormais les échanges avec le monde communiste sont limités. Résultat : les multinationales américaines se voient supplanter dans ces pays par leurs concurrentes européennes ou japonaises. Le président est devenu l'homme à abattre et elles engagent une lutte sourde mais acharnée contre sa politique. Celle-ci est systématiquement sabotée au congrès, déformée par les media. Williamson n'y résiste pas et il se fait battre en 92 par le démocrate David Brooks. Un défenseur farouche des échanges commerciaux Est-Ouest.

On pourrait citer bien d'autres exemples, quoique moins spectaculaires : la mise au pas de la Grèce en 88 lorsque le régime Panatalos procède à des nationalisations massives, la représentation permanente du Consortium au sein de l'O.C.D.E. à partir de 91, la crise brésilienne de 92 qui suit l'expulsion des compagnies américaines, etc. Autant d'étapes qui ne paraissaient pas avoir de liens entre elles et qui, à l'époque, ne provoquèrent aucune réaction des Etats. Certains économistes — j'ai toujours été de leur nombre — dénonçaient bien le danger, mais les gouvernements préféraient croire que les multinationales étaient des partenaires qu'ils utilisaient et non des adversaires qui les déposséderaient.

Il était sans doute déjà trop tard pour réagir. Aux grandes multinationales américaines s'étaient ajoutées des sociétés européennes, japonaises, coréennes, brésiliennes et même russes et chinoises. Ensemble elles contrôlaient les trois quarts du commerce mondial. En France, par exemple, la moitié des emplois dépendaient de leur bon vouloir. Un excellent moyen de pression, non ? Bien que ces sociétés soient en concurrence entre elles, elles s'accordaient sur certains principes : refus du dirigisme, des nationalisations, soutien au libéralisme — ce qui n'empêchait pas de commercer avec les Etats communistes. Richard Forlington, président de la City Bank et secrétaire général du Consortium, disait qu'un gouvernement qui veut intervenir sur le marché est aussi ridicule qu'un oiseau dans un aquarium. C'était même l'avis des multinationales communistes — pour ce qui concernait l'Occident évidemment. Depuis 82, le Consortium est allé de victoire en victoire. Il a recruté de nouveaux membres. 380 au total en 1995 dont une moitié environ d'Américains. Influencé par le pragmatisme anglo-saxon, le Consortium a conservé son caractère de club informel, très souple et très discret. Ici, on décide. Sans discours et sans procédures. Une dictature sans chef, sans parti, sans Etat.

En un demi-siècle, les multinationalisations ont imposé aux nations un partage de fait du pouvoir. Ces dernières doivent en prendre acte. En 2001, le club des principales puissances nucléaires fait ouvertement appel au Consortium pour faire pression sur six Etats : deux d'Afrique, deux d'Amérique latine et deux du Proche-Orient qui ont entrepris la fabrication de leurs propres armes nucléaires. En paralysant l'économie de ces pays, les multinationales les contraignent à se soumettre au contrôle international. Juste retour des choses, l'O.N.U., bonne fille, crée une nouvelle institution spécialisée : le Conseil des investisseurs mondiaux qui regroupe les mille plus importantes sociétés mondiales. Avec un conseil exécutif comprenant les trente premières. C'est la reconnaissance du Consortium par les Nations unies.

L'année suivante, l'année dernière donc, le Conseil des investisseurs mondiaux décide, comme vous l'avez vu, de faire disparaître les grands centres de la spéculation mondiale, notamment la Suisse. Les Etats n'y étaient pas parvenus en vingt ans. Une menace de boycott suffit : les Suisses acceptent aussitôt de contrôler les mouvements de capitaux à leurs frontières et dans leurs banques. Le tour est joué.

Mais avec le succès presque automatique de leurs entreprises, la consécration officielle, l'exercice, pourrait-on dire, serein, de la puissance mondiale, la discorde est venue se mettre de la partie ; les multinationales ont tourné les unes contre les autres des armes, une agressivité qui ne leur sert plus contre les Etats. Déjà le Conseil des investisseurs commence à se déchirer entre les multinationales américaines, européennes, japonaises, soviétiques, chinoises et autres spectateurs depuis l'origine de cette lutte de Titans. Je renverserais bien la phrase de Forlington et je dirais qu'une entreprise qui fait de la politique est aussi absurde qu'un poisson dans le désert. Mais, quand on a le pouvoir, il est difficile de ne pas l'exercer.

Voilà donc illustré le thème des multinationales maîtresses du monde. Est-ce une hypothèse vraisemblable ? Pour l'évaluer, il faut tout d'abord faire le point de la situation actuelle. Et tout d'abord se poser la question : « Pourquoi des sociétés multinationales ? » Le développement de ces entreprises correspond évidemment à une logique économique.

Une entreprise est d'abord une structure de croissance. Augmenter le chiffre d'affaires d'une année sur l'autre est une exigence et une morale pour les équipes dirigeantes. L'activité dans laquelle s'insère l'entreprise part des matières premières pour finir au consommateur. Dans sa logique de développement, une entreprise est presque toujours amenée à sortir de ses frontières d'origine pour trouver des matières premières ou des marchés. Elle pourrait théoriquement le faire en concentrant toutes ses activités productrices dans son pays de naissance. Mais il est généralement plus intéressant d'internationaliser la production. Les raisons sont nombreuses. Cela facilite la pénétration et, surtout, la conservation des marchés étrangers, cela peut assurer l'accès à certaines matières premières, cela permet de rechercher à l'échelle mondiale les facteurs de production le meilleur marché, cela permet de réduire les risques que peuvent présenter la politique des Etats... Bref l'expansion, passé un certain stade, entraîne presque obligatoirement une certaine internationalisation.

« Les premières multinationales, rappelle Bernard Esambert, se sont créées à la fin du siècle dernier. Deux exemples fameux sont Nestlé et Unilever qui ont dû franchir les frontières trop exiguës de leurs pays d'origine : la Suisse et la Hollande. Mais la grande vague a commencé au lendemain de la Seconde Guerre mondiale ; elle se composait d'entreprises américaines qui, après avoir défriché l'Amérique, Ouest et Sud compris, avaient trouvé un nouveau champ d'expansion dans l'Europe des années 50 qui entamait une période de forte croissance.

« Aujourd'hui, pour donner des ordres de grandeur, le quart de la production industrielle du monde est contrôlé par 300 entreprises environ. Le soleil ne se couche guère sur l'empire de certaines, américaines, mais également européennes, canadiennes ou japonaises, qui, non seulement sont implantées dans le Tiers Monde, mais également, et sous une certaine forme, dans quelques pays de l'Est. »

« La moitié des multinationales sont américaines et, lorsque l'on fait un classement commun faisant intervenir, pour les Etats, le produit national brut et, pour les entreprises, le chiffre d'affaires, on trouve plus d'entreprises que d'Etats dans les cent premiers du classement. Pour donner un exemple, le chiffre d'affaires d'Exxon dépasse le P.N.B. de l'Autriche ou du Danemark. En France même la C.F.P. réalise un chiffre d'affaires qui doit être du même ordre que le P.N.B. algérien. A travers leurs filiales, ces multinationales effectuent le tiers du commerce international ; dans certains pays, elles contrôlent un potentiel industriel qui peut atteindre, voire dépasser, 20 % de l'ensemble national. Pour la France, ce potentiel est de l'ordre de 15 à 20 % si l'on ne considère que les sociétés américaines. Pour la Belgique, il est probablement supérieur à 30 %. »

Telle est la situation aujourd'hui avec des perspectives de croissance très brillantes, si l'on s'en tient à une extrapolation linéaire, mais également avec des possibilités d'infléchissement en sens contraire. Ces multinationales, de par l'importance de leur trésorerie, jouent un rôle majeur sur le marché monétaire international. « Ces sociétés exportent et importent massivement, explique Bernard Esambert. En tant qu'exportateurs elles reçoivent des devises en contrepartie des marchandises, devises qu'elles convertissent et rapatrient en monnaie nationale au moment de leur choix. En tant qu'importateurs elles vont, symétriquement, acheter des devises en vendant de l'argent national. Elles entretiennent donc en permanence des mouvements énormes de capitaux et, en déplaçant les transactions monétaires de quelques semaines, elles peuvent globalement faire glisser des dizaines de milliards de dollars d'une monnaie à une autre. » Il s'agit là d'une situation qui n'est pas délibérément recherchée, mais dont les conséquences en s'amplifiant pourraient conduire à des réactions, celles qui sont imaginées dans le scénario, ou d'autres.

Les rapports des Etats et des multinationales ne sont déjà plus entièrement subordonnés et l'on voit se manifester périodiquement les indices d'une politique propre des entreprises. L'exemple caricatural en est l'action de certaines multinationales américaines contre des régimes démocratiques d'Amérique latine, notamment au Guatemala ou au Chili, mais il est d'autres faits révélateurs. Dans un reportage du *Monde,* en date du 4 mai 1978 consacré à l'Inde, on lit : « Les représentants de cinquante-cinq multinationales venus récemment à la Nouvelle-Delhi ont jugé que le climat n'était pas aussi favorable en Inde — où pourtant, en dépit de nombreuses contraintes, les profits sont, en moyenne, de l'ordre de 12 % et les transferts de bénéfices et de dividendes très aisés — qu'au Brésil, en Indonésie, au Mexique et en Corée du Sud. » Il est évident qu'un tel « Club d'Investisseur » pèse très lourdement sur la politique d'un pays, notamment du tiers monde.

Les sociétés multinationales, avec leurs multiples ramifications, peuvent encore tourner la politique des Etats. Bernard Esambert cite en exemple l'embargo sur la Rhodésie « et l'Afrique du Sud » qui, du fait des multinationales, n'ont jamais souffert des différents boycotts qu'ils ont subis ». Au reste, la British Petroleum a reconnu, dans un rapport de 1978, qu'avec la collaboration d'autres groupes pétroliers elle avait constamment tourné l'embargo pétrolier contre la Rhodésie.

Les moyens d'action des multinationales sont d'ores et déjà égaux sinon supérieurs à ceux de certains Etats ou de certaines coalitions internationales. *A priori,* Etats et entreprises ne se situent pas sur le même terrain et ne sont pas naturellement antagonistes, ainsi le vrai rapport de force est-il généralement évité. Mais on pourrait imaginer qu'il en aille autrement si la puissance des sociétés augmentait encore et si le désordre économique mondial s'accroissait. C'est ce que nous avons supposé ici.

UNE USINE A LA MER

Ce sera un curieux spectacle pour les poissons des grands fonds quand ils verront s'y échouer non plus un bateau mais une usine. Mon usine, mon usine fantôme, c'est là qu'elle finira son aventure, dans la vase abyssale après avoir parcouru toutes les mers du monde. Et ils tourneront sans comprendre autour de ce premier monument sous-marin à la folie des hommes !

Regardez là ! Vous n'entendez rien ! Mais elle est prête pour la production avec ses machines — les meilleures du monde —, ses ateliers, ses laboratoires, ses entrepôts. Elle peut fabriquer par milliers des appareils photos électroniques, des machines à calculer, des montres-ordinateurs. Elle a bourlingué, mon usine, sur ses trois barges de 250 mètres de long de 100 000 tonnes chacune. Mais voilà, elle ne tourne plus. Elle vogue à la dérive comme tout le système qui la fit naître.

Chaque année, il sort des chantiers navals plus d'usines que de navires. Raffineries, usines chimiques, fabriques de pâte à papier, conserveries... On les construit dans ces immenses pontons, puis elles traversent les mers, tirées par des remorqueurs et sont livrées aux pays qui les ont commandées. Un processus classique, mais mon usine c'est une autre histoire.

Elle a été commandée en 1992 par l'Electronic World Corporation (E.W.C.) aux chantiers de Nashagi. Pourquoi E.W.C. faisait-elle construire des usines de mer et non de terre ? Comme beaucoup d'autres, Samuel Gooders, son président, n'était plus sûr de rien, il voulait se réserver la possibilité de prendre le large si les choses tournaient mal. Un signe des temps. Pourtant E.W.C. était tout sauf une petite entreprise soumise aux aléas de la conjoncture. 110 000 employés répartis dans 23 pays, près de 6 milliards de dollars de chiffre d'affaires. Certes ce n'était pas I.T.T. ou Exxon, mais, tout de même, il s'agissait d'une puissance. Elle avait son siège social en Grande-Bretagne et n'hésitait pas à défier les géants américains et japonais. E.W.C. avait connu une croissance très rapide en s'organisant intelligemment à l'échelle mondiale, rachetant des firmes d'électronique aux Etats-Unis, s'endettant à bon escient sur le marché de l'eurodollar, jouant habilement du cours des changes et utilisant toujours une main-d'œuvre qu'elle pouvait sous-payer.

Samuel Gooders s'était imposé comme le manager modèle, et sa stratégie fut longtemps citée en exemple dans les *business schools*. Mais que pouvait-il contre les changements intervenus dans le monde au cours des dix dernières années ? Jusqu'en 1990 environ, les Etats avaient pratiquement laissé les multinationales maîtresses du jeu. On voyait bien des organismes prétendre leur imposer des « codes de bonne conduite », mais il manquait toujours un gendarme pour sanctionner leurs « écarts de conduite ». Pourquoi les gouvernements occidentaux ont-ils fini par se réveiller ? Pour des raisons qui tiennent moins à l'idéalisme qu'au fatalisme.

L'unité de l'Europe tout d'abord. Grâce à elle, le « concert des nations » a été remplacé par un trio de voix dominantes : Amérique, Japon, Europe. Il suffisait que ces trois-là s'entendent pour que les autres suivent. La crise ensuite. Elle s'éternisait. Dans tous les pays, le mécontentement grandissait, poussait à la violence. Faute de remèdes, les gouvernements cherchaient des boucs émissaires. Les multinationales, qui s'enrichissaient en pleine dépression, faisaient parfaitement l'affaire. Enfin, quoi qu'il en soit, la fameuse commission de Contrôle des sociétés multinationales, la C.C.S.M., fut enfin mise sur pied. Et c'était une vraie commission, avec des pouvoirs réels. 66 Etats, dont tous ceux d'Europe, s'engagèrent même à appliquer ses décisions. Eventuellement ses sanctions.

Les premières ont porté sur les mouvements de capitaux. Ils devraient être déclarés auprès des gouvernements dès qu'ils dépasseraient un certain montant. Les opérations que l'on estimerait spéculatives pourraient faire l'objet de plaintes et de pénalités. On pensait que les commissaires n'oseraient jamais appliquer ces règles. A la surprise générale, ils le firent. Et la foudre, qu'ils ne se contentaient plus de brandir, ne les a pas tués en tombant sur leurs victimes : des géants du pétrole, des trusts japonais, des colosses américains. Tous condamnés et tous contraints de payer. Dès 92, les sociétés ont pratiquement renoncé à jouer sur les monnaies.

La commission s'est ensuite attaquée au petit jeu des filiales. Elle a condamné la pratique rituelle qui consistait à répartir entre elles déficits et bénéfices au gré des intérêts du groupe. Tous les échanges au sein d'une multinationale durent être justifiés. Enfin elle soumit à des procédures très strictes les fermetures d'entreprises et les déplacements de production. En pratique, les gouvernements, poussés par les syndicats, s'y opposèrent systématiquement. Dans ces conditions, le jeu des multinationales perdait beaucoup de son intérêt, car il n'est réellement profitable que si c'est un libre jeu.

Ces coups sont-ils seuls responsables du crépuscule des multinationales ? Je crois que ces grandes sociétés étaient déjà en perte de vitesse. Elles avaient si bien uniformisé le monde, elles s'étaient si bien multipliées, que leur dimension mondiale cessait d'être un atout : alors que leur poids était devenu un handicap. Les nations, après s'être beaucoup servies d'elles, n'en avaient plus vraiment besoin. La preuve en est que les profits diminuaient depuis 1990.

La solution à ce double problème — rentabilité et législation draconienne —, Samuel Gooders avait pensé la trouver avec ces usines mobiles qui le laissaient maître de ses mouvements. C'était le choix de la dernière chance. Quand j'ai pris la direction de la mienne, je l'ai d'abord conduite en Asie pour l'ancrer devant Bruneï, dans l'île de Bornéo. Les salaires y étaient huit fois plus bas qu'en Occident et six fois plus bas qu'en Corée. Nous faisions le montage des appareils à partir de microprocesseurs fabriqués en Californie et qu'on nous livrait par avion-cargo. L'affaire fut rentable pendant un an. Mais les pays européens ont réagi : poussés par leurs syndicats, ils ont taxé les sociétés qui produisaient dans des pays à main-d'œuvre sous-payée. Gooders a décidé de faire terminer ses articles en Espagne pour échapper à cette taxe. Des concurrents japonais l'ont alors attaqué devant la Commission. Et nous avons dû payer la taxe. Comme notre principal marché était en Europe, Gooders nous a rapatriés pour diminuer les coûts de transport et éviter les taxations.

Cette fois, on s'est ancré le long des côtes crétoises. 97 et 98 furent d'assez bonnes années. Mais les firmes nationales, que les Etats européens soutenaient en sous-main, nous faisaient une concurrence de plus en plus sévère. On a bien essayé de changer nos productions. Sans succès. Pour s'en sortir, Gooders a tenté l'opération classique : laisser notre filiale faire faillite et assurer son rachat par une autre société du groupe. Il espérait ainsi pouvoir lever l'ancre sans payer d'indemnités aux 2 300 travailleurs de l'usine. Tout était prêt pour le départ avant l'annonce de la faillite. Mais une avarie de remorqueur nous empêcha de quitter la Crète dans les délais prévus. Le personnel eut le temps de s'organiser et nous eûmes droit à une occupation. Impossible de partir. E.W.C. s'est retrouvée de nouveau devant la Commission. Condamnée à verser les indemnités dues par la filiale en faillite ainsi qu'une grosse amende au gouvernement grec.

A l'automne 99, traversée de la Méditerranée. Adieu l'Europe et ses parapets, notre usine-bateau se retrouve au large de Libreville. Gooders voulait maintenant

produire des articles à bas prix pour la clientèle africaine et sud-américaine. Les salaires étaient encore
très bas au Gabon et nous sommes restés toute l'année
du millénaire sans faire de déficit. En 2001, l'Europe
que nous avions fuie nous rattrape : nous subissons
la concurrence d'usines flottantes livrées par les chantiers français à des sociétés africaines. En 2002, les
pertes recommencent. L'ensemble du groupe E.W.C.
termine l'année avec 500 millions de dollars de déficit.

Gooders ne se tient pas pour battu. Dans cette lutte
du capital contre les Etats, il a été tenté comme d'autres
de quitter l'Angleterre et de fonder des sociétés sous
des nationalités de complaisance. Mais ces tentatives
se sont mal terminées. Il a préféré jouer la carte nationale et concentrer ses activités dans deux pays :
l'Angleterre et l'Allemagne, afin que E.W.C. ne soit
plus considérée comme une firme multinationale et
apatride.

Malgré toutes ses études de marché, il n'a trouvé
aucune utilisation rentable pour mon usine, aucun
acheteur non plus. Une fois de plus, nous avons repris
le large, naviguant sans conviction vers un horizon
incertain. Bien heureux si un naufrage opportun trans-
formait cette inutilisable merveille de la technologie
en une substantielle prime d'assurance. Quand mon
usine dormira au fond des mers, je trouverai, j'espère,
du travail dans mon pays, en Angleterre. Les espèces
économiques ont peut-être leurs époques. Tout comme
les dinosaures.

La construction d'usines flottantes qui est au centre de ce scénario n'est nullement imaginaire ou même futuriste. C'est une réalité d'aujourd'hui. En 1978, la première usine de fabrication japonaise a été livrée au Brésil. Destinée à traiter la cellulose, elle a été construite sur trois barges et tractée à travers les océans pour être finalement installée sur les bords de l'Amazone. Mais la construction d'usines sur barges répond à des soucis de rentabilité ou d'efficacité et non à la volonté de déplacer à volonté les centres de production. En cela le scénario invente ou, à tout le moins, anticipe. En revanche, il ne fait guère de doute que les chantiers navals construiront de nombreuses usines dans les années à venir.

Cela posé, il est évident qu'un des avantages de la multinationalisation ou, plus simplement, de la taille planétaire, c'est de pouvoir toujours se placer dans les meilleures conditions de production. « Les multinationales, commente Bernard Esambert, profitent de ce que les économistes appellent les asymétries du monde économique, c'est-à-dire, du fait que les pays du monde ne sont pas dans des situations comparables pour les différents facteurs de production. L'exemple classique est celui des salaires dont le décalage entre l'Europe et l'Asie peut atteindre un écart de 1 à 10 et même plus. Ainsi les multinationales vont-elles chercher la main-d'œuvre bon marché en Corée du Sud, à Singapour et, depuis peu, aux Philippines, en Malaisie, en Indonésie ou en Afrique noire. Elles cherchent également à profiter des meilleures sources de minerais ou d'énergie, des meilleures conditions politiques ou fiscales... Bref, à se mettre toujours dans la meilleure situation. »

Mais jusqu'où peut-on jouer ce jeu ? Les multinationales ont investi successivement l'Europe, l'Asie et le Tiers Monde, voilà qu'elles tendent à revenir aux Etats-Unis, est-ce la fin du jeu ?

« Les multinationales ont été les premières à bénéficier des asymétries économiques, explique Bernard Esambert, c'est vrai. Mais en les exploitant, elles tendent à les gommer. Lorsque les grandes sociétés sont installées depuis un certain temps dans un pays, les salaires augmentent, les Etats réagissent en prenant le contrôle des matières premières — le pétrole en est un exemple éclatant — enfin le contrôle politique s'accentue notamment sur les différents avantages fiscaux. C'est bien ce que l'on constate aujourd'hui. Par exemple, il est de plus en plus difficile à un groupe multinational de transférer les bénéfices d'une filiale à une autre pour bénéficier d'une fiscalité plus avantageuse. »

On voit donc apparaître des tendances nouvelles qui remettent en cause les avantages fondamentaux qui ont autorisé la croissance très rapide des multinationales. En particulier les hétérogénéités qu'elles effacent à mesure qu'elles les exploitent. Un contrôle international pourrait-il réglementer l'activité de ces géants, comme il est prévu dans le scénario ? Il n'existe rien de bien efficace dans ce genre aujourd'hui, c'est un fait, mais ce ne sont ni les intentions ni les projets qui manquent. L'O.C.D.E. a fait approuver un code de bonne conduite pour les sociétés multinationales, une affaire de ce type a été jugée en Belgique. Il s'agissait de la filiale belge de la société américaine Bager, elle-même contrôlée par le groupe américain Rhaytéon. La filiale belge avait donc été fermée brusquement sur l'ordre du siège américain. Rhaytéon eut alors quelques ennuis, d'ailleurs mineurs, avec l'O.C.D.E. Autre exemple, cité par Bernard Esambert, celui d'Idéal Standard, filiale américaine du groupe American Standard qui, il y a quelques années, fut brutalement abandonné par la direction américaine. « Au total, estime Bernard Esambert, les fermetures d'usines commandées de l'étranger sont relativement peu nombreuses, mais parfois très douloureuses. »

Réactions des organisations internationales, réactions des Etats, réactions des syndicats également. Les travailleurs sont partout soucieux de défendre l'emploi. A ce titre, ils s'opposent à la « délocalisation » des activités vers des pays à bas salaires. Là encore il y a un frein potentiel au développement des multinationales.

« Cette réaction se fait essentiellement à l'échelon national constate Bernard Esambert, mais on assiste au développement d'un syndicalisme international par symétrie avec les entreprises multinationales. Toutefois, cette éclosion est encore très lente. »

A côté des arguments qui plaident en faveur du développement des multinationales, on peut donc en trouver tout autant qui militent en sens contraire : diminution des asymétries économiques, contrôle renforcé des organismes internationaux, des Etats et des syndicats, il existe bien des raisons qui justifient également ce deuxième scénario.

COMMENTAIRE
GENERAL

Apothéose ou crépuscule des multinationales, cela dépend du point de vue où l'on se place. Ceux qui ont la responsabilité de conduire ces firmes géantes sont plus sensibles aux difficultés de gestion qu'aux rêves de puissance, ceux qui observent la situation de l'extérieur voient bien davantage l'impérialisme irrésistible de ces géants.

Philippe Thomas ne croit à aucun des deux scénarios, pour lui les multinationales ne méritent manifestement ni cet excès d'honneur, ni cet excès d'indignité.

« Je crois, dit-il, qu'on a une vision absolument erronée de ce qu'on appelle " le petit jeu " des multinationales. En ce qui concerne les mouvements de capitaux d'abord, ils sont bien plus limités que vous ne pensez, car l'essentiel des capitaux est immobilisé et ne peut bouger. Il s'agit d'investissements industriels, et la fraction liquide, outre qu'elle est très faible, est au service des filiales opérationnelles du groupe. On sait que telle filiale en Australie aura un besoin d'investissement dont il faut préparer le paiement, on sait qu'au Japon il faut rembourser des emprunts, etc. Il y a une nécessaire gestion de trésorerie dans le temps et dans l'espace qui impose des arbitrages. Mais je vous assure que le problème n'est absolument pas de gagner 2 ou 3 % sur un taux de change ou un taux d'intérêt.

« De même ne connaît-on pas — à tout le moins dans l'industrie dont je m'occupe —, ces migrations rapides d'activité d'un continent à un autre. Dans ces activités qui nécessitent des investissements importants, on observe une très grande stabilité. Il faut rester dans un pays vingt ou vingt-cinq ans pour recueillir véritablement le fruit de ses investissements. Dans certaines industries légères où la mobilité est plus grande, des questions d'emplois peuvent se poser si une direction décide tout à coup de mettre la clé sous le paillasson et de s'en aller parce que l'entreprise n'est plus rentable. Mais une industrie peut avoir intérêt à se multinationaliser pour des raisons autres que de salaire. Le groupe que je dirige s'est fondamentalement internationalisé pour utiliser l'énergie et la bauxite, et d'autres matières premières là où elles se trouvent. Les salaires n'ont joué absolument aucun rôle dans notre stratégie.

« Enfin il faut savoir que les entreprises multinationales ne sont pas libres d'agir à leur guise en mettant certaines filiales en déficit au profit d'autres, dans une optique purement fiscale ou monétaire. Dans tous les pays où nous sommes installés, les administrations fiscales et les contrôles des changes regardent de très près les prix de cession entre les différentes filiales du groupe. »

Ainsi, vue de l'intérieur, la multinationale se sent une entreprise comme une autre, étroitement surveillée, empêchée d'abuser de son pouvoir. Ce n'est évidemment pas le point de vue d'un homme comme Charles Levinson qui, en tant que syndicaliste international, discute constamment avec ces géants industriels.

« Il y a très peu de grandes compagnies multinationales, dit-il, qui ne soient pas imbriquées avec des institutions financières souvent contrôlées par elles. Les grandes industries comme le pétrole, la pétrochimie sont dans le business des banques. Elles sont des banques. Elles placent leur argent sur le marché libre au jour le jour, elles font le " money management ". Il s'agit désormais d'un facteur de management aussi important que la production proprement dite. »

Mais si Charles Levinson croit à la nécessité de contrôler ces mouvements de capitaux, il doute qu'il soit possible de le faire : « Je suis contre ce jeu monétaire, comme je suis contre le péché si vous voulez. Le fait est que ça existe et que personne n'est arrivé à l'empêcher ou le contrôler. C'est pour cela que le système actuel ne peut faire que des crises monétaires. Sa structure est dépassée, dysfonctionnelle. »

Au syndicaliste, il apparaît également que ces fameux arbitrages de salaires et cette recherche des meilleurs facteurs de production conduisent au chômage. « On va vers le chômage permanent, dit-il, car aujourd'hui le sous-emploi n'est plus cyclique ou conjoncturel, il n'est plus lié à une récession, c'est un chômage technologique, structurel que la dynamique des grandes sociétés doit justement créer. Quand les politiciens, les académiciens parlent des investissements pour créer des emplois, je crains qu'ils n'aient pas grande expérience de la vie industrielle moderne. Les grands investissements sont condamnés à faire plus de chômage qu'avant

parce que la recherche de technologie productive est la
raison d'être de notre société. Donc il y a une transformation
de fond. Ce n'est plus le salaire qui est le facteur essentiel,
c'est l'investissement en capital. Le résultat : c'est que
toutes les grandes entreprises européennes ou japonaises se
sont trouvé un nouveau paradis pour les investissements et
c'est lequel ? L'Amérique, les Etats-Unis, Michelin, l'Air
Liquide, tous les grands français cherchent à investir dans le
sun-belt des Etats-Unis, cette partie du monde tend aujour-
d'hui à remplacer l'Asie du Sud-Est. Parce que les conditions ont changé. Mais les raisons sont les mêmes. »

Alors comment contrôler le devenir de cette force grandissante ? Dans nos scénarios, nous avons évoqué l'action de
contrôles externes, notamment des Etats. Charles Levinson
et Philippe Thomas se rejoignent au moins pour ne pas
croire à ces contrôles externes. « Il ne me semble pas qu'on
obtiendra quelque chose par l'action d'un gendarme, dit ce
dernier. Il sera sans doute très difficile de donner des pouvoirs à ce gendarme car les Etats ne seront jamais d'accord.
En effet les solutions qui désavantagent les uns avantagent
les autres. Si une entreprise se déplace de façon intempestive,
l'Etat de départ est mécontent, l'Etat d'arrivée en est heureux. Comment le gendarme aura-t-il la compétence et l'impar-
tialité pour juger dans chaque cas particulier ? »

« Dans les structures de pouvoir actuelles, estime Charles
Levinson, je ne vois pas un grand changement avant l'an
2000. Les institutions actuelles sont faussées. De ce point de
vue, les deux scénarios ne touchent pas à l'essentiel. Vous
parlez d'Etats comme s'il y avait un pouvoir politique sou-
verain face au pouvoir économique. Mais ce n'est pas le cas
du tout. Les gouvernements sont infiltrés par les puissances
économiques, il est rare de ne pas trouver parmi les ministres
des gens liés au système bancaire ou aux grandes compagnies
multinationales. Alors le gouvernement fait des compromis. »

Si l'Etat, les Etats ne sont pas capables de régler le
pouvoir des multinationales, qui le fera ? Pour Philippe
Thomas, c'est une sorte d'autodiscipline qui doit jouer.
« Lorsqu'un groupe se conduit mal, je crois qu'il ternit sa
réputation pour de nombreuses années. Il sera handicapé
au moment de faire accepter ses investissements dans d'autres
pays. Comme dirigeant d'entreprise, je peux vous dire que

j'attache la plus grande importance à ce que des actions comme celles qui sont évoquées ici ne puissent donner en aucun cas une réputation douteuse au groupe. C'est cela, je crois, l'important. » Il est vrai que les scandales Lockheed ou I.T.T. ont nui à ces groupes, mais toute « mauvaise action » ne débouche pas sur un scandale public ; bref, ce moyen de contrôle paraît encore limité. L'économie libérale avait prévu un Etat-gendarme dont le rôle était d'imposer le respect de la loi à tous. Le monde des multinationales risque peut-être d'être le libéralisme sans Etat-gendarme.

Pour Charles Levinson : « Il faut trouver le moyen d'introduire le contrôle à l'intérieur de ces entreprises et pas de l'imposer de l'extérieur avec des Etats souverains qui ne sont plus souverains.

« Il faut d'abord introduire le contrôle des travailleurs, car les travailleurs sont les premiers concernés. Aujourd'hui, nous assistons à des fermetures d'usines partout dans le monde. Nous ne pouvons nous y opposer avec l'Etat. Il faut donc se mettre en état de pouvoir négocier la politique des investissements pour que les facteurs sociaux soient pris en compte. Mais il ne s'agit pas seulement des travailleurs au sens étroit du terme, du personnel. Je suis grand partisan de la participation. Je crois à une nouvelle forme de structures industrielles de cogestion adaptée aux réalités nationales. Je suis, personnellement, membre élu du conseil de direction de Dupont Allemagne. Cela me semble être une très bonne chose. Nous devons chercher à internationaliser la représentation des travailleurs dans les conseils d'administration pour que les procédures de décision, surtout en matière d'investissements, soient démocratisées. Il s'agit donc d'introduire dans l'entreprise une expression active des intérêts sociaux et non de penser qu'elle est en soi une chose mauvaise qui doit être réduite, voire supprimée. Cette attitude-là est dépassée. Il faut restructurer son expression en fonction des réalités socio-économiques. »

Bernard Esambert, rejetant les deux scénarios extrêmes que nous avons proposés, pense toutefois que le rôle des multinationales se réduira dans l'avenir : « Cet infléchissement du système, notamment par la multiplication des sociétés se fera probablement sur plusieurs décennies et de l'intérieur multinationales, européennes, japonaises, voire brésiliennes, sud-coréennes... Peut-être verra-t-on vers la fin du siècle la disparition des immenses sociétés disposant d'une position dominante au profit de sociétés plus légères, plus souples et plus dynamiques ; peut-être les grosses multinationales sont-elles comme les dinosaures une espèce déjà dépassée et n'ont-elles plus qu'un temps de vie limité ? Mais après la disparition d'une espèce en vient une autre qui, d'une autre façon, remplit le même rôle. »

En définitive, la disparition des multinationales est bien peu probable, car certaines raisons de l'internationalisation ont toutes les chances de demeurer, l'expansion indéfinie des firmes est également improbable car le gigantisme porte en lui-même ses limites, la simple continuation de la situation actuelle est également et comme toujours improbable. Il reste donc à découvrir le nouveau visage des multinationales en l'an 2000.

12. L'AVIATION

Invité : CLAUDE ABRAHAM, directeur général de l'Aviation civile.

En trente ans le transport aérien a prodigieusement évolué. Au lendemain de la guerre, il était encore marginal tant dans l'économie des pays que dans la vie des gens. Prendre l'avion restait une aventure hors du commun. Aujourd'hui, les techniques ont progressé de façon foudroyante et l'avion est devenu un moyen de transport banal. Cela, du moins, sur le plan théorique. Car si le voyage aérien a cessé d'étonner, il n'en reste pas moins limité à une portion très réduite de la population : 5 % environ.

En extrapolant l'évolution passée, on doit prévoir un élargissement considérable de ce marché au cours des vingt prochaines années. Mais cette démocratisation entraînera des changements profonds.

Mais on constate aussi que le transport aérien bute sur un certain nombre d'obstacles : consommation de pétrole, encombrements des aéroports, défense contre le terrorisme, etc. On peut imaginer que ces difficultés aillent en s'aggravant et conduisent à une régression. Cela nous donnerait une situation entièrement différente en l'an 2000.

Dans la continuation des tendances actuelles et le développement du transport de masse, voici : « NOUS IRONS A CALCUTTA. »

En envisageant une rupture complète et le dévelop-

pement de nouvelles solutions on aboutit à : « CONQUÉRANT DANS LA TOURMENTE. »

Intervenants : ANTOINE VEIL, directeur général de l'Union de transports aériens.

BERNARD LATREILLE, directeur des avions civils Marcel Dassault-Bréguet.

NOUS IRONS A CALCUTTA

L'idée du voyage, c'est Lucien qui l'avait eue. Aux copains d'atelier aussi mordus de foot que lui, il avait lancé : « Pourquoi n'irait-on pas à Calcutta ? » On avait d'abord cru à une boutade, et personne ne l'avait pris au sérieux, ce qui l'avait un peu vexé. Les uns et les autres, on avait eu l'occasion de prendre l'avion pour passer des vacances sur la Costa Brava, en Grèce, mais, jamais on n'avait été aussi loin. L'Inde ! Mais surtout, se payer Paris-Calcutta uniquement pour suivre la coupe du monde de football, pour des ouvriers c'est quand même un luxe. D'accord on n'est plus en 1970, quand il fallait un mois de salaire pour traverser l'Atlantique, mais quand même...

Lucien avait son idée. C'est son fils qui la lui avait donnée. Il avait été un peu estomaqué l'année précédente de le voir partir pour l'Amérique du Sud. Tous les jeunes, c'est vrai, s'éparpillaient aux quatre coins du monde. « Où peuvent-ils bien trouver l'argent ? » se demandait Lucien. Les parents, sans doute, qui se saignaient pour payer les billets. Ça, pas question. Mais Freddy ne lui avait rien demandé. Avec son salaire de coursier, il avait pu s'offrir un billet pour Rio. Sur place, il s'était débrouillé un peu n'importe comment, comme font les jeunes. Et Lucien s'était dit : « Pourquoi pas moi ? »

Son fils lui avait donné les adresses que les jeunes se refilaient entre eux. Pour avoir les meilleurs prix, il fallait passer par les sociétés asiatiques, indiennes, thaïlandaises ou coréennes et prendre des vols à l'embarquement. Evidemment, on devait attendre que l'avion soit plein, mais les tarifs étaient inférieurs de 30 % à ceux des billets économiques des compagnies européennes. Freddy avait fait le calcul devant son père : sur la compagnie coréenne Intercontinent, l'aller et retour Paris-Rio ne lui coûtait qu'une semaine de salaire. Pas de quoi s'en priver !

Pour établir son plan de voyage, Lucien s'était fait aider par Jules Barcleau, un de ses amis qui dirigeait un comité d'entreprise dans une grosse boîte d'Angers. Ils avaient trouvé une sorte d'agence où le séjour à Calcutta était à un prix record. Et, pour le voyage, Barcleau pouvait lui avoir des billets à tarif réduit sur les compagnies thaïlandaises. A condition d'être au moins vingt, et de prévoir un battement de deux jours au départ et à l'arrivée.

Tout ça était tellement bon marché que personne d'abord ne l'avait cru, les gars avaient peur de voler sur une compagnie au rabais et d'avoir un accident. Alors Lucien a fait venir son ami Barcleau. Celui-ci expliqua qu'il avait déjà organisé des dizaines et des dizaines de voyages semblables. Qu'on serait autant en sécurité sur les lignes de Thaïlande que sur des lignes américaines. Leurs avions étaient des Goliath de 1 000 places avec moteurs à hydrogène, ceux dont on avait tant parlé à la télévision en 97, lorsqu'ils étaient entrés en service. Avec leurs énormes bonbonnes, on ne risque pas de les oublier. Et il paraît que les équipages aussi sont impeccables. Ça nous a rassurés et douze gars se sont inscrits, sur les trente-huit de l'atelier. Avec ceux qui emmenaient la femme ou le fils, on dépassait la vingtaine. Le plus difficile a été d'obtenir de la direction qu'elle décale les vacances de quinze jours.

On s'est donc retrouvé tous les vingt-trois à l'aéroport grande capacité de Réberville près de Chartres. Enfin, on s'est d'abord retrouvé au terminal de Montrouge puis on a fait une heure de car pour atteindre l'aéroport. Là c'était une cohue à ne pas croire. Je ne sais pas encore comme on a fait pour ne pas se perdre. Il est vrai qu'on aurait eu tout le temps de se retrouver, parce qu'on a tournicoté plus d'une journée dans l'aéroport en attendant le départ. L'avion était là, mais les Thaïlandais ne voulaient décoller que lorsqu'ils auraient leurs mille pèlerins. Quand on est arrivé, il en manquait encore deux cent vingt pour compléter la cargaison. Comme on commençait à s'impatienter, on nous a expliqué qu'ils allaient récupérer des Hollandais en surnombre. C'est fou le nombre de supporters hollandais qui sont allés à Calcutta. Ils espéraient voir leurs joueurs en finale. Les pauvres, avec leur équipe éliminée au premier tour, ils n'en ont pas eu pour leur argent. Enfin, en les attendant on a poireauté à Réberville. On n'était pas les seuls, tu peux me croire. Pour la nuit on a pris des cabines couchettes dans les compartiments d'attente. Il a fallu se relayer car il n'y en avait qu'une pour deux.

Finalement on a embarqué le lendemain à 6 heures du soir, un peu plus de vingt-quatre heures après notre arrivée. Il a fallu se refaire une provision de casse-croûte et de boissons, car on avait mangé tout ce qu'on avait apporté. Pas difficile, ils vendent des rations de voyage toutes préparées. Pas fameuses d'ailleurs. En passant dans le couloir, chacun a placé ses bagages dans son casier automatique qu'ils emportent ensuite dans les soutes. Puis chacun a pris sa place. Pas plus qu'il n'en fallait, je t'assure. Saïd, avec son mètre quatre-vingt-quinze, il avait le menton sur les genoux. Ils bourrent leurs appareils, c'est pas croyable. Alors ça a commencé à être long. Comme disait Einstein, le temps est plus long quand tu es comprimé. Je t'assure que c'est vrai. Claudine, à côté de moi, elle avait des crampes la pauvre. Elle n'en pouvait plus. Et ce n'est pas les deux escales à Téhéran et Karashi qui ont suffi à nous dégourdir les jambes. Il faut être jeune pour faire ce genre de voyage. D'ailleurs, c'est fou ce qu'il y a de jeunes dans ces avions. Eux, ils lisent un bouquin, puis ils dorment comme des bienheureux. Jean-Pierre et Hassad par exemple, ils sont arrivés frais comme un matin. Nous, on était en capilotade.

Et c'est là, le deuxième jour, que Claudine s'est fait

renverser par un chauffard. Elle s'est retrouvée à l'hôpital, les deux pattes cassées. Adieu la Coupe, il n'y avait
plus qu'à la rapatrier d'urgence. Heureusement qu'on
avait pris une assurance avant le départ. La compagnie
nous a payé le retour sur une ligne régulière de luxe.
Autrement, il aurait fallu qu'on rentre en cargo, parce
qu'on n'aurait jamais pu s'offrir ça. Il faut dire que
l'avion dans ces conditions, c'est formidable. Rien à
voir avec le transport de troupes de l'aller. D'abord il
part à l'heure comme un train. Ensuite, les compagnies
mettent 500 sièges, là où les autres en fourguent 1 000.
C'est dire qu'on peut s'étaler, les fauteuils sont bien
larges... le confort quoi. Paraît qu'il y a même des
cabines couchettes en première. Mais je ne les ai pas
vues. Et puis alors le service... comme un prince. Les
commissaires, les hôtesses, les stewards qui vous traitent
comme des coqs en pâte. Il n'y a que pendant les films
qu'ils ne vous offrent pas à manger ou à boire. On
avait bonne mine Claudine et moi avec nos casse-croûte.
A Karashi, je suis allé en douce les oublier sur un
banc. J'espère que quelqu'un en aura profité. Puis à
l'arrivée à Orly, l'aérotrain qui vous conduit immédiatement aux Invalides. Ça c'est du voyage, faut l'avoir
fait une fois dans sa vie. Mais, pour des ouvriers, il
faut au moins se casser les deux jambes pour se l'offrir.

Voici la démocratisation du transport aérien. Les usagers de l'aviation ne représentent plus quelques pour cent, mais quelques dizaines de pour cent de la population. C'est la tendance lourde que traduit le succès des vols charters. Le marché s'ouvre alors à une catégorie de passagers, notamment les jeunes qui n'auraient jamais pu prétendre aux tarifs pleins des lignes régulières. Or le vol charter est loin, très loin, d'avoir conquis tout son public potentiel, il est loin également d'avoir atteint son plancher en ce qui concerne les prix. Nous avons imaginé la poursuite d'une évolution qui vise à baisser les tarifs et élargir la clientèle en sacrifiant la qualité du service. Là encore, il s'agit d'une simple extrapolation des tendances actuelles puisque les bas prix des charters sont déjà accompagnés d'un certain nombre de contraintes.

L'outil technique de cette prochaine révolution, ce sera l'avion de mille places. Pour Claude Abraham « c'est une probabilité pour l'an 2000, presque une certitude », mais il reconnaît que « le gros problème sera d'ordre psychologique. Il y aura d'abord des peurs à vaincre. On aura quelque peine à s'accoutumer à de tels monstres. Les accidents qui pourraient se produire ne manqueraient pas de frapper l'opinion, même si, au niveau des statistiques globales, ils ne traduisent pas une diminution de la sécurité. Il n'y a pas, il ne peut pas y avoir d'avions sans accidents. Or l'on imagine, pour des raisons de rentabilité, un moindre encadrement des passagers par le personnel de bord. »

Ce souci de rentabilité se traduit dans le scénario par l'appel à des compagnies asiatiques dont les frais de personnel sont relativement bas. Ce sera une concurrence très dure pour les compagnies occidentales qui, de ce point de vue, fonctionnent avec des salaires élevés. On le constate encore à l'abandon des multiples services qui font la qualité du transport aérien. Plus de repas à bord, entassement, horaires incertains, longues attentes, embarquement des bagages automatisé, etc.

« Effectivement, pense Claude Abraham, cela suppose l'abandon de tout ce qui fait la gloire du transport aérien, de ce sur quoi il a fait son succès et son prestige dans les années 50 70 : réservation, service de bord, confort, etc. L'évocation que vous faites de services ultra-simplifiés, d'une attente indéfinie pour remplir l'avion, etc., tout cela ne me paraît nullement invraisemblable. »

Aujourd'hui, l'avion de ligne reste, dans sa conception même, un moyen de transport élitiste et aristocratique qui marie qualité du service et cherté des billets. La démocratisation implique une modification radicale des conceptions pour arriver à une diminution importante des prix. Or cette évolution, qui se dessine depuis des années déjà, est possible.

« Après avoir payé Paris-New York au prix d'une année de salaire dans les années 45, puis au prix d'un mois de SMIC actuel en 78, peut-on imaginer que Paris-Calcutta ne coûte qu'une semaine de salaire dans les années 2000 ? Cela, je ne le sais pas, mais disons que c'est l'évolution générale. Entre une élévation du niveau de vie et une baisse des tarifs, les grands voyages aériens devraient être à la portée de salariés très modestes. »

Il existe d'ores et déjà une frange de la population qui souhaiterait utiliser le transport aérien, qui le pourrait sur le plan économique, mais qui n'a pas encore pris conscience des possibilités offertes par les prix très bas de certains vols charters. C'est une situation transitoire.

« Il est également important, note Claude Abraham, de remarquer la place donnée aux jeunes dans votre évocation. Je crois effectivement que leur rôle est et sera très important. Ce sont eux qui jouent un rôle de pionniers dans la découverte des nouveaux modes de transport, eux qui, en quelque sorte, donnent la contagion aux parents. Effectivement ces derniers ont, ce qui est tout à fait vraisemblable, pris l'avion dans les années 80, ils sont allés faire un tour quelque part en Afrique du Nord ou aux Baléares, mais l'idée d'aller jusqu'aux Indes ne leur est pas naturelle. Socialement, c'est bien comme ça que les choses pourraient se passer. »

Voilà donc l'aviation à l'heure du transport de masse. Mais il ne peut s'agir là de tout le transport aérien. En effet, la clientèle traditionnelle ne pourra s'accommoder de ces conditions. C'est pourquoi deux réseaux aériens totalement séparés coexistent dans le scénario. La séparation va jusqu'au niveau des aéroports.

« Effectivement, pense Claude Abraham, il y a toute une partie de la clientèle qui ne peut accepter des horaires aléatoires, des conditions de vol éprouvantes, etc. Elle sera toujours prête à payer cher, et même très cher, pour partir à l'heure, aller où elle veut et voyager dans le confort. Aujourd'hui déjà, ces deux clientèles existent, mais elles sont encore largement mêlées. D'ici vingt à vingt-cinq ans il n'est pas absurde de penser que les deux réseaux soient complètement différenciés : avec l'un prenant comme atouts la ponctualité et le confort et comme inconvénient le prix, l'autre misant sur le bas prix et imposant des contraintes d'horaires et de service. »

Une chose paraît certaine ; on ne saurait démocratiser l'avion régulier d'aujourd'hui qui est et restera un transport de luxe réservé soit à des déplacements professionnels, soit à une clientèle fortunée. La démocratisation, aussi probable que souhaitable, passe par un changement notable dans la conception même du transport aérien.

Deux remarques importantes sur le plan technique. D'une part le transport supersonique ne s'est pas développé. Existe-t-il ou pas des avions à mach 2 ? Le fait est qu'ils doivent ne tenir qu'un rôle très marginal puisqu'on n'en parle pas. Effectivement, l'avènement du transport supersonique reste incertain pour les responsables de l'aéronautique. Son développement est lié à des progrès techniques qu'il faudrait réaliser pour obtenir des avions « économiques et écologiques », ainsi qu'à une évolution du marché qui lui donnerait une place suffisante.

D'un autre côté, le monstre de mille places consomme de l'hydrogène et non du kérosène. C'est effectivement une solution que l'on étudie. L'hydrogène, c'est le super-carburant, celui qui a propulsé les cosmonautes vers la Lune. *A priori* il n'y aurait aucune difficulté à l'utiliser pour propulser les avions, si ce n'était le problème du stockage. Il s'agit d'un gaz extrêmement léger et qui, dans cet état, prend énormément de place ; on est donc amené à le liquéfier, ce qui nécessite de très basses températures. La propulsion par hydrogène est une possibilité, mais seulement une possibilité, pour l'an 2000.

« CONQUÉRANT » DANS LA TOURMENTE

La météo annonçait : mauvais temps sur l'Atlantique. Le directeur des programmes était partisan de remettre le vol. Claude Jamblanc, le P.-D.G. d'Avia France était partisan, au contraire, de saisir cette occasion. Jusqu'à présent *Conquérant* n'avait traversé l'Atlantique que dans des conditions idéales. Sans prendre le moindre risque météorologique. Mais cette nécessaire prudence finissait par nuire à la crédibilité de l'appareil. On ne se privait pas pour dire, en privé, que *Conquérant* serait incapable de suivre sa route par gros temps, et, jamais, les compagnies aériennes n'accepteraient de s'engager tant qu'elles n'auraient pas vu l'énorme machine aux prises avec les éléments. Bref, il faudrait bien, tôt ou tard, accepter l'épreuve de vérité. Pourquoi pas aujourd'hui ?

Claude Jamblanc prit l'avis du responsable météo. Il annonçait de mauvaises conditions sur l'Atlantique, mais rien de vraiment extraordinaire. Tous les avions de ligne volent par des temps autrement mauvais. *Conquérant* devait faire de même pour s'imposer sur le marché. Jamblanc appela ensuite le commandant de bord et directeur des essais : Pierre Révlron. Ce dernier confirma sa volonté de décoller, il estimait que les perturbations annoncées pourraient amener *Conquérant* à dévier de sa route, que le temps de vol serait peut-être un peu plus long, mais que tout irait bien. Jamblanc était inquiet malgré tout. Il aurait voulu participer au voyage pour manifester clairement la confiance qu'il avait dans l'appareil. Mais son emploi du temps ne le lui permettait pas. Il lui revenait de prendre des décisions qui feraient courir à d'autres des inconvénients sinon des risques, qu'il ne partagerait pas. C'était d'autant plus irritant que le public, informé par une presse alarmiste, en était encore à penser que le vol de *Conquérant* pouvait se terminer tragiquement comme celui d'*Aéroship*. Jamblanc savait qu'il n'y aurait pas de catastrophe, mais il redoutait des ennuis en vol : retard, inconfort, etc., qui tueraient non pas *Conquérant,* mais sa carrière commerciale. Bref, pour ne pas jouer sa vie, il n'en jouait pas moins gros jeu. Au téléphone, le ministre lui donna carte blanche. Royal cadeau qui lui laisserait la responsabilité de l'échec, sans lui donner le mérite du succès. Qu'importe, on ne pouvait différer davantage l'heure de vérité. Il donna le feu vert pour le décollage.

Il lui restait à attendre 24 heures. Il les passerait là, dans son bureau, à suivre sur la carte lumineuse la progression de mouche de *Conquérant*. Avec la crise, le temps des pionniers de l'Atlantique était revenu. A sa façon, ce vol nous ramenait au temps des Lindbergh, des Saint-Ex. Le romantisme en moins, la sécurité en plus. L'échec de *Conquérant* n'ajouterait pas un héros au Panthéon des géants du ciel, mais entraînerait à coup sûr une catastrophe économique. Jamblanc demanda, dans l'interphone qui le reliait à sa secrétaire, son premier café noir.

Tout le plan de charge d'Avia France dépendait de ce vol. Si le dirigeable ne se révélait pas fiable, il n'y aurait plus qu'à construire de petits avions. Ce n'était pas ce marché-là qui permettrait de faire vivre une entreprise nationale de 80 000 personnes regroupant pratiquement toute l'industrie aéronautique et spatiale française. Ce serait la crise, la récession, peut-être l'agonie pour la société.

Au Centre d'essais des dirigeables de Châteaudun, le monstre de 500 mètres de long, gonflé d'hélium, était prêt au décollage. Il était conçu pour emporter 800 personnes, mais n'aurait que 153 passagers. Une cinquantaine de techniciens et ingénieurs d'essais et une centaine d'experts de compagnies aériennes. Selon qu'ils feraient bon ou mauvais voyage, qu'ils seraient secoués ou bercés, qu'ils arriveraient à l'heure ou en retard, ils diraient à leur direction : « C'est bon, on peut y aller », ou « Ça ne vaut rien, laissez tomber », et les compagnies confirmeraient ou annuleraient leurs options. A 9 h 10, les amarres étaient larguées et *Conquérant 002* commençait à prendre de l'altitude.

Claude Jamblanc suivit le départ sur son écran de télévision en circuit direct avec Châteaudun. Il savait qu'il jouait gros, mais tous les responsables de l'industrie aéronautique mondiale en étaient au même point. Dans cinq ans, avant même, la moitié des constructeurs auraient disparu. Seuls ceux qui étaient solidement installés sur les derniers bons créneaux survivraient. Quel incroyable retournement de situation !

Un quart de siècle plus tôt, l'industrie aéronautique était en plein essor. Il paraissait évident qu'elle construirait de plus en plus d'avions, de plus en plus gros et de plus en plus rapides. Le calcul était simple : 5 % seulement des Européens prenaient l'avion. C'était assez dire l'immensité du marché à conquérir. Les constructeurs d'automobiles ou de téléviseurs auraient bien voulu avoir des perspectives aussi encourageantes. Le trafic n'avait cessé de se développer dans les années 80. L'arrivée des gros porteurs, la guerre des tarifs, la simplification des procédures avaient considérablement accru la demande. Après les incertitudes des années 70, on s'était repris à espérer. C'est alors qu'avait commencé la deuxième crise.

A la vitesse de 300 kilomètres à l'heure, *Conquérant* avait franchi près de 1 000 kilomètres à l'heure du déjeuner. Il approchait maintenant de la zone de mauvais temps. Tout se jouerait pendant la deuxième partie de l'après-midi et dans la soirée. Minute par minute, Jamblanc suivait la progression du dirigeable. Il se faisait informer, via satellite, par son « espion » à bord, un technicien qui devait sans cesse lui décrire les conditions du vol et, surtout, la réaction des invités. Il fallait que les procédures de zones turbulentes fonctionnent bien, ce qu'elles avaient toujours fait lors des vols d'essais, et cette première « mauvaise traversée » donnerait à *Conquérant* un avantage décisif sur ses concurrents américains. L'avenir d'Avia France serait pratiquement assuré, le transport aérien trouverait son second souffle.

Il en avait bien besoin. La situation s'était définitivement dégradée à partir des années 87-90. Face à la recrudescence du terrorisme, il avait fallu renforcer la surveillance et les contrôles. Mais le trafic était devenu si important que ces mesures le paralysaient complètement. Conséquence directe : les procédures d'embarquement simplifiées avaient été peu à peu supprimées. Ce fut un coup très rude pour les super-Jumbo de 1 000 places, lancés sur le slogan : « Le super-Jumbo se prend comme le métro. » En fait d'embarquement rapide, il fallait désormais se présenter à l'aéroport avec deux heures d'avance pour être absolument sûr de partir. Malgré ces précautions, certains commandos parvenaient à leurs fins. L'attentat de Montevideo, qui se solda par 853 morts, frappa l'opinion d'horreur et de crainte.

En outre, le renchérissement du pétrole, après avoir donné un coup d'arrêt à la baisse des tarifs, les fit repartir à la hausse. Coïncidence malheureuse : l'avion devenait plus cher au moment même où le public semblait quelque peu s'en lasser.

Les déplacements devenaient si faciles qu'ils perdaient beaucoup de leur attrait touristique. On parcourait des milliers de kilomètres pour retrouver les mêmes gens, dans des complexes touristico-cosmopolites identiques, que l'on soit à Bali, aux Antilles ou aux Seychelles. Les entreprises et les administrations utilisaient de plus en plus les nouveaux moyens de télécommunication, pour éviter les voyages d'affaires. Bref, la clientèle qui avait augmenté régulièrement de 5 à 10 % l'an, s'était mise à stagner à partir de 89.

Enfin, les riverains des aéroports avaient obtenu gain de cause : un peu partout dans le monde on avait fini par limiter le trafic et par éloigner les aérodromes des centres urbains jusqu'à des distances de plus de

100 kilomètres. Orly puis Roissy avaient été désaffectés, et les avions atterrissaient désormais à Riquebeaume à 110 kilomètres de Paris. Encore ne pouvait-on effectuer qu'un nombre limité de mouvements chaque jour. Face à ce retournement de conjoncture, les constructeurs ne se risquaient plus à lancer de nouveaux avions subsoniques.

C'est à 19 heures que *Conquérant* affronta les plus rudes conditions météorologiques. Vents de 110 kilomètres à l'heure et formations de cumulo-nimbus. Pierre Réviron mit en marche la stabilisation dynamique par moteurs latéraux et monta à 8 300 kilomètres pour passer au-dessus de la perturbation. A plusieurs reprises le dirigeable s'était sorti de situations autrement « pointues ». Pourtant, le souvenir d'*Aéroship,* disparu corps et bien dans des conditions comparables, hantait encore les esprits. Il n'était que de voir la mine renfrognée des invités. Malgré les démonstrations leur prouvant que *Conquérant* n'aurait pas connu un tel accident, ils avaient manifestement hâte de franchir ces zones perturbées. « Qu'importe, se répétait Jamblanc. Plus les conditions seront mauvaises, plus la démonstration sera convaincante. »

Face à la crise, les Américains avaient réagi en lançant leur supersonique. Par rapport au valeureux et malheureux *Concorde,* ils avaient vingt années de retard, mais qu'ils avaient mises à profit : pour en faire vingt ans d'avance technique. Leur *Supersonic Jet Liner* emportait 430 passagers à mach 3,7. Grâce à sa géométrie évolutive, à ses moteurs à régime variable, il maintenait à un niveau acceptable sa consommation de fuel, tout comme sa production de décibels.

Forts de ces résultats, les constructeurs américains avaient sorti en 98 un petit supersonique, une sorte de *Concorde* amélioré, qui servait d'avion d'affaires pour les grandes sociétés multinationales ou d'avion-taxi pour les lignes secondaires. Ainsi l'industrie aéronautique jouait la qualité. Elle visait une clientèle qui, comme le disait son slogan, « devait se déplacer pour vivre et vivait pour se déplacer ». Hommes d'affaires, diplomates, artistes internationaux, etc. Ces passagers payaient plus cher mais bénéficiaient d'un service à la carte.

Le monopole américain sur le supersonique était grave de conséquences pour l'aéronautique européenne. Il avait conduit Jamblanc depuis une dizaine d'années à faire le pari du dirigeable. Le Français avait profité du scepticisme des Américains pour pousser activement les études en Europe, et s'était associé avec les Allemands et les Anglais. Les Américains, partis en retard, avaient voulu brûler les étapes : *Aéroship* avait été un échec. Mais, pour les Européens, et plus encore pour les Français qui étaient à l'origine du projet *Conquérant,* il restait à prouver qu'ils étaient bien les seuls à pouvoir gagner la bataille du dirigeable.

Poussé par des vents favorables sur la dernière partie du parcours, *Conquérant* s'annonça sur l'aire d'atterrissage, près de Boston, avec 1 h 20 d'avance. C'était un vrai succès. Les passagers unanimes confièrent aux reporters qu'ils avaient à peine senti la perturbation. « Demain, pensa Jamblanc, la presse américaine sera bien obligée de rendre justice à notre increvable baleine volante ! » Il était soulagé et, pour la première fois depuis longtemps, optimiste.

Dans deux ans, les premiers *Conquérant* emporteraient leurs passagers au-dessus de l'Atlantique. Les Américains, eux, se trouvaient un nouveau débouché : le tourisme spatial. La NASA avait déjà passé commande d'un hôtel de l'espace qui serait mis sur orbite par la navette et pourrait recevoir une trentaine de touristes.

« Qu'ils prennent le transport spatial et nous laissent le dirigeable. Voilà qui me semble une excellente répartition du marché », conclut Claude Jamblanc. Puis il demanda Boston pour s'entretenir avec Pierre Réviron.

L'aspect le plus spectaculaire du scénario, c'est l'avènement, ou le retour, du dirigeable, mais le fait important c'est la crise du transport aérien. En effet, le dirigeable n'est envisagé ici que comme une réponse possible à cette crise, une réponse parmi d'autres.

Claude Abraham estime pour sa part que cet aspect de l'histoire est « très futuriste ». « Il y a effectivement de par le monde un certain nombre de gens, de chercheurs qui continuent à étudier le dirigeable, mais je dois dire que, chaque fois que l'on approfondit l'analyse, on découvre des difficultés considérables, en sorte qu'à l'heure actuelle on peut avoir des doutes sérieux sur l'avenir de tels engins. »

L'exploit des aéronautes américains qui, en août 78, ont traversé l'Atlantique ne doit pas faire naître d'illusions. Il est vrai que l'on enregistre depuis quelques années un regain d'intérêt pour les plus légers que l'air. Les chercheurs se sont rendu compte que les progrès des techniques pouvaient bénéficier également à ce mode de transport et que les graves inconvénients qui l'avaient fait abandonner ne sont peut-être pas insurmontables. Il est certain que l'on pourrait construire des dirigeables transatlantiques très sûrs. Cela ne signifie pas qu'ils s'imposeront face à la concurrence de l'avion. Il faut, en effet, satisfaire à beaucoup d'exigences pour en arriver là. Rentabilité, confort, fiabilité, commodité de mise en service posent de redoutables difficultés sitôt que l'on envisage une utilisation opérationnelle. Bref, à supposer que l'avion classique connaisse des difficultés d'exploitation, le dirigeable ne serait qu'une solution de remplacement envisageable parmi plusieurs autres, notamment cette « aile volante » à laquelle il est fait allusion et qu'étudie la NASA. En fait, les spécialistes envisagent plus volontiers le dirigeable-cargo capable de transporter des charges très importantes à des vitesses relativement réduites. Le transport de passagers ne serait envisagé qu'en un deuxième temps si la mise en service de ces cargos se révélait entièrement positive.

Pour se résumer, la chance la plus sûre du dirigeable ou de tout autre mode de transport aérien nouveau, ce serait précisément le malheur de l'avion, et c'est pourquoi il est inscrit dans ce scénario. Il en constitue même l'essentiel. En effet, une telle mutation ne peut s'effectuer sans un infléchissement complet des tendances qui ont prévalu jusqu'à présent dans l'aéronautique et qui ont assuré son expansion rapide et continue.

Ces facteurs défavorables pourraient provenir des conditions mêmes du transport aérien ou du développement de son marché.

Parmi les entraves possibles à l'extension de l'aviation de transport, on peut en envisager de trois ordres : écologiques, économiques ou de sécurité.

Raisons écologiques tout d'abord. Les riverains des aéroports ont les oreilles de plus en plus délicates. Certes le fracas des moteurs ne cesse de baisser, mais l'intolérance au bruit pourrait croître encore plus vite. Dans cette situation, il faudrait sans cesse augmenter les distances entre les aérodromes et les centres villes. L'éloignement pourrait devenir tel, que l'intérêt de la voie aérienne serait considérablement diminué pour les voyages de courtes distances. N'oublions pas non plus les problèmes liés à l'encombrement de l'espace aérien qui finirait par imposer des programmations de vol extrêmement contraignantes.

Raisons économiques ensuite. Elles sont d'abord liées à une hausse prohibitive du carburant. Le renchérissement du pétrole en serait la cause première. Or la substitution de l'hydrogène, combustible nécessairement cher, n'arrangerait pas les choses. En ce cas, la constante diminution des tarifs pourrait cesser. Un relèvement des prix — en monnaie constante évidemment — serait même envisageable. Tout le développement du marché s'en trouverait remis en question.

Raisons de sécurité enfin. D'ores et déjà il a fallu alourdir considérablement les formalités d'embarquement pour déjouer les opérations terroristes. Si l'on devait renforcer encore les mesures face à une recrudescence des attentats, l'utilisation des avions à très grande capacité s'en trouverait entravée. On atteindrait le seuil de paralysie. Ces raisons, et bien d'autres encore, font qu'on ne peut exclure « une dégradation considérable des modalités classiques du transport aérien » comme l'indique Claude Abraham.

Le développement du marché n'est pas non plus à l'abri des aléas. Là encore, on doit envisager des retournements de tendances qui feraient passer de la croissance à la stagnation.

Les causes d'une telle évolution sont multiples. Les voyages professionnels seront de plus en plus concurrencés par les télécommunications avancées. Dès lors que l'on pourra tenir des visioconférences, échanger instantanément des documents, voire des signatures, d'un continent à l'autre, il ne sera plus nécessaire de se déplacer aussi souvent. Cette substitution des télécommunications aux transports sera très forte si l'aviation supersonique ne se développe pas.

Les voyages touristiques eux-mêmes pourraient être menacés par leur banalisation même : « En schématisant, dit Claude Abraham, on peut imaginer que l'on en vienne à se dire : " Pourquoi diable aller si loin pour retrouver les mêmes gens dans les mêmes hôtels et sur les mêmes plages ? "

« On atteindrait là une sorte de saturation psychologique. On peut l'imaginer dans une civilisation profondément transformée, où l'on aurait redécouvert le mérite des vacances paisibles, à la campagne, où le voyage serait complètement passé de mode et deviendrait profondément exceptionnel.

« Mais, ajoute Claude Abraham, tout ne peut pas se ramener à un transport d'informations. Il faudra toujours transporter de grands artistes, des diplomates importants, des chefs d'Etats. »

Cette clientèle, limitée en nombre, mais exigeante et capable de payer, ne va-t-elle pas favoriser le développement limité de l'aviation supersonique ? Entre un marché classique de l'aéronautique qui se languit et de nouvelles techniques qui prennent difficilement la relève, ce serait une heureuse porte de sortie pour l'industrie aéronautique. Toutefois Claude Abraham avoue : « Lorsque vous parlez d'une sorte d'avion-taxi supersonique, j'ai peur que vous ne soyez en avance sur votre époque. Je ne pense pas que d'ici l'an 2000 le coût du transport supersonique ait baissé dans des proportions telles que l'on puisse envisager des supersoniques à faible capacité. »

Une véritable crise du transport aérien, un infléchissement marqué des tendances, bref une désaffection pour l'avion, cela paraît surprenant si l'on songe à l'évolution des dernières années. Pourtant certaines tendances actuelles pourraient bien, en s'amplifiant, aller dans ce sens. C'est un futur que l'on doit également envisager avec les divers incidences qu'il aurait sur le développement même des techniques aéronautiques.

COMMENTAIRE
GENERAL

Lorsqu'on évoque l'avion de l'an 2000, il faut distinguer les appareils en service, constituant l'essentiel des flottes aériennes, des prototypes à l'essai. A chaque époque, il existe deux générations d'avions. Ceux qui seront commercialisés dans la décennie 1990-2000 existent déjà au niveau des recherches et des études. Les flottes opérationnelles de l'an 2000 ne seront pas constituées d'aéronefs entièrement nouveaux et dont la conception même ne serait pas connue aujourd'hui. Ils représenteront l'aboutissement des études et des prototypes que l'on étudie actuellement.

Il s'agit d'appareils plus perfectionnés que ceux actuellement en service, mais non radicalement différents. Quelles sortes de perfectionnements voit-on se dessiner aujourd'hui ? Tout d'abord la machine volante devient plus intelligente, elle profite de tous les progrès de l'électronique et de la cybernétique. L'avion se transforme en une formidable machine à traiter l'information. Il recevra des instructions du pilote et les traduira lui-même en action. Les commandes électriques se généraliseront, ainsi que les systèmes automatiques de navigation et de contrôle, conduisant à une sécurité renforcée. L'action directe du pilote sur l'appareil n'interviendra qu'en secours ou dans certaines situations très particulières.

Ces avions bénéficieront des nouvelles conceptions que l'on voit se dessiner en aérodynamique, comme l'aile supercritique, qui permettent d'améliorer encore le confort, la consommation, l'insonorisation, les commodités d'utilisation, etc. Dans tous ces domaines, des perfectionnements sont possibles.

Toutefois on s'approche de limites qu'il sera bien difficile de franchir. Bernard Latreille cite un exemple : le bruit.

« Pour les avions les plus modernes, note-t-il, on en est presque arrivé à limiter l'émission sonore au bruit aérodynamique de l'avion qui se déplace dans l'air. Il faut savoir qu'actuellement sur un *Airbus* les moteurs n'ajoutent que dix décibels au bruit que ferait la cellule sans moteur. Cela veut dire que, bientôt, les moteurs ne s'entendront plus sur les avions subsoniques. Cela du moins pour l'atterrissage car le décollage nécessitera toujours une puissance supérieure. Mais, pour l'approche, il sera impossible d'aller au-delà puisque le bruit résiduel sera celui de la portance et, Dieu sait qu'il faut de la portance pour voler à basse vitesse. Il ne faut donc pas rêver d'avions totalement silencieux. »

Autre problème : celui de la consommation. Elle pourra être abaissée grâce à un meilleur dessin aérodynamique. A long terme, on peut imaginer des innovations plus radicales. Bernard Latreille en cite un exemple : l'absorption de la couche limite :

« C'est un terme un peu curieux, dit-il. Cette couche limite est constituée par les molécules qui adhèrent à la structure et accentuent les frottements. Si on savait la faire disparaître, on pourrait améliorer d'environ 30 % la finesse des avions en vol, alors que tous les progrès de l'aérodynamique ne font gagner que des petits pour cent. On gagnerait donc 30 % sur la consommation de pétrole, ce qui serait amplifié par l'effet boule de neige résultant du fait que, si vous consommez moins, vous avez moins de carburant à emporter, donc à propulser, que votre avion est plus petit, sa structure plus légère, etc. Bref, en franchissant ce pas, on gagnerait de 40 à 50 % sur la consommation de carburant à charge marchande égale. Seulement, voilà, il s'agit de réaliser un fantastique progrès technologique.

« On peut toujours imaginer que l'avènement de matériaux composites, ayant le double avantage d'être légers et poreux, permettrait d'aspirer la couche limite. Mais il y aurait encore de délicats problèmes de maintenance. Il ne faudrait pas que ces microtrous se bouchent en s'encrassant. Mais, d'autre part, ces matériaux nouveaux pourraient donner plus de souplesse à la structure, permettant ainsi une certaine auto-adaptation aux conditions de vol. Là encore cela permettrait de diminuer la consommation de pétrole. »

En ce qui concerne la propulsion proprement dite, Bernard Latreille estime « prématurée » l'idée d'un avion propulsé par l'hydrogène en l'an 2000. A son avis, une telle révolution n'interviendra pas avant le prochain siècle. « Je crois, dit-il, que les avions resteront propulsés par le kérosène ou des carburants de synthèse analogues dans les vingt années à venir. »

Cela pour les avions subsoniques « classiques ». Reste la question des appareils différents : supersoniques ou à décollage court. Sur le premier point, Bernard Latreille estime que l'on ne saurait voir en l'an 2000 un avion volant à mach 3,7, emportant 430 passagers, ayant une géométrie variable ainsi qu'un moteur à cycle variable. Cela lui semble beaucoup trop ambitieux. « L'avion supersonique de seconde génération qui pourrait voler à cette époque emportera vraisemblablement 250 à 275 passagers à mach 2,2 ou 2,5 et sera à voilure fixe. » En revanche, il imagine, dans l'hypothèse pessimiste d'une régression du transport aérien, le développement d'avions supersoniques d'affaires pour suppléer l'absence de transports supersoniques de ligne.

Dans un tout autre domaine, les études poursuivies depuis si longtemps sur l'avion des villes, avion silencieux à décollage court, pourraient enfin déboucher sur des modèles opérationnels. De ce point de vue, les prototypes ne manquent pas qui, aujourd'hui, peuvent préfigurer l'avion de demain.

Cela pour ne parler que des appareils opérationnels en l'an 2000. Notre dirigeable, lui, est encore décalé de dix à vingt ans sur ces appareils, puisqu'il n'en est encore qu'au stade du prototype à cette époque. Il s'agit des machines qui apparaîtront au-delà de l'avion classique et au-delà de l'an 2000. La spéculation est ici plus hasardeuse. Comment savoir si les premières recherches qui débutent aujourd'hui déboucheront sur des réalisations dans vingt ans ?

Mais la question se pose également pour des techniques dont la « faisabilité » est déjà prouvée. C'est notamment vrai pour l'avion supersonique et l'avion à décollage court. Antoine Veil, qui doit définir le possible commercial et non seulement le possible technique, remarque pour sa part que : « Si j'avais à construire des avions, je réfléchirais beaucoup plus aux solutions nécessaires pour qu'on ne doive pas s'embarquer à 150 kilomètres de Paris qu'aux solutions permettant de traverser l'Atlantique à mach 2 plutôt qu'à mach 1. » Effectivement, l'avion n'est qu'un élément dans le système de transport aérien et le progrès peut s'appliquer à tous les stades. Faut-il privilégier la machine volante au détriment des autres éléments ? Ce n'est pas évident. Le débat soulevé par le développement du transport supersonique dans les années 60 reste toujours pendant. Il ne suffit plus aujourd'hui de maîtriser une technique pour la mettre en œuvre. Les possibilités ouvertes par le progrès sont beaucoup trop vastes.

Il est devenu nécessaire de faire des choix. Le supersonique est un cas typique d'option technologique à prendre. Faut-il se lancer dans cette voie, dans quels délais et dans quelles conditions ? Les hommes qui réfléchissent au transport aérien sont loin d'avoir fait leur religion à ce sujet. Une chose paraît en tout état de cause acquise : c'est que, dans un avenir prévisible, le vol supersonique ne saurait s'étendre à toute la flotte aérienne. Dans le meilleur des cas, il ne pourrait concerner que des liaisons bien particulières. Bref, il existera toujours une flotte subsonique et qui constituera sans doute la part la plus importante du marché. Mais l'expérience *Concorde* n'a toujours pas clarifié la situation, même dans ce cadre limité. Elle a simplement confirmé que, techniquement, cette possibilité existe. Quant à savoir ce qui en résultera effectivement, cela dépendra de l'évolution générale du transport aérien.

Il en va de même pour l'avion à décollage court dont Antoine Veil voit encore mal le devenir : « Ou bien on veut réaliser un décollage plus rapide sur des aérodromes classiques afin que les avions s'éloignent plus rapidement des zones sensibles — et l'on peut se demander si, effectivement, le gain que l'on ferait en éloignant plus vite l'avion ne se paierait pas en puissance, en consommation au décollage et en accroissement du bruit sur un espace plus réduit —, ou bien on veut rapprocher le terminal du centre des villes, faire décoller des avions de l'esplanade des Invalides par exemple mais cela paraît totalement invraisemblable en raison de la densité des villes européennes et, ce, en dépit des progrès qui pourraient être réalisés pour diminuer le bruit des avions, puisque, comme le disait Bernard Latreille, l'avion complètement silencieux est une utopie. »

En définitive, un transporteur comme Antoine Veil, plus soucieux de bonne exploitation d'un système de transport que de grandes réalisations techniques, tend à penser que « les grandes révolutions dans le transport aérien sont plutôt derrière que devant nous. Il est raisonnable de penser que nous irons vers une extrême maîtrise des techniques, que l'on pourra traverser l'Atlantique pour une semaine de SMIC, etc., mais les vraies difficultés naîtront des problèmes psychologiques et de société. J'ai noté, par exemple, que ce groupe très sympathique qui fait le voyage à Calcutta ne va pas découvrir le monde indien, il va voir la coupe du monde de football. Comme il irait voir un match au parc des Princes. C'est là qu'est le problème. Donner un contenu, un sens aux voyages. Il faudra aider les gens à découvrir les richesses du monde et pas seulement à dévorer des kilomètres. Pour cela, il ne suffit pas d'offrir des moyens de transport plus confortables ou moins onéreux, il faut s'attaquer à des problèmes de société autrement plus difficiles ».

Effectivement, le développement des techniques facilitant toujours davantage les déplacements débouche fatalement sur la question : « Les voyages pour quoi faire ? » L'interrogation est double. Au niveau individuel tout d'abord, la multiplication de voyages de plus en plus lointains, de plus en plus brefs, finit par les vider de tout contenu. Est-il réellement satisfaisant d'effectuer chaque année quatre séjours d'une semaine sur d'autres continents, de multiplier les week-ends outre-mer ? Mais il y a plus : la multiplication même des déplacements, le développement du transport de masse conduisent forcément à une certaine uniformisation du monde. Que restera-t-il de l'exotisme de Bali lorsque les charters de mille places y atterriront en escadrille ? Il en ira de même pour tous les hauts lieux touristiques. A la limite le voyage tue le voyage, la facilité du transport en diminue l'utilité. Si l'on peut imaginer un troisième millénaire dans lequel les voyages transcontinentaux soient aussi faciles que les déplacements en province aujourd'hui, il faudra, de nécessité, inventer un nouveau style de voyage. Apprendre à utiliser cette fantastique possibilité sans la gâcher. En définitive il n'est pas absurde d'imaginer que nos enfants ne se déplacent pas beaucoup plus fréquemment que nous, mais qu'ils organisent chaque voyage en des séjours prolongés permettant une expérience enrichissante. Il n'en faudrait pas moins pour que l'avion de l'an 2000 soit un véritable progrès, qu'il ne serve pas seulement à vérifier que le monde ressemble bien aux cartes postales que nous en connaissons.

13. L'HÔPITAL

Invité : professeur JEAN-CHARLES SOURNIA, médecin conseil national de l'Assurance Maladie de la Sécurité sociale.

Des progrès médicaux très importants sont à attendre d'ici la fin du siècle. Quelles répercussions auront-ils sur notre système d'hospitalisation ? Si l'on observe les tendances actuelles, on peut imaginer deux évolutions opposées pour le système hospitalier. L'une tendrait à regrouper dans un milieu spécialisé, plus accueillant, mieux équipé, tous les mal portants, malades, handicapés, vieillards, etc. L'autre spécialiserait l'hôpital dans son rôle de haute thérapeutique, seuls s'y rendraient les grands malades dont les soins nécessitent un arsenal thérapeutique complexe. Les autres mal portants se soigneraient à domicile et resteraient dans la vie ordinaire.

Sur ces deux tendances ont été construits nos scénarios.

Le premier, celui du regroupement de tous les mal portants, c'est : « UNE CITÉ BIEN HOSPITALIÈRE. *»*

Le second, celui qui illustre le triomphe de la médecine à domicile : « ON EST BIEN MIEUX CHEZ SOI. *»*

Intervenants : professeur JEAN-PIERRE ÉTIENNE, doyen de la faculté de médecine Paris-Sud.

Docteur WILLIAM JUNOT, président du syndicat national des médecins exerçant en groupe.

UNE CITÉ BIEN HOSPITALIÈRE

Vingt ans de journalisme et, depuis huit ans, ce poste de rédactrice en chef d'un grand hebdomadaire féminin n'avaient pas émoussé l'enthousiasme de Colette Longey. A quarante-cinq ans elle continuait à n'en faire qu'à sa tête et sa tête, à quelques jolies rides d'expression près, n'avait pas changé. Au milieu de femmes jeunes et moins jeunes clignotant de babioles suivant la mode en croyant la faire, elle affichait son style à elle qui tranchait. Celui d'une Lauren Bacall qui n'avait jamais connu son Bogart qu'à l'écran : elle lui avait pris son imper, ses paquets de cigarettes, ses flanelles un peu larges, son chapeau parfois. Mais son air amusé, curieux de tout, revenu de rien, et ses cheveux lisses et blonds — sait-on jamais — n'étaient qu'à elle.

Dès qu'il s'agissait de sujets médicaux, l'ancienne élève de la faculté de médecine de Montpellier se réveillait en elle. Cette fois encore, elle avait annoncé à la rédaction qu'elle se chargerait de l'enquête. Et, comme d'habitude, le chroniqueur médical et la spécialiste du cadre de la vie avaient pris un air absent. Ils lui feraient la tête pendant une semaine. Mais cette Cité hospitalière, en chantier depuis cinq ans, et qui allait enfin être inaugurée, la passionnait trop. Elle avait lu, avec un scepticisme de plus en plus nuancé, les brefs articles qui avaient rendu compte, dans le journal, des différentes étapes de cette réalisation modèle que l'on imitait déjà un peu partout en France et même à l'étranger.

Dès sa première interview, celle du Pr Ferty, le directeur de la Cité, elle fut séduite par la cohérence du projet. Ce grand patron lui faisait, très clairement et très aimablement, le plan en quatre points de son papier.

« La Cité hospitalière, lui expliqua-t-il, représente la synthèse de l'hôpital ancien et de l'hôpital moderne. A l'origine, les hôpitaux étaient des " lieux d'hospitalité " : pour les faibles, les malheureux, les handicapés. Puis ils sont devenus des centres de soins, des sortes d'usines thérapeutiques. Mais cette évolution a cafouillé, l'hôpital a retrouvé son ancienne clientèle de vieillards, de handicapés, de malades chroniques, que l'on garde sans vraiment les soigner.

« L'exercice de la médecine, de son côté, présentait de plus en plus de risques et de difficultés, avec tous ses malades qui encombraient les cabinets médicaux. Ce n'est évidemment pas dans un appartement bourgeois que l'on peut disposer de tout l'arsenal technique nécessaire pour faire un bon diagnostic.

« Dans la Cité, nous remplissons toutes les missions traditionnelles de l'hôpital, mais nous les distinguons. Vous allez découvrir au cours de votre visite quatre secteurs. L'hôpital de médecine lourde où l'on traite les grands malades. Le centre de médecine légère où l'on soigne la petite maladie, celle qui ne nécessite pas ou peu d'hospitalisation. Le centre de séjour sanitaire où nous gardons les vieillards — ceux qui souffrent d'octogénite comme nous disons —, les infirmes moteurs, les malades mentaux chroniques, des gens qu'il s'agit moins de guérir que de faire vivre dans un cadre qui leur convienne. Et puis, enfin, vous verrez tous les services communs : garage, cuisine, blanchisserie, centre informatique, centre audio-visuel... »

Le lendemain, Colette Longey partait à la découverte de cet hôpital des merveilles. « C'est superbe », dit-elle comme Alice en franchissant le premier portail. Les constructions étaient réparties dans un parc de vingt hectares aux nombreuses essences. Toute une flotte de véhicules électriques assurait les déplacements d'un centre à l'autre. Les automobiles étaient évidemment interdites. Camions et ambulances accédaient par des voies souterraines aux points de réception. Oui, le cadre tenait plus du village de vacances ou de l'aéroport champêtre que du centre hospitalier.

L'hôpital de médecine lourde occupait les bâtiments de l'ancien hôpital municipal. Il avait fallu effectuer de nombreuses modifications pour l'adapter à l'évolution de la médecine moderne. On avait supprimé les services de pédiatrie, de néphrologie, des maladies vénériennes, etc., pour se consacrer exclusivement au traitement du cancer, des troubles cardio-vasculaires, aux greffes et à la chirurgie. Un nouveau service était spécialement destiné à la réanimation et à la « phase terminale » comme l'on disait pudiquement.

« Selon quels critères utilisez-vous les moyens de réanimation ou décidez-vous de leur arrêt ? », demanda Colette Longey au chef de service. Il lui fit comprendre qu'il serait trop long d'entrer dans les détails : « Les critères sont multiples et se définissent à l'échelon national. Nous ne faisons que les appliquer. C'est d'ailleurs l'ordinateur qui suggère la marche à suivre en fonction des directives nationales et du fichier médical de chaque malade. »

Le centre de séjour sanitaire était un modèle du genre. Tout avait été étudié pour faciliter la vie des vieillards et des infirmes. Chaque occupant disposait d'un véhicule individuel adapté à son cas ; les portes, les fenêtres, les appareils, tout fonctionnait par télécommande ; les chambres avaient un équipement audio-visuel hors pair. Dans chacune, Colette remarqua un somptueux bouquet. On lui apprit que ces fleurs à « longue durée » — elles pouvaient tenir un mois — étaient spécialement cultivées dans les jardins et les serres. « Il faudra que j'en parle à ma mère » songea Colette en quittant ce paradis de l'assistance.

Le centre de médecine légère constituait un étonnant laboratoire automatique. Avant tout examen par les médecins, des hôtesses infirmières mettaient en place sur le patient les capteurs physiologiques du SIDIAM, le Système intégré de diagnostic médical. Cet appareil, branché sur un ordinateur, commençait par enregistrer différents paramètres physiologiques, température, tension, électrocardiogrammes, etc. En fonction des résultats et du fichier médical, il posait à haute voix une série de questions auxquelles on pouvait répondre par : « Oui », « Non » ou « Je ne sais pas ». La machine pouvait alors entreprendre des examens complémentaires, diriger le malade sur le centre de médecine lourde, appeler un médecin ou délivrer directement une ordonnance avec les médicaments correspondant à l'affection décelée. Ce centre fonctionnait jour et nuit et remplaçait les antiques « tours de garde » des médecins. A tout hasard, Colette se fit examiner par le sidiam. Elle fut quand même un peu surprise de repartir avec une ordonnance lui prescrivant quatre médicaments.

La série d'articles qu'elle consacra à la Cité traduisit bien son enthousiasme. En cela elle ne faisait que refléter l'opinion générale. L'option en faveur des cités hospitalières avait été prise en 1990. Elle répondait à un double souci de justice et d'efficacité. « Cette première réalisation est donc une double réussite », écrivait Colette Longey.

Le lendemain de sa visite, elle se rendit chez sa mère pour lui parler de la Cité hospitalière. La vieille dame, en dépit de ses quatre-vingt-deux ans, n'avait jamais voulu quitter l'appartement dans lequel elle habitait depuis une trentaine d'années. Elle y vivait seule et cela posait bien des problèmes à Colette et à son frère. Mais elle opposait la plus obstinée fin de non-recevoir à toutes les suggestions de ses enfants. Elle ne changerait pas son mode d'existence. Cette fois, pourtant — peut-être à cause du jardinet et ses fleurs miraculeuses —, elle se laissa convaincre de passer une journée à la Cité hospitalière « rien que pour voir », précisa-t-elle.

A la suite des articles de Colette Longey, le journal reçut un abondant courrier. Colette tint à le lire attentivement. La plupart des lecteurs demandaient des renseignements complémentaires. Il s'agissait généralement de personnes bien portantes qui désiraient faire entrer un de leurs proches dans la Cité. Il y eut aussi des lettres de malades hospitalisés à la Cité. « Vous avez raison, lui écrivaient-ils, la qualité des soins est extraordinaire. Le confort, la nourriture, tout est parfait. Mais... » Chaque lettre avait son « mais » où le malade parlait de la même chose.

« Le confort n'est pas tout, écrivait un jeune homme, infirme moteur à la suite d'un accident de la route. Pour guérir — ou, dans mon cas, simplement survivre —, il faut des raisons de vivre. Ce n'est pas ici que je les trouverai. »

« Je suis bien, mais je m'ennuie », disait simplement un pensionnaire âgé de soixante-seize ans.

« La cité est une cage dorée qui nous coupe de la vie », se plaignait une femme de cinquante-trois ans, dépressive chronique.

Ce courrier qu'elle publia dans une page spéciale fit réfléchir Colette. Elle se reprocha d'avoir trop écouté les médecins, les assistants, les chefs de service et pas assez ceux qui occupaient ces admirables chambres fleuries. Colette se souvint alors de ce que lui avait dit un médecin généraliste, ami de son père, quand elle avait abandonné ses études médicales : « Soigner c'est d'abord comprendre. Quoi que vous fassiez, ma petite Colette, vous serez amenée à être le médecin de quelqu'un sinon de vous-même. Le savoir n'est pas tout. » N'avait-elle pas été dupe, justement, comme une stagiaire, de ce monument érigé par le savoir médical et la solidarité sociale ?

Les conclusions de sa mère après sa visite à la Cité confirmèrent ces appréhensions : « Ce serait sûrement très commode pour Jean et toi, conclut-elle, mais je n'y serai jamais chez moi. A mon âge, je peux me permettre de vous embêter encore un peu. Ça ne durera pas longtemps. »

Colette fut surprise autant que troublée par cette réaction. La réflexion de la vieille dame était d'une grande clairvoyance. Cette Cité hospitalière était-elle faite pour le bien des mal portants ou pour la commodité des bien portants ?

C'est alors qu'éclata l'affaire Tendron. Louise Tendron, une institutrice de trente-deux ans, avait un garçon de huit ans qui souffrait d'un diabète non stabilisé. Le malade avait déjà été trois fois hospitalisé, mais supportait mal d'être séparé de sa mère. Les médecins de la Cité avaient décidé de l'hospitaliser pour une durée indéterminée. Louise Tendron s'y était opposée et avait entrepris, contre leur avis, de soigner son fils chez elle. L'enfant était mort. Le Service de protection de l'enfance attaquait maintenant la mère. Colette Longey décida d'aller la voir.

Elle trouva une femme déchirée entre la douleur et la révolte : « Guillaume n'aurait jamais guéri à l'hôpital, expliqua-t-elle. Il avait besoin de moi. Je ne suis pas une inconsciente, je me suis renseignée sur sa maladie. Je pouvais le soigner chez moi. A condition que l'on m'apprenne. J'avais pris un congé d'un mois pour faire un stage à l'hôpital et apprendre. La direction de l'hôpital a refusé. Alors j'ai voulu apprendre seule et Guillaume est mort. Voilà ! » La jeune femme avait du mal à retenir les sanglots qui l'étouffaient.

Colette annonça au journal qu'elle avait décidé de refaire l'enquête sur la Cité hospitalière. Sous un autre angle. En écoutant les malades cette fois.

Qu'est-ce qui frappe dans cette histoire ? C'est la différence de point de vue entre le bien portant jugeant le système de l'extérieur, d'un point de vue rationnel, et l'utilisateur, le mal portant, qui se sent perdu, exclu, dans cette structure apparemment si bien conçue et si bien accueillante. Il y a donc deux logiques face à face, celle de la rationalité, de l'organisation, celle de l'extérieur et celle de l'affectivité, de l'individu, celle de l'intérieur. Et le monde des bien portants, celui qui, en définitive, décide toujours pour les mal portants, est tenté de justifier par cette logique rationnelle un système qui lui convient parfaitement, égoïstement, dans la mesure où il repousse au ghetto tous les mal portants. Tel est le piège, un piège dans lequel on tombe facilement.

« Il est sûr que, dans tous les pays d'Europe, les politiques hospitalières ont cédé à des tendances de ce genre et, cela, au nom de la gestion. On pensait à la rentabilisation des équipements plus qu'aux malades. Les exemples sont nombreux. Nous avons plusieurs Centres hospitalo-universitaires qui regroupent plus de 2 000 lits, c'est une concentration de mal portants absolument énorme. De même faisons-nous actuellement un effort pour supprimer les hospices, mais l'on construit de nouveau des établissements spécialisés pour vieillards. Sans doute ont-ils plus de confort, mais ce sont encore des centres de regroupement » estime le professeur Sournia.

« On a construit, juste avant la guerre surtout, des centres anticancéreux pour regrouper les malades atteints de cette maladie. Je pourrais encore citer de nombreux exemples. Nous avons des lycées avec internat pour diabétiques, pour hémophiles, nous avons des établissements pour la sclérose en plaques... On a même envisagé de construire un village dans lequel seraient regroupés des enfants souffrant de myopathie, une maladie dégénérative du muscle. Tout cela représente une tendance dangereuse qu'heureusement on est en train d'abandonner. Mais on peut parfaitement imaginer que d'autres gestionnaires la reprennent. »

En soi cette volonté de regrouper les mal portants dans des lieux fonctionnels et spécialisés ne part pas d'une mauvaise intention, tout au contraire. Il est raisonnable de penser que ces personnes qui doivent être assistées, sinon soignées, seront mieux entourées, mieux protégées dans ces lieux adaptés que dans la vie. Mais la logique de l'homme n'est pas celle de la rationalité, et l'histoire contée ici ne fait que romancer une expérience cent fois vécue, comme le rappelle le professeur Sournia. « Tenez, nous avons un bon exemple avec la rénovation des hospices. Beaucoup d'hospices étaient installés dans de vieilles constructions datant de Louis XIV ou Louis XV et classées monuments historiques. Ces établissements n'étaient guère adaptés à cet usage, toilettes et lavabos n'étaient guère confortables, pourtant les vieillards s'étaient adaptés à ce genre de vie et cet entourage, notamment parce que ces hospices se trouvaient généralement en plein cœur des villes. Ainsi, les personnes âgées restaient-elles au contact de la vie active et de la réalité. Depuis lors, on leur a construit des établissements modernes, confortables, situés en bordure des villes quand ce n'est pas carrément à la campagne. Or, on constate que, dans les semaines qui suivent leur transfert, un grand nombre de vieux, notamment ceux qui sont d'origine urbaine, se décompensent et, pour parler clair, meurent. C'est dire que le fait d'avoir changé leur environnement tout démodé, bruyant, pollué qu'il soit, mais également varié, vivant, stimulant, pour un monde fonctionnel aseptique et bétonné se révèle insupportable. »

Maintenant que nous savons cela, il apparaît que la tendance à l'hospitalisation généralisée est surtout une merveilleuse solution pour les bien portants, coûteuse sans doute, mais, en définitive, très confortable. « On peut envisager, remarque le professeur Sournia, une société en apparence généreuse, mettant tous ses malades dans des établissements luxueux, mais qui serait en réalité implacable et ne chercherait qu'à se débarrasser de tous les gens différents, les vieux, les handicapés, etc. Ce serait une société abominable. »

Tel est le paradoxe de l'hôpital, d'autant plus dangereux que plus accueillant. Le « tout hôpital » est, en fait, un excellent moyen pour concilier les sentiments égoïstes et humanitaires, pour se débarrasser des mal portants en toute bonne conscience. Pour l'an 2000 c'est une tentation dangereuse. Il n'est que de voir avec quelle âpreté le public demande des établissements spécialisés pour placer ses proches. Indiscutablement, ce n'est pas la pression populaire, celle des bien portants, qui écartera ce futur indésirable.

Il est important également de noter la prospective des maladies, qui est sous-jacente dans ce scénario, ainsi d'ailleurs que dans le suivant. Un certain nombre d'affections pourraient avoir disparu. C'est le cas des maladies vénériennes contre lesquelles on disposerait d'efficaces parades immunologiques, des affections néphrétiques du fait que l'on pourrait assurer les fonctions rénales avec des substances biologiques, des maladies infectieuses, etc. En revanche, on se concentre sur quelques affections graves et qui n'ont pas disparu, qui même, en valeur relative, deviennent de plus en plus importantes. C'est le cancer, les troubles cardio-vasculaires, les accidents.

Ainsi l'hôpital de thérapie lourde est-il probablement plus concentré sur un certain nombre de maladies ou de pathologies qui ont résisté à toutes les parades de la médecine légère.

ON EST BIEN MIEUX CHEZ SOI

« Morts sans ordonnance » : les trois décès de Bordeaux faisaient la une des journaux du matin. La presse, une fois encore, caricaturait les faits. Depuis quinze ans, Françoise Coutelier avait l'habitude de ces campagnes. « La ville sans hôpital », « Mort de l'hôpital », « L'hôpital chez soi » avaient titré ces mêmes journaux quand l'expérience de Bordeaux avait été lancée. Certains, pour mieux l'attaquer, n'avaient pas hésité à lui prêter le credo des extrémistes qui rejetaient en bloc le savoir médical, les médicaments, les opérations et même les vaccinations. Et, aujourd'hui, ils avaient beau jeu de conclure que ces récents accidents ne seraient pas survenus dans une ville où fonctionnait le système hospitalier traditionnel. Cette fois, on ne lui reprochait plus des mots, mais des morts.

Trois morts à domicile : un cardiaque décédé sans avoir reçu les soins nécessaires, un bébé mort-né à cause d'une césarienne trop tardive, et un grand dépressif qui s'était suicidé après avoir interrompu son traitement au lithium. Dans une interview, les deux parlementaires qui avaient demandé la création d'une commission d'enquête sur ce qui se passait à Bordeaux soutenaient que ces morts auraient été évitées si les malades avaient été hospitalisés. Et ils n'hésitaient pas à accuser le Pr Françoise Coutelier et le mouvement « Médecine dans la Cité » de laisser mourir les malades en refusant l'hospitalisation.

Ses adversaires jouaient sur du velours. L'hôpital rassurait. Le malade n'y était pas heureux, mais il s'y sentait en sécurité. L'idée de limiter l'hospitalisation à la grande thérapeutique nécessitant un arsenal très lourd et de soigner les autres cas à domicile faisait peur. De nombreux pays étrangers avaient adopté cette formule avec succès et c'est au vu de ces résultats que le ministère s'était décidé à tenter une opération pilote. A Bordeaux précisément. Les Bordelais, au début, s'étaient mobilisés contre l'expérience qu'ils qualifiaient de « barbare ». Ils s'y étaient finalement ralliés. Mais les nostalgiques de l'hospitalisation systématique restaient nombreux. Ils accusaient Françoise Coutelier, responsable de l'opération, de vouloir fermer tous les hôpitaux de la ville — alors qu'elle avait fait moderniser les trois qu'elle désirait conserver. Ils tiraient maintenant argument de ces trois accidents — en omettant de préciser qu'ils étaient intervenus sur une période d'un an. Depuis cinq ans que l'opération était lancée, c'était l'attaque la plus grave à laquelle elle ait eu à faire face. Elle sentait que ce serait l'épreuve clé : ou la greffe de ce nouveau système hospitalier tiendrait et Bordeaux deviendrait un modèle pour la France, ou il serait définitivement rejeté.

Le groupe « Médecine dans la Cité » s'était constitué dans les années 80. Les médecins et les chercheurs qui le composaient voulaient réagir contre les excès du gigantisme hospitalier tant dans les locaux que dans l'équipement. Leurs études avaient montré que le progrès technique permettait, tout au contraire, de soigner à domicile, avec des appareils légers, toute une catégorie de malades que l'on hospitalisait encore. Un exemple, devenu classique : celui du rein artificiel. A ses débuts, ce traitement nécessitait des installations coûteuses et compliquées et ne se faisait qu'à l'hôpital. Puis on avait mis au point des appareils légers avec lesquels les malades se soignaient à domicile. Maintenant, il suffisait que les urémiques absorbent régulièrement des enzymes spécialement conditionnées.

C'était l'exception. Dans tous les autres cas on avait hospitalisé de plus en plus. Le Pr Françoise Coutelier

et ses amis étaient persuadés que c'était une erreur.
« Laissez-nous tenter l'expérience, réclamaient-ils, et
nous vous montrerons qu'on peut permettre aux grands
vieillards, aux malades mentaux, aux cardiaques de
vivre sous surveillance médicale sans pour autant les
retirer de la vie normale. A quoi servent les progrès
de l'électronique qui permet de suivre à distance le
comportement d'un organisme malade, et tous ces appareils de plus en plus automatisés, miniaturisés et de
plus en plus faciles d'utilisation ? » Les pouvoirs
publics s'étaient laissé convaincre par leurs arguments
et, en 1991, on leur avait donné Bordeaux. Mais une
révolution de ce type ne se fait pas seulement avec
des moyens techniques, aussi sophistiqués soient-ils.
Il fallait obtenir la collaboration des malades, des
médecins et de tous les organismes. Depuis cinq ans,
Françoise Coutelier et son équipe de « Médecine dans
la Cité » se battaient. Pour sortir les vieillards et les
handicapés de leur ghetto hospitalier, au reste fort
confortable, ils avaient dû tout d'abord disposer d'appartements adaptés. Dans tout Bordeaux, ils avaient
fait la chasse aux rez-de-chaussée dont les prix, du jour
au lendemain, avaient presque doublé. Heureusement,
une loi avait été votée en 85 qui donnait aux communes un droit de préemption sur les logements utilisa-
bles par les handicapés. Il avait fallu créer des centres
de soins légers et des équipes d'intervention rapides
pour suivre les malades non hospitalisés. Il avait fallu
enfin s'équiper du matériel le plus perfectionné dans
tous les domaines. Françoise Coutelier avait ainsi fait
venir du Japon des microcapteurs-émetteurs capables
de transmettre en permanence l'électro-encéphalogramme d'un malade. En équipant ainsi des enfants
hystériques, il devenait possible de leur faire mener une
vie normale. L'imminence d'une crise se lisait dans
l'électro-encéphalogramme et permettait d'intervenir
immédiatement.

D'autres appareils, français ceux-là, permettaient de
suivre à distance les cardiaques. Il y avait encore les
laboratoires d'analyse automatiques, qui tenaient dans
une petite mallette, et différents gadgets électroniques

qui avertissaient le malade de l'heure des soins et des
doses de médicaments qu'il devait prendre, etc. Tout
cet arsenal thérapeutique utilisait les techniques les
plus modernes sous les apparences les plus simples.
Pourtant, tout cela n'était rien. Le vrai problème était
celui des hommes. Les intéressés d'abord. Les malades
atteints d'un infarctus étaient bouleversés à l'idée de
n'être pas sous surveillance constante, à portée d'un
système de réanimation, les femmes enceintes étaient
angoissées à la perspective d'accoucher chez elles, les
dépressifs ne supportaient pas de ne plus être pro-
tégés du monde extérieur. Dans chaque cas, il fallait
effectuer un long travail d'explication, d'éducation.
Apprendre aux malades à se prendre en main, à connaître leur maladie, à utiliser les moyens de diagnostic
qu'on laissait à leur disposition, à faire confiance aux
équipes qui les suivaient à distance. En revanche, les
choses étaient plus faciles avec les handicapés et les
vieillards qui, eux, désiraient vivre dans une maison,
un quartier plutôt que dans le monde artificiel des
hôpitaux.

Quand les moyens avaient été réunis, les équipes
mises en place, les malades préparés, il avait encore
fallu éduquer la population. Cela n'avait pas été un
mince travail. Les gens s'étaient très bien accoutumés
à ne plus voir les malades, ils étaient satisfaits de
leur monde de bien portants. On remplissait soudain
les rez-de-chaussée de leurs immeubles de vieillards
assistés, ils croisaient dans les escaliers des malades
mentaux. « Ces gens-là peuvent être dangereux »,
disaient les uns. « Et ce n'est pas forcément bon pour
eux », renchérissaient les autres. Les familles elles-
mêmes n'étaient pas toujours d'accord et on ne pouvait rien sans leur concours.

Peu à peu, pourtant, le système s'était mis en place,
les mentalités avaient évolué. Quartier par quartier le
service d'aide aux vieillards était devenu opérationnel :
on leur fournissait tous les jours à domicile les repas
chauds, vérifiant ainsi la condition des intéressés, on
les incitait à conserver une activité, à participer à la
vie des associations. Les handicapés étaient mieux

acceptés depuis que de multiples travaux avaient rendu toute la ville accessible aux véhicules individuels d'infirmes. Enfin, les familles avaient appris à soigner leurs malades, à utiliser les instruments thérapeutiques modernes. Dans les centres de quartier, une formation particulière était donnée à tous les proches qui, d'abord réticents, finissaient par prendre en charge matériellement, mais psychologiquement aussi, la maladie.

Des accidents, des incidents, des difficultés, il y en avait eu. Chaque fois ils étaient montés en épingle, bons prétextes pour remettre en cause toute l'opération. On ressortait maintenant ces trois morts. Françoise Coutelier décida de faire effectuer une enquête comparative sur le fonctionnement de la médecine à Bordeaux et dans deux autres villes ayant conservé le système traditionnel. Le pari était hasardeux, car l'expérience de Bordeaux était encore en rodage. *A priori,* la comparaison ne pouvait que lui être défavorable. Elle s'y risqua.

L'enquête fut menée par les services du ministère et dura six mois. Les conclusions furent un succès pour le principe de la « Médecine dans la Cité ». Sur le sujet si controversé des cardiaques en particulier, on découvrit que les accidents étaient deux fois moins nombreux à Bordeaux que dans les villes les mieux équipées en services de cardiologie. Il en allait de même pour les accidents de grossesse, les suicides de dépressifs ou les agressions commises par les malades mentaux. Quant aux cancéreux, ils semblaient être plus tôt dépistés à Bordeaux, ce qui facilitait les traitements. Le rapport remarquait enfin que les soins hospitaliers proprement dits étaient de grande qualité à Bordeaux du fait que les hôpitaux n'étaient pas encombrés par les faux malades. « L'expérience de la " Médecine dans la Cité " devrait s'étendre à d'autres villes de France », concluaient les experts du ministère.

Ce scénario est assurément le plus déroutant pour un public encore imprégné par l'image classique de l'hospitalisation. Tous ces malades chez eux, ces soins à domicile, cela paraît relever de la science-fiction. Pourtant, nous n'avons fait qu'extrapoler des expériences bien réelles qui se déroulent déjà ici ou là. C'est ce que constate le professeur Sournia : « On note dès maintenant une certaine intolérance du public, je veux dire des usagers, à l'égard de l'hôpital. Les durées de séjour se raccourcissent et, sous la pression du public, sont créés dans plusieurs pays étrangers des services hospitaliers qui ne fonctionnent que cinq jours sur sept. Sur le plan technique ensuite, on est assez troublé de constater qu'aux Pays-Bas toutes les femmes pratiquement accouchent chez elles, alors que la mortalité par accouchement est extrêmement basse. Il existe donc des tendances contradictoires, mais qui, finalement, vont dans le sens des soins à domicile. Evidemment cela suppose rigueur et organisation. En Hollande, les femmes enceintes sont très bien suivies tout au long de la grossesse et celles qui posent des problèmes particuliers vont à l'hôpital. Mais les grossesses sans histoire se terminent normalement chez soi, et le système fonctionne. »

Il est évidemment plus surprenant de penser que l'on peut soigner à domicile de véritables malades. Mais là encore cette évolution est rendue possible par le progrès médical et se produit effectivement. Dans le domaine psychiatrique, on limite l'hospitalisation à des cas très précis. De plus en plus on tend à soigner le malade psychique dans la cité. Pour le cardiaque, la solution évoquée dans le scénario peut sembler surprenante. Là encore, précise le professeur Sournia, il ne s'agit pas de science-fiction : « Ce qui est décrit là me paraît tout à fait plausible. On pourra effectuer à distance la surveillance de l'électrocardiogramme et, après qu'un individu aura eu un infarctus, on peut très bien imaginer qu'il restera chez lui et qu'il aura un contact direct, éventuellement en vidéo, avec son médecin qui, lui, sera à l'hôpital et pourra intervenir sans même se déplacer. »

Il ne s'agit pas d'un refus de principe de l'hospitalisation, mais d'une évidence psychologique. Le fait est que, quelle que soit la qualité de l'hôpital, « on est bien mieux chez soi », et ce confort affectif a des répercussions heureuses sur la guérison. « Une enquête menée en Grande-Bretagne a montré qu'à gravité égale certains infarctus se soignaient mieux à domicile que dans un centre spécialisé, précise le professeur Sournia. Mais il faut que le milieu familial s'y prête tant sur le plan matériel que psychologique. Il est certain que ce facteur psychologique a une importance considérable et que le domicile est, en principe, l'environnement idéal sur le plan affectif. »

Or tout le développement de l'informatique, de l'électronique, des techniques de collecte, de traitement et de transmission de l'information, tous les progrès faits dans la miniaturisation, tout cela va précisément dans le sens d'une médecine hautement décentralisée. Certes, avec ces mêmes techniques, on peut réaliser un maximum de concentration, mais on peut également atteindre des combles de décentralisation. C'est à choisir. Dans ce scénario nous avons supposé que les techniques modernes étaient mises au service de la décentralisation. C'est tout à fait possible et la plupart des appareils évoqués ici existent déjà au stade de l'expérimentation.

Mais la technique et même la volonté politique ne peuvent rien sans les hommes. Il ne suffit pas de pouvoir remettre le malade dans la cité, il ne suffit même pas que les responsables le veuillent, rien n'est possible si le public, les proches, la famille, les amis, les voisins ne l'accueillent pas. C'est là sans doute qu'est le plus grave problème. On est tellement mieux entre bien portants ! Tout ce qui a été dit ne tient pas si le malade est considéré comme un gêneur, un handicapé dont on rêve de se débarrasser. Une expérience de soins dans la cité ne peut se développer qu'au terme d'une énorme campagne de formation, campagne couronnée de succès. Si les bien portants désirent sortir les malades du ghetto hospitalier, alors tout est possible, s'ils souhaitent, au contraire, les y confiner, alors tous les efforts sont vains. Mais, comme le constate le professeur Sournia : « Cette adaptation des mentalités s'est déjà faite dans certains pays, alors, pourquoi ne se ferait-elle pas en France ? »

COMMENTAIRE
GENERAL

L'avenir, c'est bien évident, se situera quelque part entre le « tout hôpital » et le « tout chez soi ». Sur le principe même, tout le monde est d'accord pour reconnaître qu'on est bien mieux chez soi, reste à savoir jusqu'où il est possible de limiter l'hospitalisation.

L'unanimité est à peu près faite dans le corps médical pour condamner les « centres de séjour sanitaire » du premier scénario, véritables camps de regroupement des vieillards et des handicapés. Pour le professeur Etienne, c'est « tout l'opposé de ce que je peux souhaiter pour l'hôpital en l'an 2000 », et pour le docteur Junot : « Cette cité hospitalière radieuse est une cité de mort. Cela vaut la peine de se battre contre une telle évolution. »

Cette condamnation signifie-t-elle que, d'ici à l'an 2000, les vieillards et les handicapés retrouveront leur place dans la cité ? On peut être raisonnablement optimiste pour les gens du troisième âge — soixante-cinq-soixante-quinze ans — et pour les handicapés physiques. Des cas nombreux montrent que leur réintégration dans la vie ne pose aucun problème majeur. Un bon exemple de ce fait a été récemment donné par un groupe de jeunes myopathes, tous condamnés à vivre dans des fauteuils roulants qui ont eux-mêmes fondé un foyer au cœur de Saint-Quentin-les-Yvelines. Le centre ville ayant été spécialement conçu pour être accessible aux handicapés, ceux-ci, en dépit de leur très lourde infirmité, se sont parfaitement assimilés à la population.

La vraie difficulté viendra sans doute du « quatrième âge » comme l'on commence à dire, les personnes âgées de quatre-vingts ans et plus qui perdent peu à peu leur autonomie et nécessitent une assistance croissante. Il faudrait assurément un grand effort collectif pour qu'une solidarité diffuse, de quartier, de voisinage, remplace la solidarité organisée des hospices.

Reste le problème des soins. Dans quelle mesure et jusqu'où peut-on « déshospitaliser » la médecine proprement dite ? Sur ce point, les médecins sont loin d'être tous d'accord.

Le professeur Etienne avoue qu'il n'envisage « pas sereinement » l'accouchement chez soi ou le traitement à domicile des infarctus. « Je pense, dit-il, que c'est illusoire de croire qu'on aura l'intervention à domicile en deux ou trois minutes pour défibriller un cœur dans l'infarctus du myocarde. Cela dit, ces cas ne représentent heureusement qu'un faible pourcentage des infarctus. »

En revanche, le professeur Etienne est très favorable à ce qui, dans le premier scénario, est appelé le « Centre de médecine légère ». « Il faut sortir de l'idée que l'hôpital est un endroit dans lequel il y a des lits et où on se couche. Il faut qu'on puisse aller à l'hôpital sans se faire hospitaliser. En effet, il se trouve là une concentration de personnes ayant une formation médicale et para-médicale, de moyens d'investigation et de traitement, c'est cela qui est intéressant pour le malade et ce n'est pas lié forcément à l'hospitalisation. »

On sait que, dans les vingt années à venir, l'électronique médicale et toutes les disciplines associées vont prodigieusement se développer. Les scénarios évoquent un certain nombre d'applications possibles. Là encore, les médecins ne sont pas toujours d'accord sur le degré souhaitable de pénétration des techniques. Pour le docteur Junot, leur rôle doit rester très limité : « Je crois que la technique n'est pas à mépriser, mais qu'il faut en décentraliser les moyens. L'ordinateur, par exemple, peut être mis au service de l'homme en multipliant ses effets. J'imagine très bien que des équipes, mais faites d'hommes et de femmes ayant des professions de santé complémentaires, animant un quartier, connaissant chaque personne, chaque malade, bénéficient d'un terminal afin d'interpréter sans faute un électrocardiogramme ou un électro-encéphalogramme, d'exercer une surveillance médicale. » En revanche il repousse les systèmes de capteurs personnels considérés comme une « utopie ». « De toute façon, dit-il, je ne le verrai pas, tout en espérant vivre en l'an 2000, mais j'espère qu'en l'an 3000 non plus on n'aura pas à ce point transformé l'homme en une espèce de machine sur laquelle on branche d'autres machines. Non, pas l'électronique envahissante de tous ces gadgets directement placés sur le malade et qui conduisent à une déshumanisation. »

Le professeur Sournia ne partage pas ces préventions vis-à-vis de l'électronique : « Si j'avais un infarctus, je vous assure que je préférerais de beaucoup avoir un moniteur chez moi que de rester à l'hôpital, à condition bien sûr d'avoir à portée de main, sur un appel direct, un médecin compétent. Cela pour l'an 2000, bien sûr. »

Quant au professeur Etienne, s'il est favorable à l'automatisation des examens, des analyses, des investigations, etc., il se déclare inquiet de la voir intervenir au niveau des décisions comme il est évoqué dans le premier scénario. « Ce serait, estime-t-il, une catastrophe pour la santé des gens et cela même si l'ordinateur ne faisait que des propositions, car il existe en l'homme une propension naturelle à se conformer aux propositions pour éviter d'avoir à réfléchir et à prendre soi-même les décisions. »

On le voit, les perspectives techniques sont loin de faire l'unanimité dans le corps médical. Chacun à sa façon sent planer la menace d'un traitement par les machines, d'une déshumanisation. Le fait est que la médecine peut être analysée comme un traitement de l'information. Le médecin recueille des informations sur son malade, les confronte à celles qu'il a en mémoire et en déduit par concordances certaines décisions. C'est bien ce que fait un ordinateur. Une telle machine serait donc fort utile comme aide à la décision. Dégageant les critères objectifs, elle laisserait le praticien évaluer les critères subjectifs et personnels. En théorie, ce serait plus efficace. Mais toute prise en compte de l'homme par la machine, à quelque niveau que ce soit, fait peur. De ce point de vue les possibilités sont immenses dans le domaine médical. Il est clair que leur mise en œuvre ne se fera pas sans des discussions, voire des débats de conscience.

Mais hospitaliser ou ne pas hospitaliser n'est pas un simple problème d'organisation sociomédicale, c'est une alternative qui oppose deux conceptions de la médecine. L'hôpital, tel qu'on l'entend aujourd'hui, c'est la grande machine à guérir, l'énorme garage qui répare les pannes de la machine humaine. La métaphore est instructive car, dans le garage, l'automobile est passive, c'est le mécanicien qui agit, elle ne fait que subir. De même une certaine conception de la médecine hospitalière tend à ne conférer au malade qu'un rôle passif. Il vient se faire soigner plus que se soigner, voire se maintenir en bonne santé. Ainsi, dans une certaine optique, l'hôpital serait le lieu de la démission pour le patient, le lieu où il se décharge du soin de sa santé entre les mains du pouvoir médical. C'est là encore une tendance qui est de plus en plus combattue dans le corps médical. L'idée s'impose que chacun doit d'abord se sentir responsable de sa santé, que le rôle du médecin est d'apprendre au malade à se prendre en charge et non à démissionner. Bref, ne faut-il pas, pour l'avenir, substituer une médecine d'éducation à une pure médecine de réparation ? C'est un débat sous-jacent.

« Je crois qu'effectivement on doit tout faire pour garder le plus possible les gens chez eux, pour les amener à être responsables de leur propre vie, à disposer d'un maximum de liberté quant aux choix qui les concernent et vis-à-vis de problèmes aussi graves que ceux qui concernent la façon de se préparer à la mort », dit le docteur Junot liant ainsi « déshospitalisation » et « responsabilisation ». « Je pense, dit-il, qu'une des révolutions — le mot n'est pas trop fort — les plus importantes sur le plan professionnel sera la transformation du médecin qui passera de son rôle actuel de réparateur à celui de conseiller de santé et de vie. Il ne s'agit pas de laisser tomber la technique médicale proprement dite, qui doit être la plus parfaite possible et rester à la disposition du malade, mais d'y ajouter ce rôle d'éducateur et d'animateur dans le quartier ou le village. »

De même, le professeur Etienne croit que « l'évolution de la fonction médicale vers un rôle éducatif est tout à la fois souhaitable, possible et plausible. Ce rôle qu'on tend à minimiser aujourd'hui devrait se développer dans l'avenir. N'oublions pas toutefois que cette mission peut être également remplie par l'hôpital ainsi que par l'ensemble des professions de santé ».

Une médecine pour l'an 2000 qui dispose de moyens techniques renforcés et qui, pourtant, mise davantage sur l'homme et les rapports humains ; une médecine qui s'aide de machines à guérir, mais qui mise sur la responsabilité des malades, c'est le paradoxe. Pour tenir ces objectifs multiples, sinon contradictoires, il faudra tout à la fois des moyens importants et des mentalités nouvelles.

« Il ne faut pas compter, estime le professeur Etienne, que cette médecine sera moins coûteuse parce qu'elle ne sera pas à dominante hospitalière. Car, même sans parler des « gadgets », il faudra beaucoup de gens pour faire ce travail d'éducation et d'éducation bien faite. Il ne faut donc pas essayer de justifier cette option par des raisons économiques. »

Reste la grande révolution culturelle sans laquelle toute cette évolution sera impossible. « Dans les années 60, explique le professeur Sournia, notre société à connu un grand engouement pour la technique. Nous nous apercevons petit à petit que la santé comporte d'autres aspects éminemment psychologiques. Mais, plus que tout, il s'agit de « responsabiliser » l'individu qui reste, en définitive, maître de sa santé et des soins. C'est donc une nouvelle conception de la santé qui doit pénétrer peu à peu dans les mentalités, une nouvelle conception qui, à son tour, transformera la médecine. »

14. LES JEUX ET LES JOUETS

Invité : SUZANNE MOLHO, psychosociologue, chargée de recherches au C.N.R.S.

Transformer le « naturel » en « problèmes », c'est le génie de notre temps. Ainsi de l'éducation. Les rapports parents-enfants qui, pendant des siècles, « allèrent de soi » sont devenus une source permanente de difficultés et d'interrogations. Les parents, qui ne savent plus s'ils doivent séduire ou sévir, suggérer ou imposer, oscillent de la culpabilisation à la démission ; les plus conscients étant les plus incertains. Bref, l'éducation « fait problème » et il y a peu d'apparences que les solutions définitives soient trouvées d'ici à l'an 2000.

Dans cette incertitude des relations parentales, le jouet triomphe. Poussé par une industrie dynamique, il se perfectionne, se multiplie. Le jouet, mais non pas forcément le jeu. Car les deux notions ont cessé d'être liées. Il est des enfants, submergés de jouets, et qui jouent peu, d'autres qui, sans jouet aucun, ne cessent de jouer. Notions dissociées, antagonistes peut-être, le jouet, le jeu, laquelle l'emportera en l'an 2000 ? Sur l'extrapolation des tendances actuelles, on imagine aussi bien des enfants qui finiraient par être pris en compte par les jouets et l'industrie du jouet que l'apparition de conditions nouvelles permettant à l'enfant de s'épanouir dans le jeu et non de s'asphyxier dans le jouet. Deux tendances débouchant sur deux scénarios opposés :

Triomphe du jouet : « LE BONHEUR DU JOUET. »
Triomphe du jeu : « AMUSEZ-VOUS ! »
Intervenants : docteur CLAUDE BINARD, pédiatre.
JEAN-PAUL CHARPENTIER, directeur pour la France de *Lego*.

LE BONHEUR DES JOUETS

Didier, six ans, frimousse ronde surmontée de grosses mèches noires, vint se planter devant son père. Sa mine renfrognée, son air décidé annonçaient une présentation de doléances.

« P'pa, je veux aller au « Bonheur des jouets ». On peut y aller dès quatre ans. Y en a plein dans la classe qui y vont. Alors pourquoi je n'y vais pas ? »

Du fond de son fauteuil, Henri Dugay sourit à ce discours revendicatif. Chef du personnel dans une entreprise d'électronique, il devait périodiquement négocier avec les représentants syndicaux et voilà qu'il retrouvait chez son fils une tactique syndicale classique : l'alignement sur les avantages des catégories les plus favorisées. Ce rapprochement l'amusait. A tout prendre, il n'était pas contre l'idée d'emmener Didier au « Bonheur des jouets », mais, déformation professionnelle sans doute, il résista pour la forme et par habitude.

« D'abord, tu ne dois pas demander les choses comme ça. Je vais en parler à ta mère. »

Didier ne fut qu'à moitié satisfait par cette « ouverture de négociations » : « Bon, mais dépêchez-vous, parce que les copains, ils ont des jouets que je n'ai pas. C'est injuste. »

« D'accord, d'accord, on en reparlera, conclut son père en lui passant la main dans la chevelure. Et maintenant, tu vas jouer dans ta chambre, parce que j'ai du travail à faire. »

Resté seul dans le salon, Henri Dugay alla se servir un whisky léger et sélectionna sur son terminal audio-visuel le débat politique qui allait commencer à 19 h 30 sur le canal II. Véronique, sa femme, ne devait pas rentrer avant une heure, il serait temps alors de lui demander ce qu'elle pensait de cette affaire.

« Le Bonheur des jouets » avait été lancé par des fabricants qui voulaient, prétendaient-ils, « personnaliser le jouet ». L'enfant nouvellement inscrit venait passer une journée dans un « centre d'évaluation ludique ». Il y trouvait, mis à sa disposition, tous les jouets de son âge et pouvait s'amuser avec ceux de son choix. En toute liberté. Son comportement était suivi par des psychologues qui le surveillaient grâce à un discret système de télévision. En fin de journée, le « futur client » avait un entretien avec ses « examinateurs ». Puis ces derniers, aidés par des ordinateurs — cela va de soi —, établissaient le « profil ludique » de l'enfant.

Grâce à cette étude, « le Bonheur des jouets » proposait une « filière de jouets », évoluant avec l'âge et spécialement adaptée au caractère de l'enfant. Les parents n'avaient plus qu'à signer une sorte d'abonnement-vente grâce auquel ils se voyaient offrir chaque année de nouvelles distractions pour leurs rejetons. Il leur suffisait d'approuver... et de payer pour que le cher petit dispose en permanence des jouets les plus propres à épanouir sa personnalité. Tel était du moins le principe de base et le grand argument commercial.

Le système remportait un succès croissant auprès du public. Il assurait plus que jamais « la distraction des enfants et la tranquillité des parents ». Ces derniers surtout y trouvaient avantage. Grâce à ce choix rationnel, scientifique même, ils étaient justifiés de laisser leur progéniture tête à tête avec ses joujoux. Les jouets tenaient lieu de précepteurs. C'était bien commode.

Véronique et Henri Dugay avaient accueilli avec un air goguenard et sceptique les premières publicités télévisées pour « le Bonheur des jouets ». « Encore

une invention de marchands pour gagner de l'argent »,
pensèrent-ils. Depuis lors, ils avaient vu plusieurs de
leurs amis se rallier à la formule et s'en déclarer satisfaits. Ces témoignages favorables les avaient impres-
sionnés.

Point délicat : les cadeaux, fort nombreux, faits par
des tiers. Aux intimes seuls, on pouvait demander de
passer par « le Bonheur des jouets ». Pour les autres,
qui apportaient directement leurs présents, il fallait
opérer des échanges. Au début, les généreux donateurs
s'en étaient formalisés. Mais, à mesure que le système
se répandait, l'habitude s'était prise et l'on ne s'étonnait plus de voir le jouet que l'on avait offert remplacé par un autre conforme au « profil ludique » de
l'enfant. Ce n'était jamais qu'une extension de la procédure bien connue des listes de mariage. « " Le
Bonheur des jouets ", pourquoi pas ? », se disait maintenant Henri Dugay.

Véronique ne rentra qu'à 9 heures moins le quart.
Elle avait les bras encombrés de paquets car elle avait
acheté les cadeaux de fin d'année. Henri y jeta un
coup d'œil.

« C'est pour quoi ce truc-là ? », demanda-t-il en
désignant une grosse boîte baptisée l'électroberceur.
Véronique expliqua qu'il s'agissait d'un dispositif très
sophistiqué qui permettait de calmer automatiquement
les bébés. L'appareil pouvait tout à la fois remuer le
berceau, faire de la musique et projeter des images
colorées sur un écran face à l'enfant. Les mouvements,
les sons et les projections étaient synchronisés et le
rythme se ralentissait progressivement, conduisant
infailliblement le bébé au sommeil.

« C'est pour Geneviève, expliqua Véronique. Son
bébé crie tout le temps, même la nuit. Elle est crevée.
Je crois même qu'on devrait le lui envoyer sans
attendre les fêtes. »

Henri Dugay s'extasia encore devant « la Grande
Bataille ». Un jeu « autoprogrammable ». L'enfant
n'a qu'à disposer les soldats sur le champ de bataille
et le combat commence. Tout est programmé électro-
niquement. Ça tire dans tous les sens, avec des bruits,

des éclairs, des fumées et des incendies. Les soldats tombent, les tanks se renversent, les maisons s'écroulent. Il n'y a qu'à regarder et compter les survivants à la fin. Puis on remet tout en place et on repart pour une bataille entièrement différente. On peut, au choix, programmer le vainqueur, ou laisser faire la machine et parier.

« A qui destines-tu cette merveille ? », demanda Henri.

« Au petit des Bourgeaux, mon chéri. Ce sera bien, tu ne crois pas ? Je suis certaine que Charles, tout directeur général qu'il soit, jouera autant que son fils. Non... c'est bien comme cadeau... et puis, je ne te dis pas le prix, mais ce n'est pas donné...

— Au fait, Didier est revenu à la charge pour « le Bonheur des jouets ». Que faut-il faire ?

— Finalement, je crois que ce n'est pas mal, dit Véronique. Florence trouve que ses garçons sont beaucoup plus intéressés par leurs jouets depuis qu'elle a adopté le système. Didier serait peut-être moins souvent dans tes pattes s'il avait des jouets qui lui convenaient mieux. »

Didier a trouvé « terrible » « le Bonheur des jouets » et « vachement sympa » la psychologue qui s'est occupée de lui. Jamais, au grand jamais, il n'avait eu autant de jouets à sa disposition. Qu'est-ce qu'il y avait donc ? Ce soir, il ne peut même plus se souvenir de tous. Il y a le chien qui répond à son nom quand on l'appelle et qui obéit à dix commandements. On dit « Couché ! » et il se couche, « Fais le beau », il se redresse et le reste pareil. Comme un vrai chien. Et la machine à dessiner, elle est bien amusante aussi ! On commence le dessin sur le tableau et il se finit tout seul. Et la projection de dessins animés ! On appuie sur le bouton « Titi » et, hop ! Titi apparaît poursuivi par Gros Minet. On peut même faire son dessin animé. Il suffit d'appuyer sur le bouton correspondant et le personnage apparaît qui fait des bêtises. Il y en avait tant et tant que Didier s'est endormi sans se souvenir de tous.

La psychologue a fait une excellente impression sur

Henri et Véronique. Elle préconise pour Didier une filière intermédiaire entre le constructif et le conversationnel. Parmi les jouets conseillés se trouve un dispositif à dialogue qui parle à l'enfant. Il existe toute une batterie de programmes sur mini-cassettes et des systèmes de construction. « Didier, a fait remarquer la psychologue, a trop tendance à la rêverie, il faut l'orienter vers des activités concrètes. » Ces jouets sont entièrement magnétiques et conçus de telle façon que les pièces ne tiennent que dans la bonne position. Là encore, il existe toute une gamme de jeux que « le Bonheur des jouets » se charge de renouveler périodiquement. Didier disposera donc de jouets pour épanouir sa personnalité et qui évolueront progressivement d'une année sur l'autre pour le suivre dans son développement. Il a même été ajouté à la panoplie des jouets spécialement conçus pour être cassés « car l'enfant doit pouvoir casser en toute innocence ; c'est nécessaire à l'épanouissement de sa personnalité. L'interdiction de casser est source d'aliénation ».

Tout cet ensemble est intégré dans un contrat d'abonnement avec des parties fixes livrées automatiquement et d'autres à option que l'on achète au coup par coup. Quant aux différents programmes, ils se louent simplement, afin d'éviter des frais excessifs.

Quinze jours plus tard, tout était livré. Henri et Véronique installaient les merveilles pendant la nuit du 24 au 25 décembre. Au matin de Noël, ils furent un peu dépités de voir Didier jouer longuement avec les différents emballages qui s'entassaient encore dans l'entrée. A croire que l'enfant préférait les boîtes au contenu. Mais l'inquiétude ne fut que passagère. L'après-midi, Didier partit dans sa chambre s'amuser avec ses nouveaux jouets et on ne le revit plus avant le dîner...

Entre parents et enfants dont les relations constituent la base de l'éducation, la société moderne interpose de plus en plus le jouet. On peut trouver de nombreuses raisons à cela : tout d'abord le jouet est un produit marchand, il s'insère dans la logique de notre société économiste. La production de jouets crée de l'activité économique, donc des emplois et des profits. De ce seul fait, elle est constamment poussée en avant par le système social, au même titre que n'importe quelle autre consommation marchande. En tant qu'objet, le jouet intègre les progrès de la technique : matériaux nouveaux, électronique, innovations diverses, bref il se renouvelle et se perfectionne sans cesse. En tant que relation, il s'achète, se vend, se donne comme tous les autres biens marchands qui circulent dans notre société. Bref, le développement du jouet participe à la logique générale de développement des sociétés industrielles.

Il y participe encore en ce qu'il interpose les choses dans les relations entre les êtres. C'est une tendance générale. Les rapports avec les autres passent par l'automobile, le téléphone, la télévision, le whisky, les sports d'hiver, etc., le rapport avec l'enfant par le jouet. Progressivement, le tête-à-tête homme-machine tend à supplanter le contact d'homme à homme. C'est ce que l'on constate partout et ici en particulier. Les « choses » deviennent de plus en plus intelligentes et les êtres de moins en moins aptes à la communication. N'en va-t-il pas de même avec le jouet ? N'en ira-t-il pas ainsi dans l'avenir ?

On constate, dans ce scénario, que les parents ne savent plus communiquer avec leurs enfants. Le père expédie son fils dans sa chambre sous un faux prétexte (il prétend avoir du travail), en fait parce qu'il ne sait que faire avec son enfant. Manifestement, il compte sur la relation entre l'enfant et le jouet et non sur la sienne avec son fils. Mais, à l'opposé, ces jouets deviennent supérieurement intelligents. Ce sont presque des éducateurs automatiques. Ils entretiennent avec les enfants le dialogue que les adultes ne savent plus tenir. Dès le plus jeune âge, dès le berceau, on instaure la relation avec l'objet et la machine grâce à l'électroberceur. Puis la machine devient tellement intelligente, tellement perfectionnée, qu'elle réduit l'enfant à un rôle passif de spectateur. C'est le cas de « la Grande

Bataille » si parfaite en elle-même qu'elle ne fait plus appel à la créativité. Il suffit de choisir et le jouet exécute. Au terme de ce scénario, l'enfant « subit » la fascination du jouet qui le guide, l'oriente, le normalise et l'intègre dans un monde commandé par les choses.

C'est évidemment un scénario noir. Dans quelle mesure répond-il à l'extrapolation de tendances présentes ?

Que le jouet, à travers ses perfectionnements, soit de plus en plus « éducatif » et « éducateur », c'est un fait que constate Suzanne Molho : « Le jouet, note-t-elle, est de plus en plus considéré par les parents comme faisant partie intégrante de l'éducation de leurs enfants. » En soi, cette volonté de rendre le jouet « intelligent » est heureuse. Micheline Bertrand, de chez Nathan, constate qu' « il y a aujourd'hui des centaines de jeux qui dépassent beaucoup les jeux manuels et sont devenus des jouets intellectuels, pour apprendre à calculer, pour développer la mémoire, pour développer l'intelligence peut-être, ou l'imagination et l'attention. Or, note-t-elle, les enfants ne connaissent pas la finalité de ces jouets. Eux, ils s'amusent, ils jouent. D'ailleurs, lorsque les enfants jouent, ils sont très sérieux. Et, même s'ils n'ont pas de jeux éducatifs, ils classent les boutons, rouges d'un côté, bleus de l'autre ou les petits bouts de chiffons carrés d'un côté et ronds de l'autre. Ils le font spontanément, ils ont ça en eux. »

Ces jouets font de plus en plus appel aux ressources de l'électricité et de l'électronique. Toutefois, Micheline Bertrand note qu'il y a toujours eu des jeux avec l'électricité et les lampes rouges et vertes. A ses yeux ce n'est pas fondamentalement nouveau. « Je ne pense pas, conclut-elle, que les jeux soient de plus en plus compliqués. »

Si l'on peut retenir, pour le présent, cet avis des professionnels, il ne faut pas oublier la formidable révolution en cours dans l'informatique avec les microprocesseurs et l'effondrement des prix dans le traitement de l'information. Demain, il ne sera pas plus cher de mettre un calculateur à microprocesseur dans une poupée que de lui mettre aujourd'hui un petit magnétophone. On peut donc prévoir que les jouets de demain disposeront d'une certaine capacité de traiter l'information et que ce perfectionnement risque de conduire à des excès. Le jouet éducatif, excellent dans son principe initial, tendrait à être considéré comme une sorte de précepteur ludique se suffisant à lui-même pour éduquer l'enfant. C'est un danger.

On constate déjà cette tendance chez de nombreux parents qui voient dans les jouets un moyen de se débarrasser des enfants à moindre temps, sinon à moindre frais. On donne plus de jouets pour donner moins de soi-même. Suzanne Molho observe qu'effectivement : « C'est une tendance actuelle. Beaucoup d'éducateurs répètent, mais malheureusement dans le désert, que cette évolution de la société moderne tend à rejeter l'enfant. Il n'a plus sa place dans la vie, dans la maison et se trouve repoussé dans des ghettos qui n'ont plus grand-chose à voir avec le véritable monde de l'enfance dans lequel le jeu devrait régner en maître. »

Le fait est que bien des enfants préfèrent des lieux d'amusement collectifs, où ils ont la possibilité de rencontrer des camarades, à une chambre remplie des plus beaux jouets, mais où ils devront s'amuser en solitaire.

Notre « Bonheur des jouets » est certes imaginaire, mais il est aisément imaginable. On voit se développer des ludothèques auprès desquelles les enfants peuvent emprunter des jouets. Il s'agit présentement d'initiatives publiques à but éducatif et non lucratif. Mme Ouzoui, qui est l'animatrice de la ludothèque fondée à Lyon, constate que ce choix ouvert à l'enfant est très heureux : « L'enfant, dit-elle, essaie, il est juge, il est libre, et, si le jeu lui plaît vraiment, les parents l'achètent. » Le plus surprenant serait que les marchands, s'inspirant de cette initiative fort heureuse, et de son succès, ne créent pas dans l'avenir des ludothèques et centres du jouet à but commercial.

Reste enfin ce dernier aspect du scénario : la relation entre adultes. Lorsque Véronique, l'héroïne, achète « la Grande Bataille » elle pense d'abord au rapport avec le père de l'enfant. Il faut que le cadeau « fasse bien » aux yeux des parents. Accessoirement qu'il amuse l'enfant. Voilà encore une tendance qui se développe. Le jouet étant de plus en plus choisi par des adultes à l'intention d'autres adultes est aussi conçu en fonction des grandes personnes. Il faut qu'il semble luxueux, tape-à-l'œil, bien présenté, bref qu'il « fasse riche ». Or, ce sont là des valeurs sociales et non enfantines. C'est pourquoi l'on peut voir les parents éblouis par le jouet et l'enfant... par l'emballage

« Effectivement, nous dit Suzanne Molho, le jouet sert

alors de prétexte à des politesses entre adultes. C'est le regard du patron et non du fils du patron qui détermine le choix au moment d'acheter le cadeau qui lui est destiné. »

Des jouets toujours plus nombreux, toujours plus intelligents, toujours plus envahissants, toujours plus chers... C'est une possibilité pour l'an 2000. Ce n'est heureusement pas la seule.

AMUSEZ-VOUS !

Catherine, une grande femme rousse d'une trentaine d'années, frappa dans ses mains à plusieurs reprises pour tenter de ramener un semblant de calme dans la pièce toute résonante de vacarme comme une cour de récréation : « Les enfants ! Les enfants ! Ecoutez-moi ! Voici Frédéric et Christine. Ils vont vivre avec nous. Leur maman c'est Danièle. » Bonjour, crièrent les enfants tandis que Danièle, jeune femme au visage lisse, à la mise soignée, se présentait à l'assistance. « Et leur papa c'est Claude. Vous allez leur faire visiter la maison et vous expliquerez tout. Leur appartement c'est celui de Sophie et de sa maman. D'accord ? »

Ils étaient là une dizaine d'enfants dont l'âge devait s'échelonner de quatre à treize ans. Tous ensemble, ils jouaient dans un vaste local situé au rez-de-chaussée et donnant, par une large porte-fenêtre, sur un parc ou, plus modestement, un jardin. C'était, à l'évidence, une pièce réservée aux enfants. Non qu'elle soit exagérément encombrée de jouets. Au contraire. Si l'on en voyait quelques-uns, on remarquait bien davantage les jeux divers qui se déroulaient ici. Un coin devait servir d'atelier pour le dessin, la peinture, voire la poterie. Le centre était occupé par une construction bizarre et tout à fait indescriptible avec des mots d'adulte. C'était un assemblage hétéroclite de grandes boîtes de carton, d'objets en plastique, agrémenté de

bouts de bois, de tissu et d'ustensiles divers. Transfiguré
par le jeu, cela pouvait devenir un château, une maison,
un bateau et bien d'autres choses encore.

Dans l'instant, les enfants étaient partis avec les deux
nouveaux arrivants pour faire la visite du parc. Il
s'agissait, en fait, d'un terrain de 2 000 mètres carrés
qui tenait du parc, par le peu de jardinage qu'on y
faisait, et du jardin par la modestie de ses dimensions.
Mais on disait « le parc ». La moitié gauche en était
occupée par un massif d'arbres entouré de buissons
et de broussailles, la droite était dégagée et devait
servir de terrain de foot avec une pelouse assez mal
entretenue. On remarquait dans l'angle du fond une
cabane que les enfants démolissaient et reconstruisaient
à longueur d'année.

L'arrivée d'un nouveau couple était un petit événement. Il fallait s'habituer « aux nouveaux ». Leur
apprendre la vie ensemble, sans la leur imposer. Précisément, l'intégration de Claude et Danièle pouvait
poser quelques difficultés, car ils avaient vécu jusqu'à
présent de façon, disons, bourgeoise. Elevés dans des
familles très conservatrices, ils avaient reproduit
ensemble le foyer de leurs parents. Par conformisme
plus que par conviction. Ils s'étaient mariés et s'étaient
installés dans un appartement bien à eux. Ils avaient
vu beaucoup de leurs amis vivre à la nouvelle mode
dans des habitations communautaires, mais ils s'ac-
crochaient à leur quant-à-soi.

Après huit années de vie commune, fatigués de leur
couple solitaire ou attirés par la chaleur des groupes,
ils avaient sauté le pas. Un logement familial se trouvait libre dans un ensemble communautaire de la banlieue sud où vivaient deux couples amis. La nouvelle
résidence rapprochait Danièle de son travail, peut-être
aussi les rapprocherait-elle l'un de l'autre.

L'intégration des nouveaux venus posa plus de problèmes aux adultes qu'aux enfants. Frédéric et Christine s'habituèrent très vite aux jeux collectifs que
supervisait, mais de très loin, Mme Grangier, un ancien
professeur, âgée de soixante-huit ans, que tout le monde
ici appelait Tantine. Comme personne, elle savait lan-

cer le jeu, puis se retirer discrètement pour laisser les enfants poursuivre entre eux. Elle était souvent relayée par Georges, un technicien de l'automobile en congé paternel. Avec lui, le bricolage devenait un grand art. Il faisait découvrir aux enfants la joie de faire. Cabanes, meubles, poteries, bijoux, circuits, tout y passait. Les plus grands l'assistaient lorsqu'il se livrait à des travaux d'entretien dans la maison. Etre « le compagnon de Georges » pour une tâche était une faveur que l'on se disputait. La passion de l'heure, c'était les modèles réduits d'avions que les aînés construisaient sous le regard admiratif des plus petits. Georges avait promis d'apporter des systèmes de télécommande.

Claude s'offrit à rester avec les enfants le samedi après-midi. En dépit de sa bonne volonté, l'expérience ne fut pas concluante. Il se retrouva perdu, maladroit, comme un nouveau venu dans une bande. Il découvrit qu'il ne savait pas jouer avec des enfants. Encore moins les faire jouer. Lorsqu'il tentait de lancer quelque chose, l'entreprise tournait court. Au bout d'un moment, chacun partait de son côté et il se retrouvait seul. Surveillant, mais non animateur. Cette découverte le laissa tout désemparé.

« Ils sont terribles ces gosses », confia-t-il le soir à Danièle. « Ils veulent faire des tas de choses et sont tout étonnés qu'on ne sache pas toujours leur dire comment s'y prendre. Il leur faudrait des animateurs professionnels. Pour un simple citoyen, ce n'est vraiment pas facile de les suivre. »

Danièle ressentait également cette gêne, mais elle évitait de la manifester, car c'était elle qui avait insisté pour qu'ils viennent s'établir ici. Il importait donc que la décision soit heureuse et que les inconvénients soient mineurs.

« C'est une autre éducation, voilà tout, décida-t-elle. Tu remarqueras que les enfants s'y font très bien et c'est l'essentiel. Frédéric et Christine ne jouent pratiquement plus avec leurs jouets. Je crois d'ailleurs qu'il faudrait en débarrasser leur chambre et les porter dans la salle de jeux. Pour le reste, mon chéri, c'est peut-être les parents qui ont été mal éduqués », conclut-elle en souriant.

Frédéric et Christine avaient une panoplie de jouets très complète, mais assez « rétro ». Ils entassaient pêle-mêle dans leurs coffres des tas d'objets miniaturisés, électronisés, automatisés qui reproduisaient fidèlement les objets des adultes. Appareils électroménagers, télévision miniature, véhicules les plus divers de la grue au sous-marin en passant par la voiture de course et la fusée, sans compter une foule de personnages qui riaient, parlaient, dormaient, pleuraient et s'habillaient comme de vraies personnes. Bref le triomphe du jouet automatique des années 80.

Claude et Danièle n'avaient pas suivi le grand mouvement de contestation dans les années 90. Des pédiatres, bientôt relayés par la presse et les media, étaient partis en guerre contre l'excès des jouets qui, disaient-ils, isole les parents des enfants et les enfants du monde. « L'enfant a besoin de jeux et non de jouets », c'était le nouveau slogan. On prônait l'amusement collectif du jeu, on condamnait le divertissement solitaire du jouet.

Ce mouvement avait progressivement influencé le comportement des parents. L'évolution avait été facilitée par celle de la famille. Le couple refermé sur lui-même, isolé dans son logement et voué à la perpétuité avait cédé la place à une organisation plus souple et plus collective. Des groupes organisaient leur vie en commun pour l'éducation des enfants, la répartition de certaines tâches matérielles, etc. Ce nouveau mode de vie avait considérablement ralenti la prolifération des jouets.

En dépit de la sympathie qu'il éprouvait pour sa nouvelle communauté, il arrivait encore à Claude d'être irrité par des comportements qu'il ne comprenait pas. Il avait été choqué de découvrir que les jouets de Christine et Frédéric avaient disparu de la salle de jeux sitôt qu'il les y eut apportés. Tantine surprit sa réaction et l'aborda avec un sourire malicieux.

« Ne les cherchez pas, Claude, c'est moi qui les ai mis au rancart. Je ne voulais pas vous vexer, mais je ne crois vraiment pas que les enfants aient besoin de tout ce fatras. D'abord il y en avait beaucoup trop. Cela donne aux enfants le sentiment que les choses ne valent rien. Comment leur expliquerez-vous demain que vous ne pouvez pas leur donner une véritable auto alors que vous leur en donnez tant de petites ? Ensuite, ces petites merveilles marchent toutes seules, ce sont des robots. Quelle part laissent-elles à l'imagination, à la création ? Croyez-moi, le plus beau jouet, c'est celui qu'on a inventé, qu'on crée soi-même. »

Claude dut convenir que Tantine disait vrai. Ces jouets, trop parfaits, lassaient très rapidement les enfants, c'est pour cela qu'il fallait constamment les renouveler. Ils étaient trop réalistes pour le monde imaginaire de l'enfance. En réfléchissant à sa propre réaction, il admit qu'elle était essentiellement économique. Il lui déplaisait que des objets ayant coûté un certain prix ne servent à rien. Que leur inutilité soit ainsi reconnue. Il en fit la réflexion.

« Je partage votre sentiment, enchaîna Tantine. Ce gaspillage me déplaît autant qu'à vous. C'est pour cela qu'il ne faut pas donner trop de jouets coûteux aux enfants. Car de deux choses l'une, ou bien ils en connaissent la valeur et n'osent pas jouer avec, ou bien ils l'ignorent et se voient reprocher de les avoir cassés. Les enfants doivent savoir qu'il existe un circuit économique, que les choses représentent un certain travail, mais, cela, c'est le monde des adultes. Lorsqu'ils jouent, en revanche, les choses n'ont que la valeur qu'on leur donne. Le prix de la casse c'est celui qu'ils attachaient à l'objet, pas l'étiquette du marchand.

« Tant qu'à vous donner des conseils, je vais abuser des privilèges de l'âge et vous en donner un de plus. Vous devriez regarder à la télévision « Amusons-nous », c'est très bien fait. »

Il s'agissait d'une émission de jeux destinée aux parents. On y révélait les mille et un secrets du jeu en forêt, du modelage, des marionnettes, du déguisement, etc. L'école des parents en quelque sorte. C'est de bon cœur que Claude et Danièle retournèrent à l'école.

En revanche, sa belle-mère ne put cacher son irritation en découvrant, le dimanche suivant, que les nombreux jouets offerts à ses petits-enfants avaient disparu. Danièle était sur le point de l'apaiser lorsque arrivèrent Christine et Frédéric. Ils n'eurent qu'un œil rapide pour les cadeaux apportés par leur grand-mère et se lancèrent dans un récit épique des jeux en cours dans la maison. Après quelques minutes, ils repartirent vers leurs copains en laissant dans le salon les nouveaux jouets qu'ils n'avaient même pas sortis de leurs boîtes.

Evolution inverse de la précédente, c'est ici le jeu qui l'emporte sur le jouet avec son double aspect créatif et collectif. On ne peut prétendre qu'il s'agisse de la tendance dominante à l'heure actuelle, toutefois on note déjà des réactions significatives qui, en s'amplifiant, pourraient nous conduire vers des situations de ce type dans une génération.

Suzanne Molho constate que l'on rencontre très souvent cette préoccupation nouvelle du jeu et non seulement du jouet. « En dehors même des communautés évoquées dans ce scénario, on peut en donner quelques exemples. Je pense, je l'espère du moins, que l'on ne construit plus de grands ensembles, de villes nouvelles, dans lesquels est oublié l'espace ludique pour l'enfant. Mais cette évolution même ne débouche pas toujours sur des résultats heureux. Trop souvent l'espace de jeu et les équipements correspondants sont pensés, rêvés par les constructeurs et coulés dans le béton, ce qui revient à imposer à l'enfant une certaine utilisation, un mode d'emploi de ces équipements. L'ensemble manque de plasticité.

« On constate alors que les enfants sont enchantés lorsqu'ils viennent en visiteurs, ils trouvent cela très joli, très intéressant, ils escaladent, grimpent, rampent, sautent, bref s'amusent. Mais, lorsque l'enfant est résident, qu'il devient l'utilisateur quotidien de ces installations alors... il va ailleurs. On le voit dans certaines villes nouvelles en région parisienne où les espaces de jeu sont délaissés rapidement au profit d'endroits qui n'ont pas encore un usage social reconnu ; les enfants piratent en quelque sorte des lieux destinés à un autre usage ou sans destination. C'est la récupération des terrains vagues, des chantiers, ou bien l'éternel problème des sous-sols et des caves. Quel enfant n'a pas rêvé de jouer au grenier plutôt que dans sa chambre !

« On aboutit à une sorte d'impasse. Mais, heureusement, on enregistre une deuxième tendance, qui est finalement déjà ancienne puisqu'elle nous vient des pays nordiques, c'est celle des aires de jeu beaucoup moins structurées. Un exemple typique est celui des terrains d'aventure et de toutes les constructions qu'ils permettent. C'est ainsi qu'à Paris, dans le quartier du Marais, des jeunes — mais les jeunes sont souvent un relais très utile entre l'adulte et l'enfant — avaient récupéré un terrain non encore reconstruit pour s'y amuser. Il est à noter que les réactions du quartier furent souvent défavorables : « C'est sale, c'est bruyant, c'est dangereux il s'y forme des bandes. » Enfin, vous voyez toutes les images classiques qui arrivent alors. Pourtant je crois que ce fut une expérience positive et que, pendant quelques mois, on a vu là des enfants heureux. »

De fait, cette renaissance — ou cette naissance — du jeu collectif se conçoit mal sans l'active participation des adultes. C'est ce que l'on voit dans le scénario. Les parents ont créé les conditions du jeu, c'est ce que l'on commence à voir dans certaines résidences. Jean-Claude Pâris a interrogé le responsable d'une association de locataires dans un immeuble parisien. Ce témoignage montre bien que des expériences semblables pourraient s'étendre rapidement.

« Nous nous sommes dit, explique ce responsable, que nous ne pouvions plus laisser les enfants sans aucun lieu d'accueil. Or il existait des locaux vides destinés à devenir des magasins. Nous avons décidé de les récupérer. La société propriétaire nous a heureusement donné son accord, et nous a financés pour équiper le local. Ainsi le Club d'enfants a-t-il commencé à fonctionner tous les jours de 17 à 19 heures et les mercredis et samedis après-midi. Cela permettait tout à la fois d'aider les parents qui travaillent et d'offrir aux enfants des activités amusantes et créatives.

— Les enfants aiment jouer ici ?

— Ils y viennent maintenant tous les soirs. Il y en a qui viennent depuis sept ans, pratiquement tous les jours. C'est donc que ça leur plaît. Vous avez vu qu'il y a tout à la fois, des ateliers et des salles de jeux. Les enfants sont libres de faire ce qui leur plaît. Ils ne viennent que s'ils en ont envie. C'est leur domaine. Et ils se le sont vraiment approprié puisqu'ils y viennent spontanément.

— Pourtant, il n'y a pratiquement pas de « beaux jouets » ici ?

— Non. Ils ne trouvent guère de jouets ici. Depuis sept ans, notre expérience nous a prouvé que ce ne sont pas les « beaux jouets » qui font les jeux merveilleux. Nous préférons leur donner de la matière pour qu'ils fabriquent eux-mêmes leurs jouets. »

Les enfants de cet immeuble reconnaissent qu'ils se plaisent mieux ici que chez eux, bien qu'ils ne trouvent pas de jouets. A la question : « Que trouves-tu comme jouets ici ? », un garçon de dix ans répond : « Il y a la poterie, la musique, l'anglais et la peinture »...

Mais l'invasion du jouet se fait dans une structure sociale bien précise et qui la favorise, c'est la famille réduite à trois ou quatre personnes et refermée sur elle-même. L'enfant se trouve bien souvent isolé, sans frères, sans cousins, sans camarades et le jouet devient un remède à la solitude. De ce point de vue, des formes de vie plus communautaires, plus collectives, comme celles qui sont évoquées dans le scénario, faciliteraient le jeu. Ce n'est donc pas par hasard que sont associés dans cette histoire une autre organisation sociale et un autre système ludique. Là encore, il s'agit d'une tendance encore marginale, mais qui pourrait se développer dans l'avenir. « On sent dans toute une fraction de la population, estime Suzanne Molho, une remise en cause de l'organisation familiale ou de la cellule familiale et, plus généralement, des rapports sociaux. Dans ces circonstances, on assiste au passage du jouet au jeu que vous évoquez. »

Le jouet n'est pas un simple gadget ni le jeu un banal divertissement. L'un et l'autre ont des racines sociales très profondes. Nul hasard dans le fait qu'un type d'organisation sociale favorise le jouet individuel et un autre le jeu collectif. Le problème n'est pas de choisir entre le jeu et le jouet, mais entre la société du jeu et celle du jouet.

COMMENTAIRE
GENERAL

Une fois de plus les incertitudes de l'avenir ne font que refléter les contradictions du présent. De fait, les relations adultes-enfants sont au cœur du malaise contemporain. Le métier de parents, le plus naturel de tous, est en passe de devenir le plus difficile, le désarroi s'étend, les démissions se multiplient, bref « on ne sait plus comment faire avec les enfants ». Selon que nous parviendrons ou non à surmonter ces difficultés, nos enfants se retrouveront dans le jeu ou se perdront dans le jouet, c'est ce que souligne Jean-Paul Charpentier : « Le jouet est un témoin de son temps ; en quelque sorte, il satisfait les besoins ressentis à un moment donné en fonction de la technologie disponible. Le fabricant peut s'efforcer d'ajouter un peu d'affectivité, de sentiment humain, mais il reste lié à son époque. »

Pour une société, il est bien des façons de considérer l'enfant. Elle peut n'y voir qu'un adulte en puissance, qu'une page blanche sur laquelle elle va imprimer le message culturel. Elle peut, au contraire, lui reconnaître une véritable personnalité qu'il convient tout à la fois de respecter et d'épanouir. Entre les deux, la tentation est toujours grande de plaquer sur l'enfance une vision d'adulte, d'en nier la singularité. Il existe de ce point de vue une troublante analogie entre la « mission civilisatrice » et la « mission éducatrice », et les interrogations des ethnologues sur la conduite à tenir vis-à-vis des peuples traditionnels reproduisent sur bien des points les controverses sur les relations adultes-enfants. A cette nuance près que certains en viennent à penser que le monde moderne ferait mieux d'oublier purement et simplement certains peuples primitifs sans prétendre leur faire franchir quelques millénaires en quelques années, alors que nul ne suggère de laisser les enfants sans aucune instruction. Il faut donc instaurer un rapport inégalitaire dans lequel une partie transmet les informations à l'autre sans pour autant étouffer les jeunes pousses sous le poids de la culture sociale. Ce n'est pas facile.

Jean-Paul Charpentier ne manque pas de faire remarquer que, dans les deux scénarios, se projette une vision adulte sur le monde de l'enfance. Dans un cas l'on utilise les moyens scientifiques pour donner aux jeunes générations une place qui prépare leur normalisation tout en assurant la tranquillité des aînés, dans l'autre on met en place un système de communauté largement fondé sur l'affectivité et dont l'apprentissage se fait à travers le jeu. « Il reste donc, conclut-il, lorsqu'on regarde les deux scénarios avec un peu de recul, que, de toute façon, que ce soit avec le jouet ou avec le jeu sans jouet — ce qui me paraît d'ailleurs difficile —, les adultes veulent imposer leur mode de culture, quel qu'il soit. L'un c'est l'électronique, la science. L'autre c'est la communauté, une amélioration de la communication. Mais, de toute façon, les adultes imposent quelque chose et, dans aucun des cas, on ne décrit des enfants créant eux-mêmes leurs jeux et leurs jouets. »

Cette influence déterminante de la société, cette impossibilité de saisir l'enfant dans son authenticité nue est également soulignée par Suzanne Molho : « Vous dites qu'on interroge des enfants, mais cet interrogatoire est déjà truqué. Ces enfants répondent aux questions avec un vocabulaire tout fait, déjà tout rempli des solutions sociales, économiques qu'on organise pour lui, en fonction de désirs qu'on se garde bien de définir d'une manière fondamentale. »

En dépit des outrances de certains qui voudraient que l'enfant, dès son plus jeune âge, soit traité en adulte et soit l'objet de rapports égalitaires dans la société, il reste que l'éducation implique nécessairement un projet et que celui-ci est défini par les adultes. Il en fut toujours ainsi. L'éducation est nécessairement l'apprentissage d'une société déterminée. La nouveauté réside bien plutôt dans la perception de l'enfant en tant que personne, la recherche d'une nouvelle relation dans laquelle l'adulte serait à l'écoute de l'enfant et pas seulement sur le plan affectif. C'est alors que tout se complique. L'éducation autoritaire et normalisatrice est simple. Elle n'implique de la part des parents qu'un minimum d'attention et de disponibilité. L'éducation relationnelle et personnalisée est infiniment plus difficile, plus exigeante. Pour en fuir les obligations, les parents recherchent les solutions de facilité. C'est la totale permissivité et/ou l'utilisation des jouets et de l'argent de poche. Sous prétexte de respecter la personnalité des chers petits, on s'abstient de les éduquer.

Il existe là une tendance puissante et qui risque de se développer dans l'avenir. Tout y contribue. L'élévation du niveau de vie qui offre d'autres distractions que le commerce des enfants, la fausse psychologie qui justifie la démission au nom du respect, le perfectionnement des « jouets éducatifs » qui prétendraient suppléer l'éducation parentale. Dans cette optique, le jouet prendrait une place de plus en plus importante.

Dès aujourd'hui, on constate cet « empoisonnement » des relations familiales par l'invasion des jouets-cadeaux. « La période de Noël, constate le docteur Claude Binard, est très néfaste, elle traduit l'irresponsabilité totale des parents dans la quantité des jouets que l'on donne aux enfants. Irresponsabilité, démission parentale, qui ressortent très bien dans le scénario. On y voit tout à la fois le petit Didier qui impose d'aller au « Bonheur des jouets » et les parents qui se rabattent sur des jouets programmés pour dégager leur responsabilité. En définitive, ce qui me paraît grave, c'est que les parents choisissent les jouets soit en fonction de leurs propres désirs, soit en fonction de ce qu'ils désirent pour l'enfant. Le monde des adultes intervient de telle façon dans le choix du jouet et même du jeu, que, quand on crée un espace de jeux pour les enfants, notamment dans les grands ensembles, la première chose qu'on fait c'est de mettre un gardien de telle façon que les enfants ne puissent pas l'utiliser à leur guise. »

Dans ses multiples perversions, le jouet permet de concilier une relative discrétion des adultes, qui pourrait traduire un respect de l'enfance, avec une normalisation renforcée qui est inscrite dans la conception même de l'objet. « Le jouet est une relation très importante entre celui qui donne et celui qui reçoit, et c'est en fait comme cela qu'on achète un jouet, note encore le docteur Binard. On arrive alors à une situation absolument aberrante dans laquelle les jouets sont conçus pour des enfants, mais achetés par des adultes ; à la limite, on évite que l'enfant puisse avoir une activité non programmée avec la chose qu'on lui a donnée. »

« Quand on pense que la technologie peut répondre aux désirs des enfants, conclut Suzanne Molho, c'est que l'on est déjà entré dans un langage impur vis-à-vis de l'enfant, que la relation est déjà investie par la société et que, finalement, la

Commentaire général

pression de consommation a peut-être déjà fait que nous n'écoutons plus vraiment le désir de l'enfant. »

Le jouet est typiquement un piège « moderne », c'est-à-dire correspondant aux tendances profondes économiques, psychologiques, sociologiques de nos sociétés. Les perversions de l'organisation sociale lui font en quelque sorte une place naturelle. C'est un piège redoutable et c'est pourquoi nous avons dû mettre cette inflation cancéreuse du jouet parmi nos scénarios du futur. Mais cette prévision négative n'implique nullement une condamnation globale du jouet, celui-ci est profondément sain, naturel et nécessaire.

« Si vous mettez des enfants dans une forêt sans aucun jouet, ils vont trouver des petits cailloux pour jouer aux osselets, ils vont dessiner des jeux de marelles, remarque le docteur Binard. C'est une activité créatrice, enrichissante pour l'enfant. C'est pourquoi il faut mettre à sa disposition des matériaux pour qu'il puisse créer quelque chose, des matériaux de bonne qualité, mais surtout pas trop fignolés, car plus l'objet est fignolé, moins il a d'utilité. »

De ce point de vue, l'évolution actuelle se poursuit dans plusieurs directions contradictoires. Si l'on voit apparaître des jouets de plus en plus sophistiqués, de plus en plus robotisés, on propose également des jouets conçus pour développer la créativité intellectuelle ou plastique de l'enfant.

« Il y a un certain nombre de jouets, à l'heure actuelle, constate le docteur Binard, qui sont conçus sur un système modulaire, évolutif, qui partent de matériaux de base comme le bois, mais également le plastique, le fer, l'acier et qui, suivant certains modules élémentaires, permettent aux enfants de développer toutes leurs activités d'imagination et de reproduction. »

N'oublions pas, enfin, que l'enfance est essentiellement évolutive et non figée : « L'univers des enfants étant tellement hétérogène, note Jean-Paul Charpentier, il faudrait bien faire attention à respecter les graduations pour répondre aux besoins des différents âges de la première enfance à l'adolescence. »

En définitive, la place du jouet est affaire d'équilibre dans le monde de l'enfance. « Ce qui me fait peur, avoue Suzanne Molho, c'est l'utilisation qu'on en fait. Point trop n'en faut. Et s'il faut respecter les âges des enfants, il faut également respecter l'alternance des rythmes de vie, des types d'intérêt que les enfants manifestent tout au long de leur enfance et dans la répartition de leur temps. Je crois que les jouets que l'on trouve à l'école — il me semble significatif que ces deux mots de jouet et d'école se marient désormais — ne doivent pas se retrouver à la maison, à la ludothèque ou chez les camarades. Il est également très important de ne pas prévoir *a priori* une utilisation à sens unique d'un jouet. »

Avoir des jouets qui se proposent à la création au lieu de s'imposer à l'utilisation, nous retrouvons là l'interrogation de base sur les rapports enfants-adultes. Le jouet sophistiqué, directif, que le progrès technique permet de réaliser, est très commode pour les adultes. Il permet une sorte de contrôle par robots interposés et permet d'esquiver le dialogue et l'investissement personnel indispensable si l'on veut que l'éducation ne soit pas un simple conditionnement uniforme et autoritaire de l'enfant. Cette éventualité représente un risque pour l'avenir.

Ce danger est aujourd'hui reconnu bien qu'il soit encore loin d'être conjuré. Nous savons qu'il faut dans notre société faire sa place au monde de l'enfance, lui donner un territoire de libre expression, tout en entretenant cet indispensable dialogue entre les aînés et les nouvelles générations. Plus important sans doute, nous découvrons les conséquences catastrophiques d'une démission plus ou moins justifiée sous prétexte « d'éducation moderne ». Bref, notre société est avertie. S'abandonner aux commodités d'un système qui « libère » les adultes des charges éducatives réserve de très graves mécomptes. L'expérience étant souvent le commencement de la sagesse, on peut espérer une évolution des rapports adultes-enfants qui assure un meilleur équilibre des nouveaux venus dans notre monde. Ce sont les perspectives que nos invités s'efforcent de dégager.

« Je pense tout d'abord, estime le docteur Binard, qu'il faudrait définir l'espace du jeu, car le jouet s'utilise dans un espace déterminé. Or les parents ne respectent jamais un espace de jeu pour les enfants. Aucun appartement ne fait place à cette nécessité. »

« J'ajouterai pour ma part deux choses, précise Suzanne Molho. La première est de savoir si l'on souhaite en l'an 2000 que les enfants puissent jouer d'une façon authentique. On doit souhaiter qu'ils puissent s'insérer dans des rapports sociaux. Je crois que c'est là l'espoir que l'on peut tirer du second scénario, et j'ajouterai une réflexion qui pourra être prise comme une réhabilitation du bon vieux jouet : c'est de laisser à l'enfant sa part de solitude, de jardin secret, son joujou bien doux qu'il va enfouir dans son lit, ce livre auquel il ne comprend rien, mais qu'il aime mordiller avant de s'endormir. »

Si l'on s'en tient aux faits, tous les moyens devraient être réunis pour qu'en l'an 2000 les enfants aient de meilleures conditions d'éducation. D'une part, la technique qui permet de tout réaliser dans le domaine du jouet, si elle peut déboucher sur le pire, pourrait également nous apporter le meilleur. Le progrès, qui fut souvent négatif, peut également se révéler très positif. N'en prenons qu'un exemple : l'apparition de matériaux bon marché et sans dangers : les plastiques. Voilà indiscutablement une innovation qui a permis d'améliorer le jouet. On pourrait en citer bien d'autres.

D'autre part, tout nous indique que, dans vingt ans, les adultes auront sensiblement plus de loisirs, ce qui devrait signifier plus de temps pour se consacrer à leurs enfants. Là encore il n'est pas évident que ce temps libre sera effectivement utilisé pour enrichir les relations parents-enfants, du moins la possibilité en est-elle ouverte.

Enfin les erreurs accumulées, tant en matière de jouet que d'exercice de la fonction parentale, portent peu à peu leurs enseignements. On voit déjà s'amorcer des réactions contre ces excès. Réactions encore bien timides. Du moins commençons-nous à comprendre que la vieille éducation autoritaire et normative et l'éducation « moderne » libérale et démissionnaire sont également condamnables. Nous ne faisons qu'entrevoir ce qu'il faudrait faire. A l'épreuve des faits et d'ici à vingt ans, il faut espérer que c'est le meilleur qui, progressivement, s'imposera et non le pire.

15. LA TÉLÉMATIQUE

Invité : SIMON NORA.

Télématique. Le mot a explosé dans l'actualité au début de 1978. La fusée porteuse était un rapport sur « l'informatisation de la société » rédigé par MM. Simon Nora et Alain Minc à l'attention du président de la République. Les auteurs avaient forgé le mot par contraction de Télécommunications et Informatique. Cette fusion linguistique préfigurait dans leur esprit la fusion des techniques. Traiter ou transmettre les informations : deux activités complémentaires. De fait, les ordinateurs peuvent être interrogés par téléphone, ils peuvent même dialoguer à distance, ils s'expriment sur des écrans de télévision, et leurs informations peuvent être captées dans tous les points du monde tout comme les images d'un émetteur de télévision relayé par des satellites : bref, informatique, téléphone, télex, télévision seraient appelés à fusionner dans des réseaux universels capables de livrer n'importe quelle information en n'importe quel endroit, réseaux actifs et pas seulement passifs, c'est-à-dire fonctionnant sur le mode conversationnel comme le téléphone et pas sur le seul mode passif comme la télévision. Prodigieux défi pour nos sociétés ! Qui seront les maîtres de ces réseaux ? Comment les souverainetés nationales s'accommoderont-elles du pouvoir télématique ? Quelles seront les conséquences de cette information généralisée sur les entreprises, le travail, l'emploi, l'organisation de la société et le comportement des individus ?

Une fois de plus, l'explosion d'une technique risque de redistribuer les cartes et de rompre les équilibres.

On peut imaginer des conséquences de deux ordres. Les unes politiques et géopolitiques, les autres socio-économiques, les unes impliquant les Etats, les autres les individus.

Sur le premier aspect a été construit le scénario : « LA GUERRE DES RÉSEAUX ».

. *Sur le second :* « JE SERAI COIFFEUR. »

Il reste également à s'interroger sur la place exacte que pourrait prendre la télématique par rapport à des techniques concurrentes. Car ici, comme dans bien d'autres domaines, le futur est trop riche de technologies et chacune sera limitée dans son développement par celui des autres.

Intervenants : JACQUES LEMONNIER, P.-D.G. d'I.B.M. France.

GILLES MARTINET, chargé du secteur Recherches au Parti socialiste.

LA GUERRE DES RÉSEAUX

5, 4, 3, 2, 1, allumage. Le haut-parleur se tut. Les flammes jaillirent. Un instant, qui parut interminable, la fusée resta immobile ; puis lentement, très lentement, elle commença à s'élever dans un silence majestueux. Henri Corbier, qui n'avait jamais eu l'occasion d'assister à un lancement, s'étonnait de ce silence lorsque le fracas des moteurs parvint à ses oreilles. Tout son corps fut saisi par ce grondement formidable tandis qu'*Ariane* prenait de la vitesse, de l'altitude. Elle ne fut bientôt plus qu'une flamme montant à l'assaut du ciel. Corbier se retourna vers Nika Komoto et lui fit un clin d'œil, le pouce levé. Son voisin inclina légèrement la tête avec un petit sourire satisfait. Une heure plus tard la satellisation de *Rétémo 1*, premier satellite du réseau télématique mondial, était confirmée. Pour Corbier, cinquante-trois ans, ministre français des Communications, l'enjeu était colossal : battre en brèche le monopole américain sur les télécommunications et l'informatique, bref sur la télématique comme on disait depuis 1978.

Au début des années 80, les Américains régnaient en maîtres. Monopole absolu sur les satellites grâce à leurs lanceurs, quasi-monopole sur les ordinateurs grâce à la toute-puissance d'I.B.M. Lorsqu'on avait créé les grands réseaux mondiaux pour faire dialoguer les ordinateurs, les principaux pays, notamment les pays européens, avaient accepté de se regrouper sous la houlette américaine. World Data Network, W.D.N,

consortium dominé par les firmes américaines I.B.M.
et American Telegraph and Telephone, A.T.T., était né
de cet accord ou de cette démission. Progressivement,
ces réseaux d'informations scientifiques, techniques,
commerciales, financières avaient pris une importance
décisive dans l'économie mondiale. Eux seuls pouvaient
donner aux entreprises cette dimension planétaire
indispensable à leur stratégie. Bien que W.D.N. soit
international, les géants américains organisaient à leur
guise les banques de données et les systèmes de transmission. Certains s'en plaignaient, mais nul n'avait les
moyens de s'y opposer.

Les Japonais avaient réussi une brillante percée dans
l'informatique. En 85, ils avaient reconquis leur marché
national et défiaient I.B.M. sur les marchés étrangers.
Mais ils dépendaient entièrement de l'étranger pour le
lancement de leurs satellites. Les Français avaient fait
le chemin inverse. Leur industrie des ordinateurs restait
fragile face à I.B.M., mais, grâce à leur fusée *Ariane*,
ils pouvaient lancer librement leurs propres satellites.
Techniquement, le lanceur était un succès. Commercia-
lement, la partie était loin d'être gagnée. Les autres
pays, et jusqu'aux partenaires européens, s'en servaient
davantage comme d'un moyen de chantage vis-à-vis des
Américains que d'un moyen de lancement. Bref la
France et sa fusée, les Japonais et leurs ordinateurs
n'empêchaient pas les Américains de dominer le marché
mondial de la télématique.

Henri Corbier s'était battu dès 81 contre ce monopole,
mais la France ne pouvait ni se passer d'un réseau
télématique ni créer le sien propre. Après avoir vainement cherché des partenaires en Europe, il avait rencontré Nika Komoto, le directeur de l'Agence japonaise des télécommunications. Les Japonais étaient
aussi désireux que les Français de ne plus dépendre
du seul World Data Network. Avec leur formidable
organisation mondiale, ils pouvaient créer et alimenter
un réseau concurrent, mais il leur manquait la clé de
voûte du système : le satellite. Corbier, qui n'était encore
que simple parlementaire, avait discrètement tissé les
fils de l'accord franco-japonais. Son coup de génie avait

été d'associer à l'entreprise l'autre géant américain, I.T.T., qui supportait mal d'avoir été exclu de la télématique par I.B.M. et A.T.T. Le réseau Rétémo fut créé par l'accord tripartite de 1984, et le 15 avril 1987 il se concrétisait par le lancement du premier satellite *Rétémo 1.*

La mise en place du nouveau réseau fut laborieuse, l'affaire risquait même de capoter lorsqu'en 1989 survint le divorce entre I.B.M. et A.T.T. W.D.N. se divisa en deux réseaux concurrents et Rétémo, poussé par le dynamisme commercial des Japonais, commença à prendre l'avantage sur ses rivaux.

C'est alors qu'éclata la querelle de la rétention. Les Américains accusaient les Japonais et leurs associés de ne fournir qu'au compte-goutte et avec retard les informations qui les concernaient. De ce fait, les réseaux américains étaient très insuffisants sur tout ce qui concernait le Japon. Grave lacune, car les Japonais et leurs partenaires asiatiques s'imposaient partout, tant sur le plan technique que commercial. Les Américains dénoncèrent cette concurrence déloyale, menacèrent d'utiliser des mesures de rétorsion. Vaine menace.

En 1994, quatre grandes administrations américaines et vingt sociétés parmi les plus importantes annoncèrent qu'elles conserveraient toutes leurs informations. La société américaine Telematic Service, qui alimentait le réseau Rétémo en informations américaines, attaqua cette décision devant la Cour suprême. Devenu ministre des Affaires étrangères, Corbier suivait toujours l'affaire du coin de l'œil, mais il doutait que Telematic Service puisse obtenir satisfaction. La Cour suprême ne pouvait reprocher à des sociétés américaines de faire ouvertement ce que leurs concurrents japonais faisaient clandestinement depuis bien longtemps. Le verdict du 7 novembre 1997 l'étonna profondément. Les administrations et les grandes sociétés américaines se voyaient condamner par la Cour suprême pour pratiques discriminatoires anticonstitutionnelles. Obligation leur était faite de fournir les mêmes informations aux différents réseaux. En Amérique, le verdict souleva un tollé général. Le sénateur

Bill Ailick dénonça à la tribune du Sénat « ces juges qui veulent obliger les Américains à montrer leurs cartes pendant une partie de poker ». Depuis 1990, le gouvernement fédéral avait abandonné les réseaux à l'industrie privée. Il dut pourtant s'emparer du dossier et faire pression sur le Japon pour que l'économie américaine ne se trouve pas désavantagée par cette décision de la Cour suprême. Corbier n'aimait pas le tour que prenait cette affaire. Il avait souhaité la concurrence, mais il redoutait l'anarchie et la guerre. Il invita son vieil ami Nika Komoto, l'inamovible directeur des télécommunications japonaises, à Paris.

Komoto était un gastronome. Il ne manquait jamais de rendre visite aux meilleures tables de la capitale lorsqu'il venait à Paris. Au terme de leur premier entretien, il demanda à Corbier de le conseiller dans son pèlerinage gastronomique. Le ministre avoua son embarras.

« Je dois confesser, cher ami, que je connais mal la gastronomie hormis les grands restaurants qui vous sont aussi familiers qu'à moi. Non. Le plus sage serait sans doute de vous fier à un guide gastronomique sérieux.

— Ah oui. Et quel est le meilleur guide ? demanda Komoto ».

A nouveau Corbier dut reconnaître son ignorance. Il promit de se renseigner et de le conseiller utilement lors de leur prochaine rencontre, le lendemain à 15 heures.

Le soir, avant de s'endormir, Henri Corbier repensa à cette question et fit le rapprochement entre la demande de Komoto et la guerre des réseaux. N'était-ce pas le même problème ? Tout le monde pouvait connaître les restaurants de la capitale, leur carte, leur cave, leur prix, leur service. Pourtant, les différents guides ne se ressemblaient pas et se faisaient une concurrence acharnée. En somme, ils ne se battaient pas sur l'information mais sur la façon de la traiter. Il se releva et jeta à la hâte sur le papier quelques notes, l'embryon de ce qui allait devenir la « doctrine Corbier ». Dans les jours qui suivirent, Komoto et Corbier préparèrent

un mémorandum qu'avec l'accord de leur gouvernement respectif ils soumirent aux différents pays inté-
réssés. Le principe de base était l'égal accès de tous les
réseaux aux informations. La concurrence devait porter
sur la façon de traiter l'information. La qualité des
services, des conseils rendus aux utilisateurs. La conférence sur les réseaux de télématique s'ouvrit en
février 1999, à Montréal. Corbier conclut le discours
introductif en affirmant : « Un réseau de télématique
n'est pas un service d'espionnage mais de traitement
de l'information. » Un large accord se fit sur cette
« doctrine Corbier », comme on disait, et sur le principe de l'information ouverte. Un Tribunal international fut même créé pour le faire respecter. Certains
avançaient déjà le nom d'Henri Corbier pour le présider.

Que l'informatique doive poursuivre son développement dans l'avenir, qu'elle doive envahir de nouveaux secteurs des activités humaines, que ses techniques soient appelées à se diversifier, bref qu'elle soit poussée par un formidable développement technique, c'est une évidence qu'impose l'histoire, pourtant si jeune, des ordinateurs.

Tout le monde sait que la révolution informatique est autant devant que derrière nous. Le rapport Nora-Minc a frappé l'opinion en mettant l'accent sur un aspect précis de ce développement ; la connectabilité. C'est-à-dire la possibilité de lier entre elles toutes les machines à traiter l'information, de la télévision au calculateur. Bref la mise en place de « réseaux pensants » pour reprendre l'expression de certains informaticiens. On assiste donc à une double évolution qui est au cœur de ce scénario. D'une part, le développement « traditionnel » de l'informatique conduit aux banques de données, d'autre part, l'interconnection de réseaux permet un accès universel à ces « mémoires électroniques ». Voyons cela.

L'interrogation à distance d'un ordinateur est une technique désormais classique. Il est absurde de se rendre physiquement près d'une machine, alors qu'un terminal très simple et une ligne téléphonique permettent, sans difficulté, d'effectuer l'opération à distance. Il est devenu banal de se brancher sur un ordinateur central depuis un grand nombre de points, souvent très éloignés. La distance ne fait plus rien à l'affaire, l'informatique a éclaté depuis un certain temps déjà.

Etant donné la rapidité du calcul électronique, la machine peut même dialoguer « en direct » avec de nombreux utilisateurs qui l'interrogent simultanément depuis des centaines, voire des milliers de kilomètres. Un peu partout on voit des agences, des bureaux, des succursales se brancher sur un centre de calcul.

En un deuxième temps, on peut interconnecter les ordinateurs mêmes au sein d'un réseau qui leur permet d'échanger des informations. Cette possibilité, qui multiplie à l'infini la puissance d'une machine, fait naître des inquiétudes pour la liberté des citoyens. L'interconnection des ordinateurs utilisés par l'administration ne donnerait-elle pas à l'Etat une puissance informationnelle écrasante pour les individus ?

Il suffit de poursuivre dans cette logique pour déboucher sur l'horizon télématique des réseaux universels. Car les techniques de télécommunications ne cessent de se développer et de s'unifier dans leur diversité. Au départ elles étaient divisées entre transmissions analogiques — dans lesquelles l'onde porteuse se module par analogie avec le signal — et numériques, dans lesquelles le signal est traduit en nombres que l'on achemine en binaire. Modulation d'un côté, impulsion de l'autre, l'impulsion prenant une importance de plus en plus grande. Dans l'avenir, de plus en plus de messages, téléphone, télévision, télex, seront acheminés sous forme d'impulsions élémentaires par tout ou rien. Exactement comme les données en provenance des ordinateurs.

De même voit-on se mettre en place des « routes électroniques » à grands débits qui peuvent également transmettre le « petit » message d'une conversation téléphonique et « le déluge d'informations » déversé par un gros ordinateur. Qu'il s'agisse de câbles coaxiaux modernes, de faisceaux hertziens, de fiches optiques, de rayons laser, de satellites, on peut désormais tout faire passer.

Si, enfin, nous considérons les organes de réception, nous voyons de troublantes convergences. L'écran électronique est le centre d'un terminal informatique tout comme celui d'un récepteur. Rien n'empêche de faire imprimer sur nos écrans des textes et des données et pas seulement des images. Bref, un même terminal, un peu plus compliqué, servirait indifféremment à la télévision classique ou à l'informatique.

Le rapport Nora-Minc annonce une fusion progressive des réseaux, jusqu'à présent conçus comme différents. Premier point essentiel : effacement de la frontière entre les télécommunications et la diffusion. Aujourd'hui, les réseaux télé-radio, univoques, sont parfaitement distincts des réseaux de télécommunication interconnectés pour permettre une communication bidirectionnelle. Là encore le développement des techniques, notamment en matière de commutation, permet d'envisager une généralisation des réseaux conversationnels. C'est-à-dire de systèmes dans lesquels l'usager ne sera jamais passif, mais aura toujours un canal d'émission pour envoyer ses ordres, ses questions, ses messages. C'est la voie ouverte pour la télévision à la carte, voire pour le visiophone, pour le terminal domestique permettant d'interroger quantité d'ordinateurs, etc. De cette fusion, on peut attendre une multiplication des services allant de l'impression des messages (journaux, tracts publicitaires, relevés de comptes, documentation) aux transactions (achats, réservations effectuées depuis un terminal-téléviseur à domicile). Tel est le premier défi télématique : le réseau universel, conversationnel, transmettant tous les messages à toutes les destinations.

Le second, sur lequel insistent les auteurs du rapport et qui se trouve au cœur de cette histoire, c'est la création de grandes banques de données. A mesure que matériel et logiciel se développent, l'ordinateur devient le centre d'un prodigieux savoir. Donc d'un pouvoir. « Une banque de données, explique Simon Nora, est une sorte de bibliothèque électronique parfaitement classée et tenue à jour, gérée par l'informatique et rendue accessible par la télématique. C'est, tout à la fois, la bibliothèque, le bibliothécaire, éventuellement le documentaliste, et le facteur. Tous les abonnés, entreprises, administrations, particuliers peuvent y accéder directement de n'importe quel point en se branchant sur le réseau. La puissance de calcul offerte par l'informatique permet de gérer les stocks d'information les plus importants. Bref, c'est la possibilité offerte à chacun, pour autant qu'on lui en donne l'accès, de se brancher sur le savoir et la mémoire du monde, de tout connaître de ce que l'on sait à un instant donné sur un sujet donné. »

On conçoit qu'une telle possibilité élargisse considérablement l'efficacité de l'action. Les réseaux télématiques peuvent devenir des enjeux de puissance. C'est ce que nous avons montré dans « La guerre des réseaux ». Ces conflits n'apparaissent qu'en pointillé dans l'actualité, car ces banques de données n'en sont encore qu'à leurs débuts. Si le principe en est simple, la réalisation ne l'est pas. Sitôt que la masse des données croît, que la diversité des informations augmente, les programmes de gestion deviennent horriblement compliqués. Qu'il s'agisse d'adresser correctement l'information, de bien tenir à jour le stock, d'effectuer les recherches, recoupements et traitements, le logiciel s'alourdit rapidement avec tous les risques de pannes et d'erreurs qu'implique ce gigantisme. Bref, il est faux de croire que l'ordinateur est, dès à présent, capable d'emmagasiner le savoir universel, d'accumuler les informations sur tout et tout le monde. Toutefois, les techniques se développent, les banques de données se multiplient et se perfectionnent à mesure qu'elles fonctionnent et que les techniques s'améliorent. Progressivement, on s'achemine vers des situations où elles représenteront des atouts de souveraineté importants pour les Etats.

Nous avons demandé à I.B.M. en raison de la place exceptionnelle qu'elle occupe dans l'informatique, de participer à ce débat et c'est pourquoi M. Jean Lemonnier, son P.-D.G., est parmi nous aujourd'hui. Le rapport Nora-Minc souligne que la Compagnie I.B.M. attache une très grande importance aux télécommunications. De cet intérêt témoigne sa participation à la Société S.B.S. dont une des préoccupations est d'obtenir de l'administration fédérale américaine le droit de faire lancer un satellite. Mais les moyens de communications sont désormais extrêmement variés et I.B.M. s'intéresse à tous ces moyens. Elle s'intéresse à la transmission des voix, des images et des données. Elle sera dès lors conduite à travailler en liaison de plus en plus étroite avec les organismes de télécommunications dans leur sphère traditionnelle d'activités...

Il ne s'agit pas de simples projets, car l'on sait qu'I.B.M. est impliquée tout à la fois dans les systèmes de commutation électronique et dans les satellites S.B.S. En vérité, le leader mondial de l'informatique, qui a fondé sa puissance sur de stricts objectifs commerciaux en évitant toute implication politique, est leader en matière d'évolution des techniques. Il lui faut étendre sa compétence aux réseaux télématiques pour, simplement, fournir, comme il l'a toujours fait, le service le plus complet à ses utilisateurs. Mais, à ce point, risquent de se poser les problèmes politiques que nous avons évoqués.

En effet, pense Simon Nora « la maîtrise des grands réseaux télématiques est un atout de souveraineté. Non seulement les pays qui n'y auraient pas accès perdraient leur compétitivité, mais, en outre, ceux qui les organiseraient contrôleraient inévitablement l'information. L'information est inséparable de son organisation et de son mode de stockage ». Ainsi la possibilité de recueillir l'information, de la stocker, de définir les systèmes, les codifications, les modes d'utilisation entraînent fatalement une puissance et une domination.

D'ores et déjà, on constate que les Américains — dont

I.B.M. n'est jamais que le meilleur champion — prennent une avance considérable dans la mise sur pied des banques de données et des réseaux, I.B.M. ne fournissant que les centres nécessaires à leur constitution et leur évolution. Ils contrôlent, pour le moment du moins, les satellites, les techniques des microprocesseurs, etc. Bref, la télématique naît sous le drapeau américain.

Rien toutefois n'est joué et c'est pourquoi ce scénario décrit un avenir à rebondissements. Sur le plan de l'informatique, comme nous l'indiquons, les Japonais ont lancé une très vigoureuse contre-offensive. Leur efficacité dans les techniques de pointe rend vraisemblable le redressement de situation envisagé. Sur le plan des satellites, c'est effectivement la France qui mène la contre-offensive. Le lanceur *Ariane*, européen certes, mais dont les Français sont les principaux promoteurs, peut battre en brèche le monopole américain sur les lanceurs. Le fait que cette fusée ait déjà été retenue par le consortium Intelsat, à dominante américaine, pour un premier lancement prouve la crédibilité de cette entreprise.

Bref, il ne fait guère de doute que l'ère des communications généralisées et de l'informatique planétaire ne sera pas une simple affaire commerciale comme furent les premières années de l'informatique. Tous les grands pays prennent conscience de l'enjeu et ne veulent plus admettre un *leadership* commercial américain conduisant à une domination de fait. Les grandes manœuvres de la télématique sont lancées. Américains, compagnies multinationales, pays européens et Japon, chacun joue à sa façon. Les péripéties de la bataille ne seront évidemment pas celles qui ont été imaginées ici. Nous tentons de faire de la prospective et non de la prédiction. La suite d'événements que nous avons imaginés illustre simplement les affrontements qui ne manqueront pas d'intervenir avant que ne se mette en place, difficilement, le nouvel ordre international qui devra régir l'ère de la télématique.

JE SERAI COIFFEUR

Le conseil d'administration fut pénible. Christine Saunières dut subir le feu croisé de ses directeurs qui dénonçaient ses atermoiements et des syndicalistes qui lui reprochaient sa précipitation. En définitive, il fut décidé qu'au prochain conseil, dans cinq semaines, elle proposerait un programme précis, daté et chiffré. Cette fois elle serait bien obligée de trancher.

Au cœur du débat : la modernisation de Beauvilliers. Situation paradoxale car l'usine n'avait que cinq années, situation prévue de longue date, car l'introduction des automatismes ne devait y être que progressive. C'est en 1992 que la direction du groupe avait chargé Christine, jeune ingénieur de trente-deux ans, de lancer la fabrication des télé-écrans. Il s'agissait de ces téléviseurs à écran plat qui devaient remplacer les récepteurs à tube cathodique lourds et encombrants. Les dispositifs marchaient parfaitement bien en laboratoire, ils se fabriquaient aisément dans des ateliers expérimentaux. Il s'agissait de faire le saut industriel. De produire les écrans par centaines de milliers alors qu'on en était encore à des cadences de quelques unités par jour. Un tel changement d'échelle peut réserver bien des pièges. C'est pourquoi Christine avait décidé que, dans l'usine de Beauvilliers, on commencerait par utiliser des techniques de fabrication très traditionnelles. Elle ne voulait pas prendre le double risque d'un produit nouveau et d'une fabrication nouvelle. Les robots n'interviendraient qu'en un deuxième temps. Lorsque tout fonctionnerait bien. Cette prudence lui avait permis de franchir sans encombre les premières années. La production avait démarré en 1995 et s'était développée sans trop d'incidents. Beauvilliers tournait bien et sortait de bons produits. Trop chers désormais. Car les Américains et les Japonais avaient automatisé leur production et s'apprêtaient à lancer sur le marché des télé-écrans de 20 à 30 % moins chers.

Sur le strict plan technique, le défi de la concurrence n'était pas très difficile à relever. Il suffisait de mettre en œuvre le plan prévu dès l'origine pour introduire les robots cybernétiques, passer en contrôle automatique et développer l'informatique dans les tâches de gestion. Les gains de productivité permettraient de réduire les coûts et de faire face à la concurrence. Oui, tout cela était simple. Mais la conséquence inévitable de ce plan serait une importante réduction des effectifs. L'usine complètement automatisée pourrait produire près de 600 000 télé-écrans par an avec seulement 235 personnes. Soit 310 de moins qu'aujourd'hui. Problème social classique, mais toujours aussi pénible.

La gestion du groupe était largement décentralisée et Christine Saunières restait maîtresse de ses décisions, mais la direction de l'usine était également décentralisée, en sorte que les différentes équipes avaient leur mot à dire. Ce parti pris, que rendait possible une large utilisation des petits ordinateurs, facilitait la gestion courante, mais alourdissait les procédures lorsqu'il fallait prendre de telles décisions.

La situation était à ce point banale, que les grands organismes mis en place pour y faire face n'étaient guère efficaces. La mutation était presque terminée dans le secteur industriel. Il était devenu courant de voir d'immenses usines avec deux ou trois vérificateurs se promenant parmi les robots, et quelques techniciens pilotant le tout depuis une salle de contrôle. La grande vague des réductions d'emplois dans l'industrie s'était abattue dans le années 80. Dans la décennie 90, elle balayait tout le secteur tertiaire. Banques, assurances, postes, administrations réalisaient d'énormes gains de productivité grâce à l'informatique, la bureautique et toutes les techniques associées. Ici les suppressions d'emplois se comptaient par dizaines de milliers, et tout l'effort des pouvoirs publics se reportait sur ce secteur. Christine avec son histoire de reconversion industrielle et ses 300 suppressions d'emplois paraissait un peu dérisoire et anachronique. Bref, elle devait se débrouiller seule. Malheureusement, les perspectives d'emplois restaient limitées dans la région de Beauvilliers.

Sitôt revenue de la capitale, elle se rendit à son bureau pour rédiger la note qu'elle avait préparée dans l'avion. Elle mit en marche son dactylmatic spécialement programmé pour comprendre sa voix et la traduire en texte écrit. A mesure qu'elle dictait, le texte correspondant apparaissait sur l'écran. Elle vérifiait que la machine ne faisait pas de fautes et, en cas d'erreurs, corrigeait en donnant des ordres à haute voix. Elle demandait au groupe de lui apporter un concours jugé indispensable pour réussir la modernisation sans provoquer de drames sociaux. Lorsque la note fut terminée, elle mit en route le système d'enregistrement-transmission. Instantanément, le document fut transmis au siège social à Paris et classé à Beauvilliers dans les archives magnétiques du secrétariat.

Depuis quinze ans, Christine se battait pour produire toujours plus, toujours mieux, toujours moins cher. Ce combat la passionnait. En revanche, elle était toujours autant affectée par les problèmes sociaux. C'est pourquoi elle rentra chez elle passablement énervée.

Pierre, son mari, un grand barbu ébouriffé, était installé devant son terminal audio-visuel. Il interrogeait la banque canadienne d'informations sociales sur certaines expériences originales conduites dans la banlieue d'Ottawa. A mesure qu'il précisait ses demandes, l'ordinateur canadien proposait des documents à consulter ou des personnes à interroger. Lorsqu'une référence lui semblait intéressante, il appuyait sur les touches d'impression et le document s'imprimait instantanément dans la télé-imprimante placée à côté de l'écran. Il interrompit son dialogue avec le Canada pour accueillir son épouse.

« Alors, ce conseil d'administration ?

— On a discuté mais il n'y a pas le choix », répondit Christine en se laissant tomber dans un fauteuil. « Si je ne le fais pas, on nommera quelqu'un à ma place. Pour le moment, il me reste 143 licenciements sur les bras. Quand tu auras fini avec la machine, tu me la laisseras, il faut que je demande au fichier de l'emploi s'ils peuvent me caser deux soudeurs de précision. On les avait oubliés dans les précédentes demandes. Au fait, tu as regardé le courrier ?

— Non, pas encore. Rien d'urgent n'a été signalé en tout cas », répondit Pierre qui retourna vers le terminal. Il composa son code postal et demanda le courrier. Les documents qui leur étaient adressés défilèrent sur l'écran. « La pub, la pub... », commentait Pierre en voyant la raison sociale des expéditeurs. A un instant, il appuya sur le bouton « Pause », l'image se figea sur l'écran. « Dumourier nous envoie son catalogue de vin avec ses prix, tu veux le garder ? » demanda-t-il. « Oui, j'aime mieux l'avoir sous la main », répondit-elle. Pierre fit imprimer le document. Il fit de même pour la « feuille quotidienne d'études sociales », la facture du carreleur qui avait refait la cuisine, et une invitation pour l'inauguration du salon électronique de Lyon. La lampe rouge au-dessus de l'écran s'allumant lorsqu'un courrier spécifié « urgent » leur était adressé, ils se contentaient généralement d'interroger la poste en fin de journée.

Christine jeta un œil à l'invitation, la rangea dans son sac, puis, avec un sourire las, demanda à son mari de lui servir un « tonic ». « Et alors, ces crédits, tu les as obtenus ? », demanda-t-elle.

Pierre Saunières était responsable de toute l'action sociale dans la partie sud de Lyon. Contrairement à sa femme, il avait choisi de ne vivre qu'avec les cas sociaux : familles en difficulté, personnes âgées, jeunes asociaux, etc. Lorsqu'il avait commencé son action, au début des années 80, ils n'étaient guère qu'une dizaine pour faire ce travail. Il dirigeait aujourd'hui 657 personnes allant du psychiatre à l'aide-ménagère en passant par des éducateurs, des assistantes sociales, des kinésithérapeutes et même des marionnettistes. La municipalité lyonnaise, seule responsable des services sociaux de la ville depuis la décentralisation de 1993, s'était inquiétée du gonflement des effectifs. Saunières ne manquait jamais de rappeler qu'en son domaine tout ce qui ne se fait pas d'homme à homme ne sert à rien. Il obtenait assez facilement gain de cause, puisque l'action sociale était considérée comme un secteur prioritaire pour la création d'emplois. Le budget adopté pour l'année prochaine permettrait l'engagement de 44 personnes supplémentaires.

Christine admettait mal qu'on doive licencier dans les secteurs productifs alors qu'on engageait dans les secteurs improductifs.

« En somme, conclut-elle, je me donne autant de mal à dégager des gens que toi à en engager.

— Cela me semble indispensable pour que le système tourne », observa placidement Pierre en tirant sur sa pipe.

Elle passa dans la chambre au fond du couloir et trouva son fils Daniel, quatorze ans, planté devant son télé-écran. Il jouait à une sorte de bataille navale avec l'appareil. C'était un service qu'on recevait sur le canal 28. Christine s'inquiétait de retrouver toujours son fils prisonnier de l'image électronique. « Tu ne peux pas faire autre chose ? », dit-elle en éteignant le télé-écran. « Es-tu allé au club hippique cet après-midi ? » Le garçon marmonna une réponse et finit par avouer qu'il n'était plus inscrit. « Quand j'ai voulu payer mon inscription du mois, ils m'ont dit que je n'avais plus rien sur ma carte », expliqua-t-il.

Comme tous les enfants, Daniel avait depuis l'âge de dix ans sa carte de banque qui était approvisionnée chaque mois en argent de poche. Une fois de plus, il avait tout dépensé avant le 20. Mais Christine refusait de lui donner plus d'argent. Elle commençait à le réprimander lorsque arrivèrent le fils aîné, Philippe, avec sa femme, Irène.

Philippe avait poursuivi, sans jamais les atteindre

tout à fait, des études d'esthétique. Finalement, il avait tout abandonné avant son doctorat pour passer un C.A.P. de plombier carreleur. L'année dernière, il avait fondé une coopérative avec quelques camarades dans la même situation. La gestion en était extrêmement simple, grâce à un ordinateur qui tenait la comptabilité, établissait les devis, les factures, gérait les stocks. Philippe travaillait assez peu. Il prenait un chantier par-ci, par-là. Juste de quoi satisfaire ses besoins, au reste fort modestes. Il utilisait son temps libre à peindre et ne désespérait pas de vivre un jour de sa peinture.

Irène travaillait dans un bureau d'informatique médicale. Elle avait participé à la mise au point de ces réseaux d'aide aux diagnostics — notamment à l'interprétation automatique des électrocardiogrammes — qui avaient si fort bouleversé les professions médicales.

Pendant le dîner, ils parlèrent à nouveau d'emploi et de profession. « Quelles seront les professions dans quinze ans ? » se demandaient-ils. C'est alors que Daniel annonça qu'il avait décidé d'être coiffeur. Ils se regardèrent, éclatèrent de rire, puis se mirent à parler coiffure. Ils constatèrent qu'effectivement c'était la profession, peut-être la seule, qui n'avait rien à craindre des robots, de l'informatique, et des gains de productivité.

Le développement économique se traduit par des gains de productivité, donc par une lutte contre le travail humain. Produire plus avec moins de travail, c'est l'impératif de la croissance. *A priori,* il est en totale contradiction avec l'exigence du plein emploi. Comment éviter un chômage massif alors qu'une machine effectue le travail qui nécessitait auparavant deux ou trois hommes ? La question n'est pas neuve. Elle se pose dès le premier stade du développement : celui de l'agriculture. Alors que, dans l'ère préindustrielle, la production des aliments mobilise pratiquement tous les hommes, les progrès de la productivité agricole permettent de réduire les agriculteurs de 80 à moins de 10 % de la main-d'œuvre totale. Historiquement, ces formidables gains de productivité n'ont pas « tué le travail ». Les hommes sont passés des champs à l'usine, de la campagne à la ville.

Puis les gains de productivité ont bouleversé tout le secteur industriel. Progressivement, irrésistiblement, nous allons vers l'usine automatique qui utilise l'homme comme concepteur, surveillant, réparateur et non comme simple exécutant. En dépit de la croissance attendue, l'industrie ne créera plus d'emplois. De nombreux secteurs en perdront même en dépit de leur expansion. C'est tout le drame de la sidérurgie.

A nouveau cette évolution a pu se faire, jusqu'à une époque récente, sans entraîner de chômage. Le travail supprimé dans la production se retrouvait dans les services. Toute l'industrie de l'information : banques, bureaux, secteurs commerciaux, assurances, recherche, médecine, enseignement, etc., employait de plus en plus de monde, car les gains de productivité y étaient fort limités.

Avec la généralisation de l'informatique, des gains fantastiques de productivité deviennent possibles dans ce secteur, comme hier dans l'agriculture et aujourd'hui dans la production. Le rapport Nora-Minc illustre de façon saisissante ces perspectives.

Les auteurs citent cinq secteurs dans lesquels des gains de productivité considérables deviennent possibles à brève échéance : la banque, les assurances, la Sécurité sociale, la poste, les activités de bureau. Pour des services égaux, on peut imaginer des réductions d'effectifs dépassant 25 %. Dans sa première version, l'informatique bancaire a créé beaucoup d'emplois : perforatrices, correcteurs, programmeurs, etc. Avec les nouvelles techniques reposant sur une abondance du calcul électronique devenu très bon marché, beaucoup de ces fonctions pourront être supprimées. Il s'agit bien souvent d'emplois fastidieux et guère enrichissants, de ce point de vue l'évolution paraîtra heureuse, mais il n'en reste pas moins qu'un emploi est un emploi et que, quantitativement, la main-d'œuvre diminuera. Il en ira de même avec les terminaux de plus en plus évolués, de plus en plus faciles d'emploi qui finiront par être mis directement à la disposition du public. C'est le guichet automatique qui menace les emplois les moins qualifiés de relation avec le public pour les opérations de routine. Enfin plane l'espoir ou la menace de la monnaie électronique, c'est-à-dire la carte-argent, grâce à laquelle les transactions se traduisent par un simple échange d'information sans émission de chèque. Là encore on sait que le traitement des chèques représente aujourd'hui un énorme travail. Si se développait un secteur « sans argent et sans chèque », comme disent les Américains, des milliers d'emplois pourraient être remis en cause.

Ces vues sont si peu futuristes que MM. Minc et Nora notent que : « Les grandes banques riches en guichets sont hostiles à la monnaie électronique. » Elles savent trop qu'elles risqueraient d'y perdre des positions acquises et de se retrouver face à des problèmes sociaux que préfigurent les grèves du printemps 79. Ainsi le retard de la monnaie électronique évoquée dans ce scénario ne correspond pas à une insuffisance des techniques, mais à une inertie de la société.

Il en va de même pour les assurances dont les auteurs du rapport déclarent que : « S'estimant peu capables de faire face aux réactions du personnel, certains ont mis un moratoire sur l'installation de leur système télématique. » Quant à la Sécurité sociale, on sait qu'elle ne tire encore qu'un parti très limité de l'informatique, car cet organisme tripartite est, de nature, particulièrement lourd et rétif aux gains de productivité. Gageons que la nécessité de faire des économies poussera à un développement de l'informatique. Restent les activités de secrétariat qui occupent 800 000 personnes en France et subissent de plein fouet la révolution des machines à écrire intelligentes capables de traiter non seulement les textes, mais aussi de les écrire.

On le voit, les gains de productivité, qui se poursuivront dans l'industrie et s'étendront au secteur des services, vont constituer le problème majeur des vingt prochaines années. Ils supposeront une réorganisation profonde de la société afin que se poursuive le double mouvement suppression-création d'emplois. Avant le rapport Nora-Minc, l'ordinateur paraissait surtout être une menace pour les libertés ; après ce rapport, il est apparu comme une menace pour l'emploi. En effet, le public est toujours sensibilisé aux réductions de main-d'œuvre qu'entraîne la productivité, et non au développement d'autres activités qu'elle permet. Précisément, nous avons voulu insister dans cette histoire sur la complémentarité entre gains de productivité dans certains secteurs et création d'emplois dans d'autres. Car les gains de productivité doivent enrichir la société et multiplier les occasions de travail : « Je ne crois pas qu'il y ait aujourd'hui beaucoup plus de conducteurs de locomotives qu'il y avait de cochers de fiacre, mais le fait qu'on ait des locomotives permet certainement de développer dans d'autres secteurs des activités qu'on n'imaginait pas du temps de la marine à voile ou des cochers de fiacre. »

Effectivement, dans notre histoire, ce sont des activités nouvelles qui se développent, des activités qui restent aujourd'hui marginales. Mais il est clair que la forte productivité des secteurs primaires et secondaires permet seule de se payer ces services sociaux. En ce sens, l'informatique peut être considérée comme la chance de l'emploi, estime Simon Nora : « Aujourd'hui, toute politique un peu active de l'emploi est bloquée par la crainte du déséquilibre extérieur. Or, l'informatique et toutes les techniques associées, de la robotique à l'organisation, qui permettent d'effectuer des sauts de productivité, peuvent aider à résorber le chômage, car, en accroissant la compétitivité de notre industrie, elles font sauter ce goulet d'étranglement que constitue le commerce extérieur. Si nous devenons plus productifs, donc plus compétitifs, donc plus exportateurs, nous pourrons relancer une véritable politique de l'emploi. Non seulement l'informatique n'est pas un facteur de chômage, mais c'est encore une condition de la lutte active contre le chômage. »

Ne nous faisons pas d'illusions, la lutte sera d'autant plus dure que tous les pays réagissent comme nous. En ces temps de rude concurrence économique, tout le monde veut domestiquer l'informatique pour se gagner des marchés à l'étranger. De ce point de vue, l'informatique risque de n'être même plus un choix. Elle est indispensable pour le simple maintien des positions sur le marché mondial.

Bref, toutes les sociétés seront contraintes à utiliser les gains de productivité permis par les progrès de l'informatique. Il leur restera à conduire une politique très délicate pour créer ailleurs les emplois qui disparaîtront là. Outre les nouvelles activités — et pas seulement à finalité sociale —, on devra peut-être envisager une nouvelle attitude face au travail, celle qu'illustre Philippe dans le scénario. Mais il s'agit de s'offrir du temps libre avec les gains de productivité et non de cumuler un demi-travail avec les rémunérations d'une occupation à temps plein.

L'autre aspect important de ce scénario, c'est la décentralisation. Entreprises, villes vivent sur une échelle plus réduite, les décisions se prennent plus près de la base, alors que tout le monde vit « câblé » dans des réseaux télématiques.

« Le très grand ordinateur, tel qu'il avait été pratiqué depuis sa naissance, entraînait une structure très hiérarchisée et centralisée. Le fait nouveau est que les nouvelles techniques, notamment avec le développement de petits ordinateurs et de terminaux « intelligents », permettent la décentralisation et, si on le souhaite, la facilité. Elle ne se fera certainement pas toute seule, mais, si la société décide de se décentraliser, elle en possède désormais les outils. »

Il reste que les nouveaux secteurs d'activité ne se développeront pas dans le modèle socio-économique classique. On ne passera pas de la société actuelle à un monde d'équilibre autour de la télématique par les mécanismes quasi automatiques qui permirent de passer de l'ère agricole à l'ère industrielle.

« Nous aurons une société très diversifiée dans ses activités et ses structures, explique Simon Nora. Il subsistera de très grandes entreprises recherchant la productivité et la rationalisation à travers les grosses unités qui permettent des « économies d'échelle et des rendements croissants », comme disent les économistes dans leur jargon. Mais, à côté de ce secteur, les petites entreprises seront plus que jamais vivantes et créatrices. Et puis se développera un secteur de services collectifs : transports en commun, enseignement, santé, etc. Dans ces domaines, une très large décentralisation rapprochant toujours la décision des citoyens permettra seule de répondre aux désirs de la population. Ainsi la société qui saura faire un usage utile de ces gains de productivité ne ressemblera que très peu à la société hiérarchisée et colbertiste que nous connaissons. »

On le voit, il s'agit bien d'un défi pour nos sociétés et pas seulement économique ou technique. Un dernier aspect, et non des moindres, sera la dimension humaine et culturelle. La multiplicité des services offerts par les réseaux télématiques permettra, à la limite, de vivre sans plus jamais sortir de chez soi, sans avoir le moindre contact humain. Les machines à communiquer apporteront la distraction, l'information totale et même le travail à domicile. Un écran-terminal par chambre donnant accès également à des cinémathèques automatiques, à un réseau interpersonnel de visiophonie, à des dizaines de chaînes de télévision permanentes et spécialisées, à des magasins, des administrations, des centres de soins ou d'enseignement, sans compter l'impression à domicile de tous les documents et les paiements par monnaie électronique depuis son domicile, quel besoin aura-t-on encore de se déplacer, de rencontrer des gens, de communiquer d'homme à homme ? Ce n'est pas là le moindre piège de cet univers où la communication généralisée pourrait déboucher sur la solitude pour tous.

COMMENTAIRE
GENERAL

Le développement rapide, la généralisation de l'informatique ne font aucun doute, l'extension des télécommunications non plus. La plupart des techniques nécessaires sont déjà au point ou dans leur phase de développement industriel. Le progrès entraîne d'importantes diminutions de prix qui favorisent la démocratisation des services ; en outre, ces techniques étant peu consommatrices d'espace ou d'énergie ne buteront pas sur des obstacles d'ordre écologique — au sens le plus large du terme — susceptibles d'en entraver le développement. On ne risque rien à parier, j'oserais presque dire à prophétiser, en ce domaine. Nous savons qu'en l'an 2000 la logique électronique sera infiniment plus répandue et que les télécommunications offriront toute une gamme de nouveaux services. Mais cet accord fondamental, loin de clore le débat, soulève une foule de questions et impose une série de choix.

En effet, le foisonnement des techniques ouvre toute une série de futurs possibles et contradictoires. On ne pourra tout faire en même temps. Certaines techniques seront peu ou pas exploitées, des systèmes seront préférés à d'autres et la mise en œuvre de ce progrès pourra se faire dans des optiques fort différentes. Le rapport Nora-Minc a mis l'accent sur l'importance des grands réseaux et de l'interconnection généralisée. Dans cette optique, les petites machines, qui connaissent aujourd'hui un développement spectaculaire, devront être branchées sur les grands systèmes pour connaître leur pleine efficacité. Elles seront un peu comparables à nos robots électroménagers qui, hormis quelques très petits appareils fonctionnant sur piles, se branchent sur le grand réseau distributeur d'électricité. De même, les petits ordinateurs puiseraient aux grands réservoirs d'informations pour accomplir leur travail spécialisé.

C'est une conception de l'avenir informatique, mais qui n'est pas la seule concevable, il faut le dire. Certains théoriciens de l'informatique, tel Bruno Lussato, s'opposent à une telle évolution. Non sans arguments. Contre l'option télématique, ils font valoir que ces gigantesques réseaux poseront des problèmes techniques extrêmement compliqués au niveau de la connection et de la gestion. Ne fera-t-on pas des monstres fragiles qui seront toujours à la merci, soit d'une panne, soit d'un chantage ? L'informatique centralisée offre à un petit groupe de techniciens un outil de pression extrêmement efficace. Les grandes banques en ont fait l'expérience. Qu'en serait-il à l'échelle de toute une société ? Deuxième critique : la constitution de tels ensembles, si même elle permet théoriquement la décentralisation, posséderait une logique propre poussant en sens inverse. Bref, cela nous conduirait inévitablement à la société toile d'araignée d'où le centre innerve et commande tout le territoire. Enfin, font remarquer ces critiques, l'instantanéité de l'information que permet la commutation n'offre d'intérêt que dans un nombre limité de circonstances. Il n'est pas toujours nécessaire d'être informé au jour et à l'heure. Or, ces réseaux interconnectés coûteront fort cher. La transmission et la commutation ne sont nullement gratuites. Dans ces conditions, ne vaudrait-il pas mieux utiliser des systèmes plus autonomes et plus légers que ces monstres tentaculaires ?

Car, et c'est le deuxième point, le progrès n'est pas unidirectionnel. S'il est vrai que le développement actuel et prévisible des techniques rend possible la construction de ces grands réseaux, il est vrai également que l'on voit apparaître de petits systèmes, à très bas prix, possédant d'énormes capacités de mémoire et de calcul. Tout le monde connaît désormais l'effondrement des prix en matière de logique électronique. « A puissance égale, notent MM. Nora et Minc dans leur rapport, un composant qui valait 350 francs il y a dix ans vaut actuellement 1 centime. Si son prix avait connu une évolution comparable, la Rolls la plus luxueuse coûterait aujourd'hui 1 franc. » L'observation vaut également pour les mémoires. Pour ne prendre qu'un exemple, le vidéodisque, dont on parle aujourd'hui beaucoup pour la télévision, ouvre des possibilités fantastiques en ce domaine. Sur un seul disque, reproduit à très bas prix, on pourra stocker une bibliothèque. Dans ces conditions, disent les partisans de l'informatique répartie, ne vaut-il pas mieux répandre les mémoires comme on répand les livres, au lieu de miser sur des réseaux d'approvisionnement compliqués, coûteux et fragiles ?

Dans leur rapport, MM. Nora et Minc ont beaucoup insisté sur les risques de centralisation qu'impliquait la télématique et sur la nécessité de l'utiliser dans une optique de décentralisation. Les opposants pensent qu'il ne suffit pas de préférer les petits ordinateurs branchés sur les réseaux aux simples terminaux, et les systèmes déconcentrés ou décentralisés aux architectures centralisées, c'est au principe même des grands réseaux et des branchements qu'ils s'attaquent. Entre les uns et les autres, comment peut-on envisager un futur vraisemblable ?

Qu'il soit nécessaire de faire communiquer des ordinateurs, de transmettre des données, c'est une évidence, déjà reconnue par la mise sur pied, en France par exemple, du réseau Transpac. Le tout est de savoir si ces réseaux seront strictement limités à certaines applications pour lesquelles ils sont indispensables : réservation des places dans les compagnies aériennes, par exemple, ou s'ils s'étendront à la plupart des activités. Entre la multiplication des centres autonomes et l'intégration dans les grands ensembles, des choix seront à faire. Face à cette alternative, la télématique possédera un atout non négligeable : celui de disposer, en tout état de cause, des réseaux de télécommunication. On voit progressivement se mettre en place les nouvelles télécommunications : la télévision par câble avec des possibilités conversationnelles, les différentes formes de télex, la visioconférence ou la visiophonie, etc., ces nouvelles télécommunications s'articulent autour de réseaux puissants à grands débits et compatibles avec la télématique. La tentation sera grande d'utiliser les structures en place, voire de les rentabiliser en étendant leurs services dans le secteur informatique. Bref, il existe bien un fait télématique qui prendra plus ou moins d'extension, mais qui, amplifiant la bataille, inévitable celle-là, des télécommunications, débouchera sur des conflits de puissance et de souveraineté. Au niveau des télécommunications, le conflit est déjà bien engagé entre les Etats-Unis, maîtres du ciel — pour l'Occident en tout cas —, et leurs partenaires occidentaux. Qu'en sera-t-il pour les réseaux télématiques ? Jacques Lemonnier pense qu'il y a, d'une part, les constructeurs qui fournissent des matériels et des logiciels et, d'autre part, des utilisateurs qui sont responsables de l'outil fourni et qui, en particulier, constituent des bases de données, et enfin des sociétés qui dépendent directement de l'Etat et qui réglementent les communications, telles les P.T.T. en France, et dont nul n'a le droit de contester le rôle et le monopole. Tous doivent coopérer pour faire avancer le bon usage de l'informatique sous le contrôle du législateur. Il poursuit : « Je crois qu'il y a trop souvent confusion dans les esprits entre constructeurs et utilisateurs. Pour mieux faire comprendre le rôle de chacun, je prendrai une comparaison simple, je dirai que le monsieur qui fabrique un appareil de photo n'est pas le même que celui qui prend la photo et qu'il n'exerce aucun contrôle sur ce dernier. La photo appartient au second, pas au premier. Le transporteur de données est obligatoirement neutre. Comme le sont, par exemple, les P.T.T. Dans tous les pays, d'ailleurs, les transporteurs sont neutres. Ils transmettent l'information, ils ne la contrôlent pas. Les P.T.T. françaises ne vont certainement pas décider de couper les communications avec l'Allemagne ou l'Italie, sous prétexte qu'on voudrait nous prendre nos secrets ! C'est pourquoi je ne vous ai pas suivi lorsque les scénarios parlaient de rétention de l'information. Je ne pense pas qu'il y aura guerre des réseaux, blocage de l'information. J'irai même plus loin, je pense que la multiplicité des réseaux produira l'effet inverse. La télématique n'est que l'explosion des échanges d'informations. Je crois que cela réunit au lieu de diviser ; toutes ces personnes, ces entreprises qui échangeront des informations à travers le monde créeront des liens entre elles. »

Ainsi, pour Jacques Lemonnier, la mise en place des réseaux est une technique neutre qui n'influence en rien le contenu même des messages et qui ne confère aucun pouvoir particulier. Gilles Martinet pense, au contraire, que la maîtrise des lignes de communication est bien un enjeu de souveraineté : « En vous écoutant citer l'exemple des P.T.T., je me posais la question suivante : et si j'avais envie, en France, de faire une radio qui concurrence France-Inter, ne buterais-je pas sur un obstacle ? Vous voyez donc que la puissance publique ne se désintéresse nullement des voies de communication actuelles, pourquoi se désintéresserait-elle des voies, combien plus puissantes, de l'avenir ? Cet intérêt prouve bien que la puissance conférée par la maîtrise des réseaux n'est pas négligeable ou mineure. »

Pour Gilles Martinet, l'évaluation de l'avenir télématique est inséparable d'un projet de société et d'un contexte géopolitique. « Votre scénario repose sur un certain état du monde dans lequel les Français sont amenés à s'allier aux Japonais, etc. Mais sommes-nous assurés que la situation géopolitique sera encore celle-là en l'an 2000 ? Dans vos scénarios, il est impossible d'intégrer le facteur politique car il ne peut pas se calculer. Lorsqu'on parle de la décentralisation, par exemple, il est tout à fait vrai que la télématique peut également favoriser le centralisme et la décentralisation. Mais tout dépend des institutions qui favoriseront soit les décisions d'un type, soit celles de l'autre. Les deux sont également possibles, mais cela dépend du type de société dans lequel nous nous intégrerons, c'est-à-dire fondamentalement du choix politique qui aura été fait. L'orientation que prendra la télématique ne fera que suivre ce choix fondamental.

« Je note encore que l'on attend de l'informatique et de la télématique une compétitivité accrue de notre industrie, donc un accroissement de nos exportations. Mais nous ne sommes pas les seuls à faire un tel calcul. Tout le monde veut exporter davantage. Alors on vend partout des usines clefs en main, on installe des unités de production dans le Tiers Monde, qui sont elles-mêmes destinées à l'exportation. Tout cela ressemble à une fuite en avant généralisée. N'oublions pas, enfin, l'Union soviétique, qui est absente de ces scénarios, mais qui n'est pas une puissance mineure sur le plan technologique. N'oublions pas qu'elle possède, et depuis longtemps, ses propres satellites de télécommunications.»

Le fait même de mettre en œuvre un réseau, opération purement technique, est effectivement neutre sur le plan politique. En revanche, un éventuel monopole sur les voies de communications n'est pas inoffensif. Les Américains l'ont bien fait sentir en limitant strictement l'utilisation du satellite *Symphonie* par les Français et les Allemands pour maintenir la domination du système Intelsat. Attitude naturelle de leur part : nul ne souhaite voir remise en question sa suprématie. Ce qui peut être encore plus grave à terme, c'est la mainmise sur les banques de données, comme l'explique Simon Nora : « Le jour où tel historien écrira l'histoire de France à partir des banques de données du *New York Time,* le poids des événements, la mémoire historique s'en trouveront modifiés. La simple façon de structurer les données leur imprime une marque particulière. Cela ne signifie pas qu'il faille pratiquer un nationalisme naïf, et créer dans tous les domaines des banques de données purement nationales. Mais je pense qu'il faut être attentif au développement en France et en Europe de telles banques. Afin qu'en certaines matières les catégories, les classements, les hiérarchies de l'information correspondent bien à notre vision. C'est une nécessité pour préserver notre identité culturelle. »

Jacques Lemonnier fait remarquer qu'au XVIIIe siècle déjà, la coiffure paraissait menacée de chômage par l'utilisation de plus en plus répandue des perruques, et que beaucoup de coiffeurs s'étaient alors reconvertis, en particulier dans un métier nouveau : le calcul des tables de logarithmes... En fait, les gains de productivité doivent enrichir la société et multiplier les occasions de création d'emplois : on parle, par exemple, dans les banques, de l'automatisation de certaines tâches. Mais comment les chèques pourraient-ils exister sans cette augmentation de la productivité due à l'informatique ? Combien d'emplois ce support a-t-il permis de créer ? Qui avait pensé à la carte de crédit et aux emplois induits grâce à cette télématique ? La productivité est une condition nécessaire à la compétitivité et, par là même, à la création d'emplois. C'est un outil de lutte active contre le chômage, et l'informatique, loin d'être structurante, comme certains l'ont dit, sait s'adapter à toute forme d'entreprise et de société et, de plus, peut évoluer en fonction des besoins. Chaque fois que des problèmes se posent, c'est qu'il se produit la conjonction brutale de phénomènes extérieurs : demande ou concurrence, et d'un retard dans les efforts de modernisation. Pour éviter de telles difficultés en l'an 2000, il faudra surtout que la prévision ait fait des progrès suffisants et que les aménagements se fassent en anticipation sur l'événement et non en réaction à une crise. Ces reconversions sont particulièrement graves lorsqu'elles se font « à chaud ». C'est le cas aujourd'hui pour de nombreuses entreprises. Il reste à prévenir les crises de l'avenir en ne se laissant pas surprendre par les événements. »

Pour tous les intervenants, il est clair que la télématique laisse le futur ouvert. Elle reste un outil, un moyen, tout va dépendre de l'utilisation qui en sera faite. Constatation banale, mais qui devient essentielle dans la mesure où, comme le constate Simon Nora : « Elle va tout à la fois contraindre la société à bouger et lui permettre de le faire. » Pour Gilles

Martinet, c'est la société qui modèlera la télématique et non l'inverse : « Si nous ne procédons pas à une véritable décentralisation à tous les niveaux, nous tomberons dans tous les pièges de la centralisation télématique. »

L'ordinateur a fait naître bien des peurs, notamment en ce qui concerne les libertés individuelles. Il en suscite d'autres avec les perspectives de la télématique. Une chance nous est donnée, c'est que ces craintes se manifestent avant la mise en œuvre complète de ces techniques. Il devient donc possible d'aménager la société pour corriger les effets pervers de ce progrès. Mais il ne nous reste que très peu de temps pour le faire.

LE PARTI PRIS DE L'AVENIR

« En définitive, êtes-vous optimiste ou pessimiste pour l'avenir ? » Question inévitable, question piégée. Il est naturel de la poser au prophète. Pour lui, l'homme n'est que le jouet du destin. L'avenir est écrit, de toute éternité, et la prédiction n'est qu'une prélecture. Qui peut effectivement inciter à l'optimisme ou au pessimisme.

Le prévisionniste, lui, explore un avenir qui n'existe pas, un champ du possible infini comme le ciel et dans lequel on ne voit jamais que les plus brillantes lumières. C'est en quelque sorte la matière première de nos lendemains. L'action humaine, en prenant telle voie plutôt que telle autre, en subissant ici et refusant là, va réaliser certains de ces futurs virtuels, faire disparaître les autres. C'est l'histoire de demain qui combinera en proportion indéterminée le pire et le meilleur. Tout cela incite-t-il au pessimisme ou à l'optimisme ? Pour répondre, il faudrait avoir fait l'inventaire complet de nos avenirs. Fort heureusement, c'est impossible. Il y a toujours plus de choses devant l'homme que dans son esprit, plus d'invention dans la réalité que dans l'imagination. Ce vaste champ d'exploration n'est jamais uniformément négatif. Le spectre des futurs, comme nos scénarios, s'étend du noir au rose avec toutes les teintes intermédiaires. C'est la richesse de l'indétermination. Elle interdit tout jugement binaire entre le bon et le mauvais.

Mais il y a plus. Cette alternative simpliste nous ramène insidieusement au vieux fatalisme. A la dépossession de l'humanité. L'histoire « suivrait son cours », comme l'on dit des maladies sans espoir. Et l'homme, spectateur de son propre destin, chercherait dans quelque divination modernisée des raisons d'optimisme ou de pessimisme.

En vérité, l'humanité n'est pas plus étrangère à son histoire que le malade à son mal. De même que la volonté de guérir peut devenir le premier facteur de guérison, la confiance dans le succès peut infléchir le cours des événements. Cet avenir virtuel est terriblement fragile. Le regard qu'on y porte suffit à le changer. Soyez pessimiste, vous vous donnez une raison de l'être. Votre appréciation manipule le futur du seul fait qu'elle lui donne une réalité.

Parce que notre civilisation — à tort ou à raison il n'importe — refuse les destins préfabriqués, parce qu'elle prétend prendre en main son devenir, elle fait du pessimisme un piège mortel. Si nous admettons que rien n'est joué, que les choses seront ce que nous les ferons et que les lendemains chanteront les musiques que nous écrirons, alors le renoncement est impossible.

Il ne s'agit pas d'une pétition de principe, mais d'une réalité vérifiable. Quotidiennement. Chacun sait que la « crise économique » actuelle correspond, pour une large part, à un dysfonctionnement général. La même « machine à prospérité » qui fonctionnait dans les années 60 s'est enrayée. Il existe des causes objectives qui sont, en définitive, peu nombreuses et surmontables. Mais il existe également des raisons sociopsychologiques qui, elles, sont déterminantes et difficilement corrigeables. Parmi celles-ci, l'anticipation du futur joue un rôle capital. Tous les agents économiques : entreprises, consommateurs, banques, administrations, travailleurs, etc., agissent en fonction de résultats à venir, de craintes ou d'espérances. Une perspective inflationniste incite à augmenter les prix et à provoquer l'inflation ; l'attente d'une stagnation bloque les investissements et empêche la reprise. Bref, l'image que l'on se donne du futur détermine l'action présente qui, à son tour, engage l'avenir. Le processus peut jouer dans les deux sens : positif ou négatif. Le mécanisme pervers, c'est l'interaction entre la vision des choses et leur propre évolution.

Lorsque l'objet observé nous est extérieur, le jugement que l'on porte ne change pas sa nature. Je peux bien trouver laid le rhinocéros, cruel le tigre et sublime le chêne, cela ne modifiera en rien l'évolution propre des uns et des autres. Ma vision est neutre. Dès lors que nous intervenons comme acteurs dans la réalité observée, alors notre regard est action. La paranoïa représente un exemple typique de cette interaction. La personne qui se croit détestée, agressée par son entourage, adopte une attitude en rapport avec sa vision. Ce comportement défensif, voire agressif, modifie celui des autres. Il se fait alors une dérive des relations au terme de laquelle le paranoïaque pourra trouver dans son entourage des faits objectifs qui justifient son jugement.

Ainsi le regard sur l'avenir peut devenir un système rétroactif qui se justifie à travers les modifications qu'il opère. Phénomène bien connu ; si l'on pose au départ que « tout est foutu », les choses rateront inévitablement, permettant ensuite de dire « je vous l'avais bien dit ». Ce mécanisme, parfaitement analysé sur le plan de la psychologie individuelle, est tout aussi courant sur le plan collectif. Il est frappant de voir comment les guerres deviennent inévitables à l'instant où peuples et gouvernants ont admis qu'elles vont effectivement éclater.

Pessimisme ou optimisme face à l'avenir ? La question n'est innocente qu'en apparence. Jugement dans une perspective fataliste, elle devient préjugement lorsqu'on se place dans une optique volontariste. Et, comme tout préjugé, elle contribue à créer la situation qu'elle annonce. Les gouvernements le savent bien qui recherchent constamment la confiance, c'est-à-dire le préjugé favorable. Le meilleur plan perd la moitié de ses chances dès lors que l'opinion ne croit pas en son succès. Ainsi les lunettes noires du pessimisme assombrissent l'avenir et pas seulement sa vision.

Or, ce pessimisme dangereux est également irréaliste. Nous nous sommes faits à l'idée que nous devons avoir sous les yeux un scénario de succès, que nous ne nous en sortirons pas sans que nous ne sachions à l'avance comment. C'est une illusion que démentent les leçons de l'histoire. Si nos parents avaient manifesté une telle exigence, ma génération — au reste peu nombreuse — n'aurait pas été conçue du tout. La France des années 30, pays épuisé, stérile, vieillissant, n'avait le choix qu'entre la guerre civile ou la guerre étrangère. Perspectives désastreuses dans tous les cas. Il n'existait aucun scénario, absolument aucun, qui incite à l'optimisme. Tel était l'avenir en 1930. Nous savons aujourd'hui que les quarante années qui suivirent, passé les épreuves de la guerre, compteront parmi les plus heureuses qu'ait connues ce pays. Aucun prévisionniste, aucun prophète, aucun voyant n'avait envisagé le redressement français à l'époque de ma naissance.

Ce retournement ne doit rien aux faits objectifs. Tous les ordinateurs du monde auraient pu — s'ils avaient existé à l'époque — triturer, malaxer, traiter et retraiter les données statistiques, qu'ils n'auraient toujours pas décelé les conditions d'un renouveau. Le fait déterminant fut subjectif et non objectif. Après la Deuxième Guerre mondiale, les Français ruinés, accablés se donnèrent une autre vision de l'avenir. Sans que l'on sache pourquoi, ils crurent à la possibilité de construire un monde nouveau. Ils le crurent et ils le purent. Fait qui ne trompe pas, ils se remirent à faire des enfants. S'il est un comportement déterminé par la vision de l'avenir, c'est bien celui-là.

Imaginons un instant tout ce qu'on aurait pu dire aux prêcheurs d'optimisme dans les années 30. « Adeptes de la méthode Coué » eût été le plus aimable des qualificatifs. Les raisons d'espérer n'auraient pas pesé lourd face aux démonstrations de tous les Cassandre.

Situation inverse, la France s'est convertie au pessimisme vers la fin des années 60 : en pleine période heureuse. Ici encore le phénomène est purement subjectif. Entre 1965 et 1975, aucun fait objectif n'est venu modifier notre avenir de façon significative. En revan-

che, il n'est pas indifférent pour la suite de l'histoire
que des millions d'hommes qui misaient sur le meilleur se soient mis à parier sur le pire.

Il serait absurde de penser que les choses iront
s'améliorant ou s'aggravant selon que nos prévisions
s'orienteront dans un sens ou dans l'autre. Toutefois,
le catastrophisme actuel ne fera rien pour les arranger,
c'est le moins qu'on puisse dire.

Revenons au concret. Nous parlons de « la crise »
à propos des difficultés économiques récentes. C'est
un abus de langage si l'on donne à ce mot son sens
plein. Une croissance à 2 %, une inflation à 10 % et un
chômage de 6 % ne constituent en rien une crise économique majeure. Nos économies connurent dans le passé
des récessions à 15 %, des inflations à 30 % et des taux
de chômage de 15 %. A tant parler de crise, nous finis-
sons par oublier la menace, toujours présente, d'une
vraie rupture économique. Une des voies qui nous
feraient passer du mineur au majeur serait l'adoption
par les Etats du protectionnisme sauvage, du « chacun
pour soi ». Quoi que l'on pense du libre-échangisme, il
est certain que le système économique actuel ne suppor-
terait pas un tel changement. Pourtant, tous les pays
en ressentent périodiquement la tentation. Il suffirait
que les gouvernements voient l'avenir en noir, croient
à la dramatisation de la crise, pour qu'ils se referment
sur eux-mêmes. Alors la contagion de la panique embra-
serait le monde, avec ses conséquences inévitables.

Or il est possible dès aujourd'hui de démontrer que
la crise ne fera que s'aggraver et qu'il faut, au plus
vite, se prémunir en fermant les frontières. L'argumen-
tation serait certainement convaincante. Il suffirait que
quelques gouvernements cèdent à ces fausses certitudes
pour que l'on s'engage sur une pente qui, à l'arrivée,
justifierait pleinement ce diagnostic. Si l'optimisme ne
peut résoudre la crise, le pessimisme, lui, peut encore
l'aggraver.

Ce refus du pessimisme peut et doit aller de pair
avec la plus extrême inquiétude. Il existe des menaces
qui peuvent alimenter tous nos scénarios de catastrophes. Nous n'avons le choix qu'entre l'inquiétude ou

l'inconscience. Qui peut affirmer que la guerre atomique sera évitée, que le système monétaire ne s'effondrera pas, que la famine ne fera pas mourir des dizaines de millions d'hommes, que nous ne connaîtrons pas un accident atomique majeur... ? Décidément les raisons de craintes sont trop réelles pour que nous nous offrions le luxe du pessimisme.

Certains de nos scénarios sont déjà bien noirs, pourtant nous aurions pu pousser encore plus loin dans le catastrophisme. On peut imaginer des périls véritablement imparables. Tous ces futurs existent, c'est vrai. Il en était de même à toutes les époques, mais les hommes ne le savaient pas. Heureux notre ancêtre de Cro-Magnon de n'avoir pas rencontré un prospectiviste sur ses pistes de chasse ! Il aurait découvert tout à coup qu'il n'avait aucune chance de survie. Il se serait suicidé. Et nous avec. Aucune prévision n'apporte de certitude, aucune ne peut donc fonder le pessimisme, pourtant cette plongée dans l'avenir conserve toute son utilité.

La première c'est de baliser le champ du futur, de repérer les pièges à éviter, les règles à respecter, les prises auxquelles s'agripper. J'en prendrai quelques exemples.

« C'est quand l'avenir ? », me demanda un très jeune garçon en feuilletant le premier tome des *Scénarios du futur*. Question judicieuse entre toutes. En termes de prospective, la limite entre le présent et l'avenir ne se situe pas dans l'instant, elle n'est pas uniforme. Et c'est là qu'il importe de ne pas se tromper.

La différence entre présent et futur est que l'un existe, c'est une donnée qui nous est imposée, sur laquelle nous n'avons pas de prise, et que nous connaissons avec certitude. Le futur au contraire n'existe pas, c'est une autre chose dans un autre temps, qui se traduit en termes de probabilité mais dont nous pouvons modifier l'existence à venir.

La capacité de faire changer les choses et d'ainsi précipiter l'avenir va dépendre de leur inertie. Or celle-ci varie considérablement d'un secteur à l'autre. En quelques secondes une bombe atomique peut raser une ville, en quelques heures un coup d'Etat peut changer un régime, en quelques jours une crise monétaire peut déferler. Voilà des cas où le présent est mince, l'horizon de l'avenir tout proche. Il nous faut envisager de basculer dans une situation nouvelle en un temps très court.

Prenons, au contraire, la forêt française. Elle est, comme l'on sait, dans un état lamentable. On peut imaginer un futur dans lequel elle serait enfin correctement exploitée. Mais ce changement-là ne peut intervenir avant de nombreuses années. Quelques mesures que nous prenions aujourd'hui, le visage de notre forêt restera à peu près le même d'ici à dix ans. Il faut laisser aux arbres le temps de pousser, et cela recule d'autant l'horizon du futur. Le présent forestier dure au minimum une décennie.

Il en va de même pour l'énergie. Bien des écologistes enthousiastes voudraient, dès aujourd'hui, remplacer le nucléaire par le solaire. Hélas ! on ne change pas de présent aussi rapidement. L'inertie est d'environ dix ans pour obtenir quelque changement que ce soit dans la production d'énergie. Il serait tout aussi long d'équiper la France en systèmes solaires qu'il le sera de construire un réseau complet de centrales nucléaires. La seule mesure qui permette de changer rapidement les données du problème énergétique, c'est le rationnement. Mais à quel prix ! Pour tout le reste, il faut compter en décennies.

Reste la démographie, la plus pesante de toutes nos évolutions ; ici les causes sont dissociées des effets par plusieurs décennies. Seul un massacre : guerre, épidémie, change brusquement l'état démographique d'une population. Les tendances peuvent s'infléchir rapidement, mais elles ne modifient la situation qu'à longue échéance. De ce point de vue, l'an 2000 est pratiquement joué. La fourchette d'incertitude est si réduite qu'elle confine à l'ambiguïté de la prophétie. Nous savons à peu près ce que sera la population française en l'an 2000, et nous le savons car, en démographie, l'an 2000 c'est encore notre présent.

Repérer ces horizons, ces inerties, cette épaisseur du

présent, est essentiel pour une étude de l'avenir qui prétend orienter l'action et non prédire les lendemains. Car les erreurs d'horizon ont généralement des conséquences catastrophiques.

Autre objectif de ces recherches : repérer les points d'appui. Il ne suffit pas de mettre en œuvre des moyens puissants pour infléchir les événements. L'essentiel est d'agir au point sensible, celui à partir duquel les choses peuvent bouger. En certains de ces lieux privilégiés, l'action sera efficace, en d'autres elle sera totalement inopérante. Tout le monde est d'accord pour réaliser des économies d'énergie, relancer la natalité en Occident, favoriser le développement du Tiers Monde, mais, à supposer que l'on sorte des vœux pieux, que l'on se donne des moyens suffisants, on ne saurait toujours pas quelle politique suivre pour être efficace. L'expérience montre que, sur des sujets aussi complexes, l'effort est loin de garantir le succès. Jouer au futur comme nous l'avons fait, ou, sérieusement, faire des études de prospective, c'est repérer tout à la fois les inerties et les forces de changement. Si l'analyse est juste, on saura comment, en contournant les unes, en poussant les autres, il est possible de piloter une évolution. La méthode ne garantit hélas pas le succès, mais l'absence de réflexion condamne à l'échec.

Troisième exemple de prise sur l'avenir : la cohérence. L'action ne peut s'exercer en même temps sur l'ensemble du monde, elle doit s'inscrire dans une portion de réalité que l'on appelle un problème. On s'attaquera ainsi au problème monétaire, au problème énergétique, au problème de la violence, etc. Cette segmentation est la condition de l'efficacité, mais elle crée le risque d'incohérence. Car la réalité ne connaît pas ces frontières, et les interférences risquent d'être malheureuses. Prenons quelques exemples.

Pour éviter l'aggravation du chômage, les experts économiques préconisent une forte croissance, d'autres experts souhaitent une croissance modérée afin d'éviter une pénurie de pétrole. Fidèles à leur vocation, les enseignants veulent étendre sans cesse l'éducation supérieure ; suivant leur logique de production, les indus-

triels créent des emplois qui n'appellent pas nécessairement des universitaires. On pourrait multiplier les
exemples de ce genre qui, au mieux, débouchent sur
le néant, comme les abattoirs de La Villette, et, au
pire, créent des conflits telle la révolte des jeunes
diplômés en Italie.

En repérant l'horizon et les inerties, en découvrant
les cibles d'action et les masses de blocage, en mettant
au jour les tendances lourdes et les forces nouvelles,
cette réflexion sur l'avenir peut déjà se révéler fort
utile. Elle l'est encore par la mise en évidence des
facteurs psychosociologiques, les fameux « facteurs
humains ». De ce point de vue, la fiction est irremplaçable. Elle permet de faire jouer des logiques de
comportement et pas seulement des forces classiques.
Sur ce terrain essentiel et insaisissable, il vaut mieux
être plus qualitatif, moins rigoureux, plus imaginatif
pour tout dire.

Beaucoup de nos scénarios conduisent à des réalités
différentes, parfois même opposées. Ces différences
peuvent tenir à la survenance d'un fait nouveau. Nos
futurs ne seront pas les mêmes selon que l'accumulation
du gaz carbonique provoquera ou pas un réchauffement de la planète. Parmi ces grands modificateurs se
trouvent bien souvent des inventions. Saura-t-on, en
l'an 2000, conduire une grossesse *in vitro,* produire de
l'électricité solaire à bon marché, détruire les fusées
nucléaires depuis l'espace ou renforcer les défenses
de l'organisme face au cancer ? Selon que la réponse
sera positive ou négative, la fin de siècle en sera
profondément changée.

Mais nous avons constaté que l'on aboutit à des
situations entièrement différentes en l'absence de tout
changement matériel. Nous pouvons envisager un développement ou une régression du sport, de la religion,
de la natalité, du mouvement des consommateurs ou
de l'émancipation féminine sans faire intervenir des
modifications radicales dans nos conditions matérielles.
Dans certains cas, la politique suivie aura précipité
le changement, dans d'autres, elle n'aura fait que le
suivre. Quelle sera donc la cause première ? Faute de

mieux, je parlerai d'une transformation dans la conscience collective. Il s'agit d'une dénomination plus que d'une explication. De fait, le phénomène se constate plus qu'il ne se comprend.

Si je regarde les grands changements intervenus dans notre société au cours des dernières années, j'en vois certains qui sont liés à des modifications techniques — c'est vrai pour la famille et la télévision, la sexualité et les contraceptifs, etc. —, d'autres résultent d'une politique, c'est la nouvelle conduite automobile liée à l'interdiction de l'avertisseur sonore, mais la plupart n'ont aucune cause objective évidente. Ni la prise de conscience écologique, ni la baisse de la natalité, ni la revendication féministe n'ont été provoquées par un changement dans les faits ou les politiques. Les esprits ont changé sans que l'on puisse dire comment ou pourquoi.

Aujourd'hui même, nous découvrons sans la comprendre la prodigieuse renaissance islamique, et quel prévisionniste avait annoncé que les Américains se prendraient de passion pour la course à pied ? Les explications, toujours pléthoriques, toujours rétrospectives, ne valent rien. Tout ce que nous pouvons retenir, c'est que l'esprit et le comportement des hommes, la « conscience collective » sont susceptibles de variations brutales et autonomes. Certes ces modifications sont souvent liées à des faits objectifs, mais il arrive également que ce lien n'apparaisse pas et que le subjectif se présente comme sa propre cause et non comme un simple effet.

A la question « que sera la France en l'an 2000 ? », il faut donc opposer un préalable : « Que sera le Français de l'an 2000 ? » Il nous faut faire des scénarios d'hommes et pas seulement de situations, nous donner en hypothèse des Français qui pratiquent le sport, abandonnent le corporatisme, aiment les familles nombreuses, ou bien, au contraire, refusent l'effort physique, bloquent définitivement la société et ne dépassent pas l'enfant unique. Malheureusement, il nous est très difficile d'imaginer le type d'évolution, l'enchaînement d'étapes, qui conduirait à une telle situation. Il faut prévoir des variantes de Français plus que des scénarios de transition, conduisant à l'un ou l'autre.

Aujourd'hui, l'importance de ces facteurs de psychologie collective est mise en pleine lumière par les difficultés économiques. Lorsque le prix du pétrole a quadruplé, les experts s'accordèrent à penser que les performances économiques des pays seraient liées à la disposition de ressources naturelles, notamment d'énergie. Il paraissait évident que les seules nations disposant de gisements importants pour assurer une autosuffisance pourraient préserver leur prospérité. Cinq années plus tard que constatons-nous ?

En tête de toutes les nations vient le pays le plus démuni de ressources énergétiques : le Japon. Tout le monde sait que les brillants résultats de l'Allemagne ne doivent que très peu aux gisements de charbon, et que le pétrole de la mer du Nord n'apportera aux Britanniques qu'un simple soulagement. Si la Grande-Bretagne réussit son redressement, elle le devra aux Britanniques et non au pétrole.

Et la France ? La démonstration est encore plus éclatante pour notre pays. Nous possédons, c'est vrai, d'importantes richesses naturelles. Elles nous ont permis de développer un certain nombre d'activités économiques, et l'on doit penser que ces secteurs, favorisés par la nature, sont à la base de notre prospérité. Voyons cela. La France possède un espace agricole exceptionnellement favorable. Résultat : nous sommes déficitaires en protéines, en viandes, en fruits et légumes. Au cours des dernières années, nos productions agricoles n'ont en rien contribué au redressement de notre commerce mis à mal par le renchérissement du pétrole. Qui plus est, tout le secteur agro-alimentaire, bâti en aval de cette agriculture, est dans un triste état, souvent déficitaire et généralement dominé par l'étranger. La France possède 3 500 kilomètres de côtes, ouvertes sur trois mers, et un espace marin de 10 millions de kilomètres carrés. Il s'ensuit que nous sommes déficitaires sur le chapitre du poisson, de la construction navale et du transport maritime. Notre forêt est la première du monde occidental. Nous nous ruinons à importer de la pâte à papier et des meubles. Nous avons des minerais de fer, et notre sidérurgie... Faut-il continuer ? Chaque fois que la France possède une richesse naturelle, les activités économiques correspondantes sont peu compétitives, en retard et déficitaires.

Pourtant, la France a réussi en cinq années un redressement économique extraordinaire puisque nous sommes parvenus à payer notre pétrole au prix fort. Nous avons donc obtenu des excédents commerciaux d'un montant égal à la nouvelle facture pétrolière. Dans quels secteurs avons-nous gagné tant d'argent ? Dans tous ceux qui ne doivent rien aux avantages naturels de la France. Les automobiles, les armements, les radars, les métros, les vêtements ne poussent pas mieux ici qu'ailleurs. Pourtant, c'est avec de telles productions industrielles que d'énormes progrès ont été réalisés sur les marchés étrangers. Si l'on distinguait dans l'économie française la partie qui bénéficie de richesses naturelles et celle qui n'en bénéficie pas, on verrait que la première se traîne sur le modèle britannique et que la seconde se développe à la japonaise. Ce qui nous place, au total, entre ces deux pays.

La leçon de ces faits est claire. Dans la compétition internationale, c'est plus que jamais la créativité des peuples, et non les ressources naturelles, qui fait la différence. La situation de l'économie française en l'an 2000 ne dépend pas du pétrole que nous pourrions trouver au large de nos côtes, elle est uniquement liée au travail des Français. Conserverons-nous ce goût de la création, ce sens de l'efficacité ? Tout est là. Si nous le développons, nous nous adapterons à toutes les situations, si nous le perdons, rien ne pourra le remplacer. L'avenir de la France dépend plus que jamais des Français, c'est-à-dire de ces mystérieux facteurs humains qui les feront évoluer vers le modèle 1930 ou le modèle 1960.

Dirais-je la même chose si je parlais des Bengali, des Nigériens ou des Boliviens ? Sans doute pas. Il est vrai que, pour certains peuples du tiers monde, l'impossibilité de dégager des scénarios acceptables, le carac-

tère uniformément noir des prévisions, finit par susciter l'angoisse et non seulement l'inquiétude. Certaines
situations rendent presque surhumaine la lutte contre
le défaitisme. Mais, précisément, il ne me semble pas
qu'il appartienne aux Occidentaux de choisir l'avenir
de ces peuples. L'impérialisme culturel de l'Europe
leur a fait autant de mal que son impérialisme politique
ou commercial. Rien n'est si triste que ces congrès où
les élites du Tiers Monde, formées, façonnées à l'occidentale, parlent de leurs réalités avec nos idéologies,
nos concepts, nos schémas. Rien n'est si dérisoire que
de retrouver en Afrique ou en Amérique latine les
tirades de nos politiciens sur le socialisme et la révolution. Une seule chose est assurée : les futurs possibles
de ces pays sont à chercher dans leur réalité historique,
sociale et culturelle et non dans les universités européennes. Cette réserve doit être inspirée par le respect
et non l'indifférence. C'est sur le plan technique, matériel, en répondant à leurs demandes, que nous pouvons aider les nations du Tiers Monde à construire
leur avenir et certainement pas en leur transmettant
nos traités de politique, d'économie et de sociologie.
Ainsi n'ai-je pas voulu jouer au futur des Autres, ce
qui ne signifie nullement que nous puissions construire
le nôtre sans rester constamment solidaires du leur.

Ce simple rappel nous permet de mieux situer les
inquiétudes des Français, d'en mesurer certains excès
et, parfois même, certaines indécences. Comment accepter que nous sombrions dans le plus noir pessimisme à
la perspective de ne pouvoir plus rouler en automobile
le dimanche ou passer nos vacances à la neige, alors
que tant d'hommes dans le monde se demandent simplement s'ils pourront empêcher leurs enfants de mourir de faim ? Dans l'univers tragique qui est le nôtre,
la simple pudeur nous interdit de constamment nous
apitoyer sur notre sort, de nous complaire dans le
pessimisme. A moins d'une guerre nucléaire, les épreuves qui nous attendent représentent des défis relevables,
à notre portée. Comme l'humanité serait heureuse si
tous les hommes pouvaient en dire autant !

Sitôt que l'on retire nos lunettes sombres, on constate

que les Français abordent le prochain millénaire dans
une position très favorable par rapport aux autres
peuples. Certes, ils peuvent encore gâcher toutes ces
chances. Cela ,dépend d'eux. Mais ces chances existent.
A ce stade, il est tentant de conclure que tout dépendra de la politique suivie. Personnellement, je ne le
crois pas. La « conscience collective » est autre chose
que les élections et les décrets. Les hommes politiques
et les gouvernements suivent plus qu'ils ne précèdent
ces grands courants. Même l'expression de la volonté
populaire est ambiguë dans le jeu politique. A droite
comme à gauche, les votes peuvent traduire la fuite
devant les réalités autant que la volonté d'entreprendre.
Au niveau le plus profond se retrouve toujours une
insaisissable conscience collective qui emporte les
nations dans un sens ou un autre. C'est elle qui détient
la clé de l'avenir. Ce sont en définitive les Français
et eux seuls qui écriront leur scénario du futur. Le
vrai, celui qui fera notre histoire.

TABLE

*Achevé d'imprimer
le 7 Juin 1979
sur les presses de
l'imprimerie Hérissey
à Évreux (Eure)*

Dépôt légal 2e trimestre 1979
No d'éditeur : 508
No d'imprimeur : 23847

508